LES COMPACTS

Gerald Messadié

Les grandes inventions du monde moderne

Bordas

Responsable d'édition : Olivier Juilliard
Édition : Gilbert Labrune
Préparation : Michel Margotin
Correction : Michel Margotin - Laurence Giaume
Mise en pages : Nadine Grimaud
Iconographie : Christine Varin
Dessins : Danièle Molez

Achevé d'imprimer en mai 1989
sur les presses de Berger Levrault, Nancy.
Dépôt légal :
© Bordas S.A., Paris, 1989
ISBN 2-04-16383-2
ISSN 0985-505X

Sommaire

Le présent volume de Gerald Messadié est la suite des Grandes inventions de l'humanité jusqu'en 1850, *auquel le lecteur est invité à se reporter.*

Note de l'éditeur

*Dans chacun des articles de ce livre, le lecteur trouvera, repérées en **caractères gras**, les principales étapes (notions de références, objets, circonstances, caractéristiques et objectifs...) ayant permis à l'invention d'apparaître.*

Introduction

Répartir les inventions en deux domaines historiques, et en deux ouvrages distincts, l'un comprenant les inventions antérieures à 1850, l'autre celles qui sont postérieures à cette date, pourrait paraître arbitraire, voire artificiel, sinon pour des questions de commodité de format. Mais cela ne l'est pas pour une raison très simple : l'an 1900 apparaît à distance comme l'époque charnière à partir de laquelle la technosphère entre pour la première fois en rivalité, puis en conflit, avec la biosphère.

Pendant les millénaires précédents, on inventa, on fabriqua, mais jamais les feux des ateliers de potiers, pour ne citer qu'eux, ne menacèrent d'obscurcir le ciel, et les recherches des apothicaires ne risquaient certes pas de bouleverser l'équilibre des populations, non plus que les économies. Or, dès le XIXᵉ siècle, Londres est devenue l'une des villes les plus polluées du monde. Le célèbre **« fog »** des bords de la Tamise n'est en fait que la combinaison du brouillard et des fumées industrielles dans une atmosphère stagnante, ce que, de nos jours, on appelle le **« smog »** ; la preuve est faite depuis que des mesures ont été prises dans la seconde moitié du XXᵉ siècle que le *fog* cher aux amateurs de récits d'épouvante et d'enquêtes policières a effectivement disparu. A la même époque à Paris, la Seine est un égout à ciel ouvert, dont les puanteurs suffoquent les citadins les plus enviés de la planète : c'est là le résultat du déversement direct des excréments et eaux usées dans le fleuve, mais aussi de l'expansion démographique. Or, celle-ci résulte d'un accroissement de l'espérance de vie humaine, lequel est partiellement dû à la médecine. La Seine ne recommence à être inodore que vers 1920 et, si les fous seuls mangent le goujon qu'ils y ont pêché (en fait, c'est surtout dans la Marne qu'on trouve encore ce poisson), on peut désormais aller pique-niquer à Charenton ou à Robinson, sur les bords de la Seine, sans risquer de défaillir.

Au fur et à mesure que l'on avance dans le XXᵉ siècle, le conflit entre technosphère et biosphère s'accentue. Dans les années 50, même la France est saisie par l'émotion qui a bouleversé le monde anglo-saxon à la lecture du *Printemps silencieux* de Rachel Carson, un livre qui décrit les effroyables ravages du D.D.T. dans le milieu naturel. Le D.D.T., pourtant, avait semblé indispensable à la lutte contre les insectes dits nuisibles. Quinze ans à peine séparent ces premières alarmes de celles que va susciter l'implantation de centrales nucléaires. En 1973, un accident grave étant survenu à la centrale de Windscale, en Grande-Bretagne, une panique se répand dans le pays et l'inquiétude gagne même l'Europe : et si ce type d'accident se reproduisait ?... Il se reproduit, en effet, et l'on sait désormais qu'il n'est pas de mois sans que survienne une avarie, généralement mineure il est vrai, dans une centrale nucléaire. Les gouvernements et les savants, qui leur sont asservis, commencent à mentir. Windscale, stratagème singulier, est débaptisé et renommé Sellafield ; son nom disparaît même des dictionnaires... Et les accidents gagnent en gravité : après Three Mile Island, aux États-Unis, c'est Tchernobyl, en 1986, en U.R.S.S.

Les séquelles douteuses du progrès

Depuis les années 70, par ailleurs, les populations s'inquiètent des effets d'une industrialisation excessive des aliments, et les mouvements de consommateurs contraignent les gouvernements à interdire certains additifs inutiles. L'on découvre, de même, que les fluorocarbones indispensables à la fabrication d'un certain type d'aérosols peuvent entraîner des conséquences dramatiques pour l'avenir de l'humanité tout entière : ils sont accusés de désintégrer la couche d'ozone atmosphérique qui filtre les ultraviolets, d'où un risque accru de cancers de la peau. Les fumées industrielles sont fortement soupçonnées d'être à l'origine des pluies acides qui, à leur tour, provoquent des déforestations massives bien au-delà des frontières, et les conséquences de la teneur en plomb des gaz d'échappement des voitures incite presque tous les gouvernements des pays industriels à mettre fin à l'utilisation de l'essence au plomb.

Pour la première fois, donc, depuis ses origines, l'humanité prend conscience du fait que la technosphère qu'elle a elle-même créée peut mettre en danger la biosphère dans laquelle elle vit. Les pollutions catastrophiques de rivières, l'accident de Bhopal, en Inde, les dommages causés à la faune et à la flore par les insecticides ont renforcé le courant écologique dont il y a de nombreuses raisons de penser qu'il survivra longtemps.

Les effets de la technosphère ne sont pas tous négatifs, il s'en faut. Depuis la fin du XIXᵉ siècle, l'extension des vaccins et une connaissance sans cesse améliorée de l'hygiène augmentent l'espérance de vie à la naissance. De même, les mesures obligatoires d'asepsie et d'antisepsie dans les maternités ont considérablement réduit la mortalité infantile. Alors qu'au XVIIIᵉ siècle un enfant n'avait qu'une chance sur cinq d'atteindre l'âge d'un an et que, l'ayant atteint, son espérance de vie moyenne était d'environ 45 ans, au début du XXᵉ, il a une chance sur trois d'atteindre l'âge d'un an et son espérance de vie a augmenté d'environ dix ans. Trois quarts de siècle plus tard, elle aura encore augmenté d'une vingtaine d'années dans les pays développés. En fait, depuis le début du XXᵉ siècle, c'est une trentaine d'années, seulement dans les pays développés, que l'être humain aura gagnée en espérance de vie. La vingtaine d'années gagnée entre 1940 et 1980, approximativement (les chiffres varient selon les pays), nous la devons aux antibiotiques, à un meilleur dépistage des maladies, aux progrès de la chirurgie, de la pharmacologie, de l'alimentation, de la prévention, en même temps qu'à l'éducation.

Les conséquences en sont immenses, d'abord d'un point de vue démographique. Paradoxalement, entre le début du siècle et celui de son dernier quart, on note un formidable écart dans l'évolution démographique des pays développés et de ceux dont on dit qu'ils sont en voie de développement. C'est ainsi qu'en 1940 la France comptait 43 millions d'habitants et l'Égypte, 16. En 1985, la France comptait 53 millions d'habitants et l'Égypte, 45. Tout se passe comme si le développement scientifique et technique et, par voie de conséquence, l'accroissement de l'espérance de vie incitaient les populations des pays développés à pratiquer un contrôle tacite de leur expansion démographique, alors que les pays qui ne bénéficient pas de ces avantages essaieraient de compenser leur handicap. En Égypte, en 1980, l'espérance de vie, en effet, n'atteignait pas 50 ans. Vingt-cinq ans de retard sur l'Europe ! Le développement de la technosphère a donc modifié les équilibres humains de la biosphère et, du coup, la situation économique et politique. On s'en est particulièrement aperçu dans les années 70 lorsque l'Asie du Sud-Est s'est mise à fabriquer du matériel électronique à des prix si faibles qu'ils ne sauraient être comparés à ceux des pays développés. Dès 1985, les États-Unis ont pratiquement cédé la quasi-totalité de l'industrie électronique à l'Asie et ne fabriquent plus un seul téléviseur, plus un seul appareil radio ; la situation est presque la même en optique.

Conséquence immédiate : les centres de recherche se sont déplacés vers les nouveaux centres économiques, et le Japon occupe une place de premier rang dans de nombreux domaines scientifiques et techniques, dont la mise au point d'ordinateurs dits de la cinquième génération.

Par là même, on aborde les conséquences économiques du développement de la technosphère. Outre la mise en minorité des pays traditionnellement créateurs de technologie, il faut noter une deuxième conséquence : l'augmentation considérable du niveau de vie. L'automation a permis de réduire, parfois dans des proportions qui vont de 1 à 10, le prix de revient, et donc de vente, des biens de consommation. Parallèlement, et c'est là une troisième conséquence du phénomène, l'automation a créé du chômage et donc freiné de la sorte, elle-même, sa propre extension. Les chômeurs ne pouvant pas être consommateurs, il y a ralentissement de la consommation et, dans une certaine mesure, de l'innovation technologique.

L'ère du recyclage permanent

Si l'on s'arrête ici un instant pour comparer ce paysage avec celui des siècles antérieurs, on peut mesurer, non seulement des différences vertigineuses, mais encore une césure qui justifie une fois de plus l'établissement d'une frontière entre le XXᵉ siècle et les millénaires précédents. Aucune invention, dans le passé, n'a créé de chômage, ni menacé l'environnement. On compare souvent, mais un peu hâtivement, la situation créée au XXᵉ siècle par l'automation avec celle qui le fut, au XVIIᵉ, par les nouveaux métiers à tisser. En réalité, les deux sont très différentes, car les métiers à tisser menaçaient une main-d'œuvre qualifiée, celle des tisserands traditionnels, au bénéfice d'ouvriers non qualifiés. Or, c'est exactement l'inverse qui se produit au XXᵉ siècle : la technologie favorise les mains-d'œuvre les plus qualifiées au détriment de celles qui le sont le moins.

Il s'ensuit que ce que l'on peut appeler le « savoir commercial », celui qui est dispensé par les diplômes, est contraint, au XXᵉ siècle, à des recyclages de plus en plus fréquents. Dès la fin des années 80, on pouvait considérer que, dans la totalité du monde industriel, un diplôme technologique comportait une date de péremption invisible, suivant de trois au minimum à sept ans au maximum l'année de sa délivrance. En électronique, par exemple, l'avènement des fibres optiques dans la construction des ordinateurs et la promesse des puces supraconductrices contraignent un grand nombre d'électroniciens à acquérir rapidement un savoir intégralement neuf.

Dans de nombreux domaines de pointe, on en est arrivé à considérer aussi que l'invention ne peut être que le fruit d'une recherche permanente. On n'est plus guère « savant », mais « chercheur », et l'on cherche du commencement à la fin de sa carrière. Ce qui n'était pas le cas autrefois. Même au XIXᵉ siècle, Edison ayant mis au point (au prix de plusieurs milliers d'expériences, il est vrai) son ampoule électrique, il lui était loisible de « se reposer sur ses lauriers » pendant plusieurs années. Il pouvait espérer des perfectionnements, dans le domaine des pompes à faire le vide, des filaments, du verre, c'est-à-dire des évolutions, mais pas des révolutions permanentes. En 1987, en revanche, une conférence de presse tenue à Kyoto sur les nouveaux supraconducteurs tournait à l'émeute : le Dʳ Ihara ayant annoncé qu'il avait observé des phénomènes de supraconductivité à 65 °C, température inimaginable, ce fut un branle-bas international. Des matériaux pouvant emmagasiner l'électricité, non à des températures extrêmement basses et coûteuses, mais à des températures ordinaires permettent de concevoir de nouvelles générations de piles, de nouveaux moyens de transport de l'électricité, des voitures électriques à autonomie de 5 000 km, des trains à lévitation magnétique filant à 400 km/h, des ordinateurs capables d'effectuer des opérations en temps réel...

Dans un autre domaine, celui de la biologie, on pouvait, au début du XXᵉ siècle, réaliser un vaccin en inoculant le germe à combattre préalablement tué ou bien affaibli dans certaines conditions d'asepsie. En 1987, on ne recensait pas moins de trente approches différentes pour réaliser un vaccin contre le virus du Sida. Chacune de ces méthodes pouvait entraîner la virologie et tout un pan de la biologie moléculaire sur des voies entièrement nouvelles. Cette situation peut se résumer par le fait que la technosphère est de plus en plus tendue.

La technique, un produit qui doit être adapté à la géographie

Là ne s'arrête certes pas la différence entre inventions au XXᵉ siècle et celles des millénaires précédents. Il convient d'y ajouter un changement profond, qui se produit cette fois dans les mentalités.

Depuis la révolution industrielle et jusque vers 1960, savants, techniciens, donc inventeurs, et public entretenaient la conviction, héritée du saint-simonisme industriel, que la science et la technique étaient toujours au service de l'homme et de la société. Les inventions, toutes les inventions, pouvaient donc être bénéfiques à l'humanité, jusques et y compris celles des méthodes de fission nucléaire, susceptibles de fournir de l'énergie à bon marché. Puis, lentement, à partir de 1960 (date évidemment indiquée ici à titre de repère approximatif), il s'avéra que les ensembles technologiques exportés à grands frais vers les pays en voie de développement, plus couramment désignés à l'époque sous le nom de tiers monde, ne produisaient pas les bénéfices escomptés. Aéroports, barrages, électrifications, réseaux télématiques, etc., se surajoutaient à des structures sociales et culturelles anciennes, les troublaient parfois, voire les détruisaient, mais ne bénéficiaient que rarement à l'ensemble des populations. Ou, en d'autres termes, les inventions bénéficiaient aux États, mais non à l'ensemble des nations. L'exemple le plus éloquent est peut-être celui du Brésil, pays doté de technologies de pointe, et qui exporte des armements, des avions, des automobiles, des ordinateurs, mais dont la richesse reste concentrée entre les mains d'une petite fraction de la population, guère supérieure à 20 % de celle-ci.

C'est alors que, dans le domaine agricole d'abord, puis dans toute la sphère technologique, des experts émirent l'opinion qu'il n'était pas utile et qu'il était peut-être même néfaste d'imposer au tiers monde des structures technologiques qui étaient celles de pays industriels. En agriculture, par exemple, les techniques d'irrigation par le chadouf antique peuvent être bien mieux adaptées à des pays en voie de développement, parce que n'exigeant quasiment pas d'investissement ni de main-d'œuvre coûteuse, que des procédés fondés sur l'utilisation de pompes mécaniques. A celles-ci, dont l'utilité n'est guère contestée dans les pays industriels, on peut juger préférables, pour les pays tropicaux, les pompes à chaleur.

L'exemple du haut barrage d'Assouan, en Égypte, donna aussi beaucoup à réfléchir aux technologues. Il avait été construit en 1963 pour accroître la production électrique du pays et favoriser la création de nouvelles terres agricoles, en évitant la déperdition d'eau qui accompagnait les crues du Nil. Les deux buts furent d'ailleurs atteints. Mais il apparut que sa masse d'eau induisait dans le sol des infiltrations d'eau douce qui dissolvait les couches de sel sous-jacentes et provoquait des affleurements d'eau salée nuisible aux cultures, justement. C'est-à-dire que l'on perdait en rendement agricole une part appréciable de ce que l'on gagnait en superficie cultivable. Il devenait pour la première fois évident que l'intérêt d'une invention n'est pas forcément universel.

Dans un second temps, certains analystes ont étendu leur réflexion aux pays industriels eux-mêmes, créateurs et exportateurs de technologies, c'est-à-dire d'inventions. Parmi ces pays, les États-Unis occupent la première place. Mais des observateurs américains ont fait valoir que 40 % environ de la population américaine ne bénéficient guère du modèle technologique américain. Une des raisons fondamentales invoquées est que la recherche aux fins industrielles, c'est-à-dire ce que l'on peut appeler simplement la recherche d'inventions et qu'en anglais on nomme **research & development,** selon l'expression franglaise consacrée, absorbe une part immense du budget de l'État — la moitié aux États-Unis et en Grande-Bretagne, un peu moins en France. Et plus la technologie progresse, plus le budget du R & D croît.

Cela revient à dire que, pour la première fois dans l'histoire, la technologie, mère des inventions, est considérée comme un domaine qui n'est pas organiquement lié au bien-être des sociétés et qui peut même être dangereux pour celles-ci, quand il produit des moyens de destruction massifs. Or, il est patent que, dans la majorité des pays qui ont de grands budgets de recherche, celle-ci est dominée par le militaire. C'est là un changement qui a retenu l'attention de nombreux spécialistes, historiens des sciences, philosophes et sociologues, et qui pourrait présager d'une conception totalement neuve du modèle technologique ou de ce que l'on appelle, en termes consacrés, le paradigme technologique.

L'ère des inventions collectives

Il convient enfin d'observer un autre grand changement dans le domaine des inventions : celles-ci se font de plus en plus collectives. Dans le passé, à moins qu'il fût reculé, le nom d'un savant était toujours attaché à l'invention : par exemple, celui de Denis Papin à la machine à vapeur, de Stephenson à la locomotive, de Marconi à la télégraphie sans fil. Les moyens matériels nécessaires à une invention restaient, en effet, à la portée d'un particulier, fût-il moyennement fortuné. Il en fut ainsi jusque dans les premières décennies du XXᵉ siècle ; même l'astronautique moderne a été préparée par les expériences d'un Goddard, qui sont encore à la portée d'un écolier ou d'un étudiant.

Mais, au fur et à mesure que la technologie progresse, l'invention exige la mise en œuvre de moyens de plus en plus considérables et coûteux. Leeuwenhoek inventa sans se ruiner le microscope optique ; mais Knoll et Ruska, qui inventèrent le microscope électronique en 1932, n'y parvinrent qu'à l'aide d'un équipement de haut niveau qui ne pouvait être leur propriété. La tradition consent encore que, dans certains cas, le nom d'un individu qui fait une invention avec le matériel d'une grande firme soit associé à cette invention, celle-ci devenant automatiquement la propriété de la firme. Mais, pour un certain nombre de raisons, essentiellement juridiques et financières, c'est de moins en moins souvent le cas. L'invention tend à être présentée sous le nom de la firme au sein de laquelle elle a été réalisée. Cela s'explique parfois par le fait qu'il n'y a pas un, mais plusieurs inventeurs, qui ont travaillé en équipe, parfois aussi par le fait que, même due à un seul individu, l'invention a été l'aboutissement de recherches déterminées, financées par la firme et que celle-ci s'en considère comme la propriétaire légitime. Il devient de plus en plus difficile de rééditer des exploits tels que celui d'un Wheatstone, qui inventa la stéréoscopie, ou d'un Sainte-Claire Deville, qui inventa un procédé d'extraction de l'aluminium.

On peut ainsi prévoir qu'au XXIᵉ siècle la majorité des inventions sera la propriété de grandes firmes disposant de moyens de recherche considérables. Autrement dit, que l'invention passera presque intégralement sous le contrôle de secteurs économiques clos, multinationales ou organismes d'État.

Des inventions invisibles : l'automation, la miniaturisation

Notre premier ouvrage offrait au lecteur un sujet de réflexion particulier : l'ancienneté de certaines inventions longtemps tenues pour « modernes », comme le cardan ou la machine à vapeur. Le présent ouvrage devrait en offrir un autre : celui de la technicité croissante des inventions, qui leur prête un caractère quasi invisible.

Ainsi, à l'exception du remplacement des moteurs à hélices par des turboréacteurs, il n'y a apparemment pas de différence essentielle entre un Potez des lignes commerciales aériennes de 1939 et un Boeing 747 ou un Airbus des mêmes lignes en 1980. Pourtant, les deux derniers appareils diffèrent considérablement du premier : les automatismes s'y sont multipliés, dont un système d'équilibrage, automatique lui aussi, qui rend l'avion beaucoup plus stable. On ne peut pas dire que les automatismes aient été « inventés » au XXᵉ siècle ; en fait, ils existent depuis le régulateur à flotteur de l'école d'Alexandrie. Mais c'est au XXᵉ siècle qu'ils se sont répandus et imposés.

Il en va de même de la miniaturisation. Elle n'a d'ailleurs été inventée par personne. On pourrait, à l'extrême rigueur, désigner les Américains Bardeen, Brattain et Shockley, inventeurs du transistor, comme trois de ses pères putatifs, mais les trois physiciens s'étaient, en fait, limités à l'invention du transistor, pièce qui succéda à l'antique triode. Toujours est-il que la miniaturisation va toucher une part immense de la production industrielle du XXᵉ siècle, surtout dans le domaine de l'électronique.

Impossible enfin de trouver un inventeur à la machine outil à commande numérique, dernier cri de la « productique », qui fonctionne sur les instructions d'un ruban perforé. Ou plutôt si : son inventeur n'est autre que ce mécanicien visionnaire du XVIIIᵉ siècle, Jacques de Vaucanson, auquel on doit le premier métier à tisser automatique, fonctionnant sur cartes perforées. Ainsi, un produit qui paraît récent n'est le plus souvent que l'avatar d'une invention ancienne.

Dernier trait qui caractérise la technique au XXᵉ siècle : elle est devenue quasiment incontrôlable. Elle suit son évolution autonome, comparable en cela au fonctionnement de l'A.D.N., qui semble « indifférent » au destin des cellules dont il commande la production (au point que de grands biologistes l'ont d'ailleurs qualifié d'« égoïste »).

Une évolution incontrôlable et imprévisible

Ce dernier caractère, indéniablement troublant, tient à l'imprévisibilité de la science. S'il est bien exact que des milliers de scientifiques dans le monde entier s'efforcent de trouver des solutions à des problèmes déterminés, comme le cancer, il demeure que c'est le hasard qui, le plus souvent, fait danser les inventions au son de ses violons. Ainsi, en répertoriant les gènes humains et les rapports de plusieurs de leurs anomalies avec certaines maladies, on découvre qu'il y a des gènes qui prédisposent au cancer de l'utérus, du sein, du côlon, etc. Le remède n'est sans doute pas là où on le cherche ; il résiderait sans doute dans la correction du gène défectueux. C'est aussi par hasard que Bernard Raveau a découvert un matériau qui est supraconducteur bien au-dessus des températures reconnues. Comme on ne peut guère inventer qu'à partir de ce que l'on sait parce qu'on l'a découvert, il s'ensuit que les inventions sont tributaires des découvertes et, dans une large mesure, du hasard.

Et non seulement elles naissent du hasard, mais encore s'enchaînent-elles et s'implantent-elles indépendamment des besoins réels de la communauté. L'exemple le plus connu est celui de l'automobile, dont l'utilité devient inférieure au succès selon une décroissance géométrique, mais qui continue d'apparaître dans l'opinion publique mondiale comme une nécessité de la vie courante. Un autre exemple qui a moins retenu l'attention est celui de l'avion pour les lignes de court et de moyen-courrier. Aux États-Unis, par exemple, ces lignes ont créé des encombrements tels qu'il faut parfois, compte tenu des retards et des temps de transport des aéroports aux centres ville, près de trois fois le temps du trajet théorique pour se rendre d'une ville à l'autre. Cependant, un train, qui convoierait à chaque trajet au moins cinq fois plus de voyageurs, coûterait moins cher, serait à l'heure et transporterait les voyageurs de centre ville à centre ville avec moins de risques. Mais l'avion a l'image du transport rapide et conserve la faveur du public...

L'histoire des inventions au XXe siècle comporte donc une leçon de philosophie, alors que celle des siècles antérieurs comporte une leçon de psychologie. A considérer le passé, on ne peut que s'étonner de la précocité — méconnue — du génie technique, et aussi de l'étrange lenteur avec laquelle il est des inventions majeures qui se font jour. A considérer les récentes décennies, on est enclin à s'étonner des débuts modestes de certaines inventions et de l'influence prépondérante, voire excessive, qu'elles ont prise.

Telle est sans doute la raison pour laquelle ce siècle voit apparaître une branche jusqu'alors inconnue de la réflexion sur la destinée humaine, la philosophie des sciences...

agriculture
& alimentation

Il peut paraître surprenant que l'agriculture et l'alimentation aient peu bénéficié du génie inventif depuis la seconde moitié du XIXᵉ siècle jusqu'à nos jours. Et pourtant, mis à part la mécanisation de l'agriculture et la conserverie, qui sont antérieures, il faut bien constater que ces deux domaines des activités humaines n'ont été transformés par une aucune invention majeure. En agriculture, les grandes différences entre les méthodes du XIXᵉ siècle et celles du XXᵉ résident dans des améliorations de techniques et de variétés. La pointe du progrès agricole à la fin du XXᵉ siècle, la création d'espèces nouvelles, n'est qu'une retombée de l'ingénierie génétique ; encore n'a-t-elle produit à ce jour aucun changement notable. Certains experts s'alarment même du fait que la culture de certaines variétés agricoles tende plutôt à appauvrir le patrimoine génétique des espèces végétales et animales.

Dans le domaine alimentaire, l'avènement de l'irradiation industrielle à la fin du XXᵉ siècle n'est que l'extrapolation d'une idée qui remonte à 1896 ! Si les goûts alimentaires de l'humanité se sont considérablement modifiés, les aliments de base que l'on consomme restent essentiellement les mêmes et les modes de conservation et de préparation des plats n'ont quasiment pas varié depuis le XIXᵉ siècle. Nous ne mangeons certes plus de jambon coupé à la demande, et nous le trouvons de plus en plus souvent coupé et emballé tout prêt, mais c'est toujours du jambon. Sa qualité s'est sans doute améliorée grâce aux contrôles sanitaires de plus en plus rigoureux, mais elle s'est également normalisée ; on ne trouve plus souvent de jambon excellent en un point de vente et médiocre en l'autre.

Ce n'est certes pas dans ces domaines que la bouteille souple, la clémentine, la margarine ou la saccharine témoignent le plus vivement du génie humain.

Additifs alimentaires
An. et coll., vers 1860.

L'expression « additifs alimentaires » doit être d'abord entendue au sens large, puis au sens restreint. Au sens large, il ne s'agit pas d'une invention moderne, certains additifs ayant été utilisés depuis la plus haute antiquité ; il s'agit essentiellement du sel, agent de conservation, et des épices, herbes et aromates, agents de sapidité. Ces deux types d'agents correspondaient à des nécessités primaires, ce qui ne fut pas le cas des additifs au sens contemporain, qui sont donc à prendre au sens restreint. Ceux-ci sont essentiellement des **colorants** de synthèse, des **agents de conservation** (antimycotiques, bactéricides, conservants, anti-oxydants), des **agents de texture** (humectants, émulsifiants, stabilisants, épaississants), des **agents de maturation** et des **agents de compléments,** tous d'origine généralement artificielle.

■ Le sort de cette invention est étroitement lié à son histoire. C'est dans la seconde moitié du XIXᵉ siècle, à la naissance de l'**alimentation industrielle,** qu'on voit apparaître les premiers additifs : ce sont essentiellement des **colorants** industriels, utilisés en confiserie (bonbons à l'oxyde de chrome ou de plomb) afin d'ajouter l'agrément de la couleur à celui du goût et de reconstituer des éléments symboliques attachés au goût de l'aliment : rouge de plomb pour les bonbons censés être à base de framboise ou de cerise, bleus et violets pour les bonbons censés être à base de myrtille ou de violette, etc. En 1877, on verdit les petits pois aux sels de cuivre ! Cette manie de colorer les aliments aboutit même à un fromage rouge, teinté au sulfate de mercure, qui n'est pas moins toxique que les précédents, puisqu'il s'agit, là aussi, d'un métal lourd. Dans les années 1920 se répand l'usage du **jaune de beurre** (en fait, du phényl-diméthyl-aminobenzène), interdit dès 1938 parce qu'on s'est alors rendu compte que ce colorant, destiné à prêter au beurre, qui est blanc, une teinte assimilée, dans l'esprit du public, à celle du « vrai » beurre doré, peut déclencher des cancers du foie.

■ L'usage des colorants se poursuivit toutefois dans la plupart des pays et surtout des pays industrialisés, faute d'études toxicologiques approfondies. Ce n'est qu'en 1964 que le **sulfate de cuivre** fut interdit en alimentation, parce qu'il détruit la vitamine C (la **chlorophylle cuivrique** reste cependant autorisée). Exemple des retournements d'opinion en ce domaine : en 1955, un nutritionniste reconnu, le professeur René Truhaut, déclare un colorant, le vert lumière, inoffensif ; en 1958, il le cite comme cancérigène possible.

■ Ce n'est qu'au cours de la décennie 1960, et grâce aux associations de consommateurs, que les études toxicologiques se multiplient et aboutissent à l'interdiction pure et simple d'un certain nombre de colorants, d'autres restant permis dans des normes précises. Toutefois, plusieurs pays, tels la Grèce et la Norvège, proscrivent totalement l'usage des colorants alimentaires, d'autres n'en interdisent que certains. Il est à noter, à cet égard, que les législations internationales sont loin d'avoir été uniformisées. Il faut rappeler que la **tartrazine,** E 102 sous son nom de code, qui assure une coloration jaune orangé, est encore tolérée dans de nombreux pays, mais qu'elle déclenche pourtant des crises d'allergie assez graves (10 % des patients de l'unité d'allergologie de l'hôpital Saint-Antoine, à Paris, lui doivent leur hospitalisation).

■ Les antimycotiques sont d'usage très restreint, mais les **conservants** proprement dits, eux (acide sorbique E 200 et ses sels E 201 à 203), sont présents dans tous les aliments de production industrielle qui contiennent des matières grasses, car ils en empêchent le rancissement. Il faut également citer l'acide benzoïque E 210 et ses dérivés ou benzoates E 311 à 318, l'anhydride sulfureux E 220, présent dans la plupart des boissons fermentées. On en trouve également dans les produits dont on veut éviter le brunissement. Leur introduction se fit par l'action conjuguée des firmes alimentaires industrielles et de nombreux travaux, fondamentaux et appliqués, dont la liste défie évidemment l'inventaire. On peut dire qu'il s'agit, comme pour les autres additifs, d'ailleurs, d'une invention collective. La France a interdit depuis une vingtaine d'années l'emploi de l'acide sorbique en boulangerie, depuis qu'il a été démontré qu'il y a risque de réaction avec les nitrites de conservation, ce qui donnerait un produit mutagène. Les benzoates, eux, auraient une action allergénique.

■ Le premier des **anti-oxydants,** groupe distinct de conservants, utilisés dans l'alimentation, fut la vitamine C ou **acide ascorbique** (E 300), à partir de la décennie 1940 (la synthèse n'en était devenue possible qu'en 1932), aux États-Unis d'abord. Elle devait se généraliser dans le monde entier après la Seconde Guerre mondiale. S'y ajoutèrent des dérivés, tels que le diacétate d'ascorbyle (E 303) et le palmitate d'ascorbyle (E 304), qui sont des esters. On y adjoignit, vers la fin de la décennie 1940, la vitamine E (E 306), tirée des huiles de soja ou de germes de blé, et les tocophérols, dérivés de cette vitamine (E 307, E 308 et E 309). Certains antioxydants de synthèse, tels le **E 310,** breveté en 1942, ont disparu de la plupart des listes des additifs autorisés ; il s'agit du gallate de propyle. D'autres gallates (E 311, E 312, E 320, E 321, E 330) sont autorisés sous réserve de doses journalières (DJA). Leur usage est contesté, car ils semblent avoir des effets allergéniques. L'**E 311,** en particulier, aurait des effets inconnus au niveau du métabolisme énergétique et lipidique du foie, de la coagulation du sang, de l'état nutritionnel de l'organisme, de la reproduction et du développement des tumeurs.

■ Humectants, épaississants, émulsifiants, etc., font partie du groupe des **agents de texture,** qui se subdivisent en trois grands groupes : les anti-agglomérants, les épaississants, stabilisants et gélifiants, et les émulsifiants proprement dits. Les épaississants et gélifiants ne font pas l'unanimité des experts, certains d'entre eux étant soup-çonnés de déclencher des allergies. Plusieurs d'entre ces derniers sont tirés de produits naturels, comme la farine de caroubier, la gomme de guar, la **gomme karaya** (non autorisée en France et dans la plupart des pays de la Communauté économique européenne), ce qui n'implique pas qu'ils soient sans effet, positif ou négatif. L'usage des premiers agents de texture est très ancien, car on a utilisé de la farine pour lier les sauces dès la plus haute antiquité et l'on a retrouvé des preuves de l'utilisation de gelées, autrefois réalisées avec du blanc d'œuf, puis du bouillon d'os, dans des recettes de cuisine médiévale. La **lécithine** (E 322), employée de nos jours comme émulsifiant, est, en principe, extraite du jaune d'œuf, mais celle qui est employée dans l'industrie alimentaire est, elle, extraite au moyen de solvants de l'huile de soja. Mais ce fut surtout à la fin du XIX siècle que l'on enrichit et perfectionna les agents de texture : monoglycérides et diglycérides d'acides gras alimentaires (E 471), esters polyglycériques des mêmes acides (E 472), esters du propylène-glycol, extraits du pétrole et de la houille (E 477) et des acides gras, stéaroyl-lactylates (E 480 à E 483), sucro-esters et sucroglycérides (E 473 et E 474). Les **polyphosphates** (E 450), rarement cités dans les compositions déclarées sur les emballages, présentent l'intérêt de retenir l'eau en cours de cuisson et d'éviter aux viandes de prendre un aspect filandreux et sont très employés en charcuterie. Là aussi, le caractère continu des modifications et la multiplicité des innovations n'impliquent ni nom d'inventeur, ni date d'invention.

■ Les **agents de maturation** sont des substances chimiques ajoutées aux fruits et légumes en cours de croissance, pour que celle-ci soit uniforme ; ils possèdent souvent des effets multiples, servant aussi à

Il faut, pour mesurer les progrès de l'alimentation industrielle, évoquer la diatribe célèbre du Dr Brouardel, à la fin du XIX° siècle : « Quand un homme a pris le matin à son premier déjeuner un lait conservé par l'aldéhyde formique, quand il a mangé à son déjeuner une tranche de jambon conservé par du borax, des épinards verdis par le sulfate de cuivre, quand il a arrosé cela d'une bouteille de vin fuchsiné ou plâtré à l'excès, et cela pendant vingt ans, comment voulez-vous que cet homme ait encore un estomac ? » En dépit des excès indéniables dans l'usage des additifs alimentaires, il n'en reste pas moins qu'au bout d'un siècle d'immenses progrès ont été faits.

tenir les insectes à distance, à prévenir les moisissures, ce qui les classe dans certains cas parmi les fongicides, et à assurer une bonne tenue du fruit pendant le transport. Le répertoire en est complexe et varie de pays en pays. En 1989, l'un de ces agents, la **diaminozide**, utilisée aux États-Unis sur 5 % de la récolte de pommes rouges, a été retiré du marché, en raison d'une action cancérigène sur l'animal.

■ Les **agents de sapidité** sont destinés à rehausser le goût des aliments. Ils sont soit acides (acide acétique E 260, acétates E 261 à 263, acide lactique E 270 et lactates E 325 à 327, acide citrique E 330 et citrates E 331 à 333, acide tartrique E 334 et tartrates E 335 à 337, acide phosphorique E 338 et orthophosphates E 339 à 341), soit sucrés (sorbitol E 420, glycérol E 422), soit encore destinés à exalter le goût, comme les **glutamates**. Il s'agit de produits obtenus par fermentation d'algues ou de soja et sont d'origine à peu près exclusivement asiatique.

■ Fin 1988, le rôle des glutamates fut analysé par des neurologues ; il s'agit de substances qui excitent les terminaisons nerveuses et envoient donc au cerveau des messages amplifiés, qui donnent l'impression de ressentir beaucoup plus vivement le goût de l'aliment ; on les appelle aussi exhausteurs de goût. Toutefois, il a été prouvé que les glutamates sont toxiques pour le cerveau et peuvent entraîner la mort de cellules cérébrales, ce qui a expliqué enfin un phénomène au nom éloquent, le « **syndrome du restaurant chinois** », qui se traduisait par des migraines, des bouffées de chaleur et des troubles circulatoires, des troubles visuels, des vertiges. On suppose que le syndrome affecterait surtout les Européens, et que les Chinois n'y seraient pas sujets, peut-être en raison de prédispositions génétiques. Certains chewing-gums contiennent un autre type d'exhausteur, l'éthyl-maltol.

■ Enfin, plusieurs pays incorporent à cer-

tains aliments, pain, pâtisserie, charcuterie, des compléments sous forme de **vitamines,** ou encore de fer. Les réserves du corps médical ont, dans ce domaine, beaucoup réduit ces additions à intention nutritionnelle, toutes les vitamines, à l'exception de la vitamine C et peut-être de la vitamine E, étant susceptibles d'entraîner des hypervitaminoses et le **fer** étant nettement contre-indiqué dans un certain nombre de troubles métaboliques, ainsi que dans les cas de cancers.

■ Les additifs alimentaires procèdent à la fois de modifications technologiques et économiques et des modifications culturelles qui s'en sont suivies. En principe, elles furent d'abord destinées à permettre une plus longue conservation des aliments, ce qui permettait d'éviter des pertes par altération et d'installer des circuits de distribution plus longs.

Pour vaincre la méfiance des consommateurs, les producteurs s'efforcèrent d'abord de préserver l'aspect originel des aliments, forcément modifié par la préparation, notamment à l'aide de colorants. Par la suite, ils essayèrent d'en préserver la texture.

Sur cette lancée, ils commencèrent à modifier fondamentalement l'aspect des aliments originels, afin d'en améliorer l'apparence et le goût. Les émulsions, en particulier, conféraient aux aliments un fondant qui n'était pas présent à l'origine. Or, bien que ne constituant pas en lui-même un agent de sapidité, le fondant modifie le goût des aliments.

Au début de la décennie 1960, cette refonte intégrale des aliments devait atteindre et dépasser les limites raisonnables, et les additifs enregistrent depuis lors un recul qui continue.

■ La finesse des équipements de mesure et des méthodes d'analyse médicale et nutritionnelle a, en effet, révélé que non seulement de nombreux additifs étaient toxiques au premier degré, mais que, par

---

Un exemple de l'incertitude où les nutritionnistes se sont trouvés pendant une trentaine d'années en ce qui concernait les additifs alimentaires est donné par les études sur les **nitrites,** sels du potassium utilisés pour la conservation des aliments. Dès 1958, les nitrites furent accusés d'exposer les consommateurs habituels d'aliments conservés à des cancers du système digestif. Ce ne fut qu'en 1988 que les nitrites, sans lesquels les consommateurs seraient gravement exposés au botulisme, furent innocentés.

effets de synergie, ils pouvaient présenter une toxicité secondaire. Cette révision a elle-même suscité des attitudes outrancières, déniant toute valeur à l'alimentation industrielle et lui attribuant même une toxicité exagérée et des méfaits imaginaires (hyperactivité et incapacité de concentration des enfants à l'école, par exemple). Il demeure aujourd'hui que, sans les additifs, l'alimentation courante serait considérablement plus chère et moins saine, mais qu'il est impératif d'en limiter strictement l'usage et les quantités. C'est le type exemplaire d'invention qui s'est emballé et qu'il a ensuite fallu freiner.

Boîte de conserve à clef
Ousterhoudt, 1866.

Jusqu'en 1866, les boîtes de conserve exigeaient un **ouvre-boîtes,** appareil dont le fonctionnement pouvait être parfois difficile et aléatoire, et que les ouvriers n'emportaient pas toujours avec eux pour leurs casse-croûte sur le chantier. Ce fut cette année-là l'Américain J. Ousterhoudt qui imagina de munir les boîtes de conserve d'une clef qui permettait l'enroulement d'une face, le long d'une entaille gravée à la mise en conserve, suffisamment mince pour ne pas fragiliser l'emballage, mais suffisamment profonde aussi pour permettre de détacher la face indiquée de la boîte. Ce procédé connut rapidement un grand succès.

Bouteille souple
Kahlbaum, 1888.

La première bouteille susceptible de supporter des chocs sans se briser fut inventée en 1888 par le chimiste suisse G.W.A. Kahlbaum, qui la réalisa en **métacrylate,** une forme de polymère.

Café en poudre instantané
Nestlé, 1938.

C'est sur la suggestion de l'Institut brésilien du café qu'en 1930 la firme suisse Nestlé se lança dans des recherches sur la possibilité de produire un **café en poudre déshydraté** qui, mélangé à de l'eau bouillante, fournirait instantanément du café. Les recherches durèrent huit ans, car elles étaient complexes. Il fallait d'abord que la poudre de café fût soluble et qu'elle ne se déposât pas tout simplement au fond de la tasse, puis que le goût en fût agréable, que l'emballage fût, non seulement étanche, mais réalisé sous vide... Un produit satisfaisant ne fut obtenu qu'en 1938. Voyageurs, travailleurs et... paresseux lui réservèrent un accueil qui ne s'est pas démenti : ce fut le Nescafé.

Cafétéria

Harvey, 1876...

L'invention de la cafétéria, établissement dans lequel on sert un nombre restreint de plats et dont le service est partiellement assuré par le consommateur lui-même, est indéniablement l'une de celles qui ont le plus modifié les mœurs et l'industrie alimentaire dans le monde entier. Jusqu'alors, en effet, les seuls établissements alimentaires étaient les restaurants, dont les cartes étaient relativement variées et dont la totalité du service était confiée à un personnel qualifié.

■ L'invention est essentiellement américaine et c'est aux États-Unis d'abord que sont apparues les cafétérias, dites par la suite **self-services**. Les premières dont on ait connaissance semblent bien être celles qu'ouvrit Fred Harvey, commissionnaire de la ligne de chemin de fer Chicago, Burlington et Quincy, en 1876 ; elles étaient disposées aux stations de la ligne ferroviaire célèbre Atchison, Topeka et Santa Fe. Les voyageurs avaient la possibilité de s'y restaurer rapidement et convenablement, à peu de frais. C'étaient, en quelque sorte, des cafés modifiés, d'où, ultérieurement, leur nom. Il est possible que Harvey se soit inspiré des **voitures de restauration** à traction animale qui vendaient des tranches de poulet froid, des œufs durs et des sandwiches aux piétons, et qui apparurent à Providence, Rhode Island, en 1872.

■ Un facteur social particulier contribua beaucoup à l'expansion des cafétérias : on n'y servait pas de boissons alcoolisées, la nourriture y était saine et les lieux étaient impeccablement propres, mais surtout la tenue morale et vestimentaire y était irréprochable ; c'étaient des établissements où des femmes seules pouvaient se rendre sans craindre d'y être importunées ou de paraître chercher l'aventure. Ce qui n'était pas le cas des saloons, lieux où le repas était considéré comme accessoire à la consommation d'alcool, et où les femmes n'étaient pas en sécurité, ni de tous les restaurants, où les femmes seules attiraient souvent l'attention des consommateurs masculins. C'étaient donc des établissements « bourgeois » et, de fait, la nouvelle

bourgeoisie américaine, petite et moyenne, éprise de respectabilité, leur assura une clientèle nombreuse et stable. Le fait qu'on n'y servît pas d'alcool correspondit au puritanisme de cette clientèle. « A New York, la Church Temperance Society », ligue protestante de tempérance, « en ouvrit huit, comme alternatives à la fréquentation des saloons » écrivent les historiens américains Jane et Michael Stern.

■ Un autre facteur social favorisa également l'expansion des cafétérias : c'était l'accélération du rythme de vie urbain s'accompagnant d'une augmentation du nombre de travailleurs de bureau. Les « cols blancs », surnom courant des employés de bureau aux États-Unis, qui n'avaient pas le temps de rentrer chez eux pour déjeuner, qui n'avaient pas non plus les moyens de fréquenter les restaurants et qui voulaient rester sobres pour reprendre leur travail sans encombre, trouvèrent de plus en plus de cafétérias dans les quartiers d'affaires. Les formules variaient selon les établissements et les villes. Dans le Middle West, les clients allaient se servir à un comptoir, passaient à la caisse et puis allaient s'asseoir à une table vacante, alors qu'à New York l'Exchange Buffet introduisit dès 1890 la formule du repas debout, aux comptoirs, ce qui éliminait même les installations de tables individuelles et permettait d'exploiter la superficie des locaux de façon beaucoup plus rentable. C'est une formule qui connaît de nos jours un grand succès dans la majorité des pays occidentaux.

■ Le mot même de cafétéria ne fut toutefois trouvé qu'en 1902 par l'Américain John Kruger, qui avait modifié les plats et la disposition de son établissement selon le modèle... scandinave ! Kruger avait d'abord songé appeler son établissement *smörgasbord*, mais le nom était difficile à prononcer pour ses compatriotes, il le remplaça par l'espagnol cafétéria, qui signifie simplement « café ».

■ Les cafétérias modifièrent notablement les mœurs alimentaires en introduisant le concept du repas constitué d'un plat de viande et de légumes ou de salade, sans alcool. Il renforça la **standardisation** alimentaire, déjà imposée par la conserverie. Les viandes étaient préparées de façon uniforme et la variété des légumes ainsi que leurs dimensions et leurs préparations étaient à peu près normalisées.

■ La formule ne commença à s'imposer en Europe qu'au cours de la décennie 60, surtout grâce au souci de **diététique** (plus ou moins bien interprété) et à l'accession des jeunes à une vie sociale plus indépendante.

Trois facteurs nouveaux donnèrent à penser, à la fin de la décennie 70, que la formule des cafétérias devenait désuète. Le premier était l'élévation du niveau de vie, aux États-Unis du moins, qui fit que le caractère excessivement « fonctionnel » de ce type d'établissement commença à perdre son charme au profit de restaurants proprement dits. Le deuxième fut l'exode des citadins vers les banlieues qui, paradoxalement, desservit les cafétérias ; en effet, le raccourcissement de la journée de travail, avec réduction de la pause déjeuner à une demi-heure, répandit l'habitude des sandwiches ou en-cas consommés sur le lieu même de travail. Le troisième fut l'introduction de plats cuisinés en conserverie et la diversification très nette de la conserverie alimentaire, qui firent que ceux des clients qui fréquentaient les cafétérias parce qu'ils répugnaient à se nourrir chez eux « à l'ouvre-boîtes » changèrent d'attitude.
A la fin de la décennie 80, les cafétérias avaient cédé une partie de leur marché à la formule dérivée des distributeurs de plats à emporter, dite **fast-food**.

Chocolat au lait
Peter, 1875.

Connu depuis le XVIIᵉ siècle, le chocolat se consommait jusqu'à la fin du XIXᵉ siècle, surtout sous forme de boisson et tel quel, avec adjonction de sucre. Mais l'on avait déjà pris l'habitude, pour l'adoucir, d'y ajouter du lait lorsqu'il était préparé sous forme de boisson. C'est ce qui donna au Suisse Daniel Peter, gendre du chocolatier F.L. Cailler, l'idée de fabriquer du chocolat au lait solide. La production commença en 1875.

Clémentine
Clément, 1900.

Hybride probable du **bigaradier** et du **mandarinier,** le clémentinier fut produit en 1900, après de nombreuses recherches, par le père Clément, religieux d'Oran. De culture hâtive, donnant un fruit très voisin de la mandarine et de saveur fine, la clémentine, il a gagné la quasi-totalité des pays de la Méditerranée occidentale.

Irradiation des aliments
Röntgen, Becquerel, 1896.

C'est en 1896 déjà que le célèbre physicien allemand Wilhelm Konrad von Röntgen et le non moins célèbre Français Henri Becquerel formulèrent la théorie selon laquelle il serait possible de conserver des aliments par irradiation, les rayons X ayant détruit les sources ordinaires d'altération, **bactéries, moisissures, insectes**. Cette idée ne fut accueillie qu'avec réserve, étant donné que l'industrie alimentaire entamait à peine l'ère des conservations à grande durée, et que l'on ignorait les effets éventuels d'une méthode aussi radicale pour éviter l'altération des aliments. Ce n'est que dans la décennie 70 que la théorie de Röntgen et Becquerel connut un certain regain, et qu'à la fin de la décennie 80 que fut engagée la réalisation de grandes installations d'irradiation alimentaire partielle.

Il convient d'observer que l'irradiation alimentaire ne semble pas pouvoir convenir à tous les types d'aliments. Elle entraîne, en effet, un certain rancissement des graisses, donc une altération du goût à défaut de l'altération biologique. Il reste aussi à établir que l'irradiation ne pourrait pas favoriser la prolifération et la mutation de certaines souches bactériennes.

Lyophilisation
Bordas et d'Arsonval, 1906.

On appelle lyophilisation le procédé de dessiccation d'un aliment par le froid. Il s'effectue par congélation rapide, la glace étant éliminée ensuite par sublimation. En dépit de son nom moderne, il n'est guère nouveau et il est même millénaire, car l'on sait que les Incas du Pérou l'utilisaient avant la colonisation espagnole pour conserver leurs aliments. Il serait donc plus approprié de le définir comme une réinvention tardive. C'est en 1906 que les Français Arsène d'Arsonval et Georges Bordas décrivent une machine à sécher la viande sous vide. La machine n'est pas de leur invention : c'est celle de l'Allemand Karl P.G. von Linde, qui date de 1893. Elle a été présentée à l'Exposition universelle de 1900 et d'Arsonval l'a achetée : elle consiste à obtenir un refroidissement extrêmement rapide, — 140 °C, presque instantanément. D'Arsonval s'en sert dès 1900 pour mystifier ses amis en leur présentant des « biftecks vitrifiés ».

■ La lyophilisation n'a commencé à être utilisée qu'une quarantaine d'années plus tard, notamment pour la **conservation de produits biologiques médicaux,** vaccins, tissus, souches microbiennes, plasma sanguin, produits pharmaceutiques... Relativement coûteuse en raison des équipements qu'elle impose, elle n'a intéressé jusqu'à la fin de la décennie 80 que des secteurs limités de l'alimentation, par exemple les épices, le café, les poudres de légumes et de viande, en particulier pour les potages, les jus de fruits. De nombreuses recherches ont été nécessaires pour aboutir à la production de denrées dont la sapidité fût satisfaisante, notamment grâce à l'introduction du chauffage par micro-ondes, de vibreurs et de variations de pression en cours d'opération.

Margarine
Mergé-Mouriès, 1868.

On a d'abord appelé margarine un mélange constitué de suif fondu purifié, de beurre, de lait et d'huiles végétales. Il s'agit d'une invention du Français Hippolyte Mergé-Mouriès, inspirée par un concours que Napoléon III avait proposé, aux fins de trouver un produit de remplacement du beurre. Il s'agissait, selon la classification actuelle, d'une **margarine mixte,** puisqu'elle contenait des graisses animales ; la même classification distingue aujourd'hui des margarines exclusivement végétales. La margarine est à l'origine une émulsion huile dans eau à laquelle la consistance du beurre est donnée par un travail mécanique intense, barattage, puis malaxage et laminage.

> La valeur calorique de la margarine est la même que celle du beurre, soit 780 calories pour 100 g ; toutefois, elle ne contient pas de vitamine A, et il est interdit d'en ajouter.

Œuf à faible taux de cholestérol
May, 1988.

C'est en modifiant l'alimentation de ses **poules d'élevage** que Paul May, directeur de la ferme Rosemary, à Santa Maria en Californie, est parvenu à obtenir des œufs présentant un taux de cholestérol moyen de 125 mg au lieu de 280 (chiffres confirmés par le département de l'Alimentation et de l'Agriculture de l'État de Californie).

Œuf dur en barre
Ofdor, 1987.

Les jaunes et les blancs crus sont cuits séparément avant d'être réassemblés en une barre de 300 g équivalant à cinquante œufs durs.

Pasteurisation
Pasteur, 1863.

Après l'appertisation (voir ouvrage précédent), la pasteurisation a représenté la plus grande révolution de l'industrie alimentaire. Appelée aussi **« fermentation dirigée et contrôlée »**, elle consiste à détruire dans un aliment les bactéries pathogènes et plusieurs autres, par un chauffage à une température généralement inférieure à 100 °C, suivie d'un refroidissement rapide. Prié par des viticulteurs de déterminer les causes de l'altération des boissons alcoolisées, Louis Pasteur établit que celle-ci est due à des **ferments** spécifiques, qu'il est possible de détruire par chauffage à 55 °C. La pasteurisation ne permet qu'une conservation limitée, mais elle n'altère pas le goût des boissons et aliments. Son mérite fut d'allonger considérablement la durée de conservation du lait, du cidre, de la bière, des jus de fruits (dans certains cas aussi, du vin). Elle permit donc rapidement d'étendre les réseaux de distribution industriels et de régulariser l'approvisionnement des détaillants.

Réfrigération
Carré, 1857 ; Linde, 1873.

On savait depuis les temps les plus reculés que le **froid** conserve les aliments. On recourut donc pendant des siècles à la neige pour conserver certaines denrées animales, comme l'attestent, par exemple, les bacs à neige retrouvés dans les sous-sols de la villa d'Hadrien, à Rome. Vers 1660, l'Italien Zimara recommanda un **mélange de neige et de salpêtre** comme élément réfrigérant. Puis on découvrit, empiriquement, que l'**évaporation rapide de saumure** chauffée déclenchait une absorption de calories. Ce procédé, dérivé de celui de Zimara, mais aussi des gargoulettes turques, en terre poreuse, qui rafraîchissent l'eau qu'elles contiennent par évaporation de celle qui suint, aboutit au XVIIIe siècle aux premiers essais de **réfrigération contrôlée.** Ces prémices de la réfrigération moderne furent d'abord réservées aux pâtissiers, qui servirent alors des sorbets glacés.

■ Au début du XIXe siècle, l'extension progressive — et anonyme — de cette technique permit de fabriquer pour la première fois de la **glace artificielle** en blocs. Celle-ci était obtenue dans des tiroirs métalliques clos, remplis d'eau pure et plongés dans des bains de saumure ; des canalisations convoyant de la vapeur à travers cette dernière en provoquaient l'évaporation rapide en même temps que la congélation de l'eau dans les tiroirs. Dans les années 1830, la maîtrise des machines à vapeur et, plus tard, celle de l'électricité permirent la production industrielle de la glace. Celle-ci était commercialisée à l'intention du public, mais on se mit aussi à construire de vastes chambres froides souterraines dans les villes ; on appelait ces chambres des **glacières.**

■ En 1857, le Français Ferdinand Carré inventa la **réfrigération par compression,** qui inaugurait l'ère de la réfrigération moderne. Le principe en était la distribution d'un liquide volatil, en l'occurrence de l'**ammoniac,** par des canalisations dans le local à réfrigérer. Cette technique repose sur le fait qu'un corps qui se vaporise absorbe de la chaleur. On peut accélérer la vaporisation, soit en faisant le **vide** au-

dessus (et c'est sur cette dernière méthode que se fonda, d'ailleurs, la méthode de Carré pour la fabrication de glace industrielle). Le vide obtenu par Carré était réalisé par un compresseur. Il est évident qu'au début son installation était fixe. En 1873, l'Allemand Karl von Linde aborda le problème des réfrigérateurs mobiles en utilisant d'abord de l'**éther méthylique,** mais celui-ci comportait des risques d'explosion ; aussi Linde en revint-il à l'ammoniac préconisé par Carré. On put, dès lors, équiper des wagons de chemin de fer et des navires pour le transport massif de denrées périssables.

■ Dès 1851, on avait pu convoyer sur de grandes distances, aux États-Unis, des tonnes de beurre en wagons de bois réfrigérés par de la glace placée sur des bacs remplis de sciure de bois. Après 1873, il devint possible de transporter de gros tonnages de viande congelée à travers l'Atlantique. Le **premier navire-réfrigérateur** fut le *Paraguay,* qui transporta dès 1877 de la viande d'Argentine à destination de la France ; ce fut d'ailleurs Carré qui organisa l'équipement du navire.

Il est possible, mais non acquis, que le principe de la réfrigération ait été inventé en Chine. En effet, au XIVe siècle, Marco Polo ramena de ce pays le secret de la fabrication de sorbets au lait, qui aurait pu être fondée sur le principe de l'évaporation de saumure. Les Chinois, qui se servaient abondamment de saumure pour la conservation des aliments, n'avaient pu manquer de remarquer les propriétés réfrigérantes qu'elle possédait.

Saccharine
Remsen et Fahlberg, 1879.

La découverte du premier de tous les **édulcorants de synthèse,** l'acide imide ortho-sulfobenzoïque ou saccharine, est due aux Américains Constantin Fahlberg et Ira Remsen, qui la firent au cours de leurs travaux sur la synthèse d'un dérivé du goudron. Elle fut associée à une inven-

tion, qui était l'utilisation de la substance en question comme **agent sucrant alimentaire.** Les autorités médicales américaines n'en autorisèrent toutefois la commercialisation qu'à titre pharmaceutique, sous prescription, jusqu'en 1938. A partir de cette année-là, la Food and Drug Administration en autorisa l'addition dans des aliments industriels, à condition que ce fût sous contrôle. Son utilisation crût alors rapidement dans la fabrication des boissons industrielles et de la confiserie, étant donné qu'elle ne contenait ni calories, ce qui convenait aux personnes suivant des régi-mes amaigrissants, ni hydrates de carbone, ce qui convenait aux diabétiques. L'inter-diction des **cyclamates** accrut encore sa consommation, mais, en 1977, des études médicales associant l'usage de la saccharine au cancer de la vessie entraîna son interdic-tion comme additif alimentaire courant.

Silo
Hatch, 1873.

Les silos ou **greniers cylindriques her-métiques** semblent avoir existé dès le Ier millénaire de notre ère, au Moyen-Orient, en Chine, chez les Romains, qui les cons-truisaient d'ailleurs avec un savoir-faire technologique remarquable. C'étaient soit des **silos à grains,** soit des **silos à four-rage.** On ne peut donc pas dire que leur réapparition à la fin du XIXe siècle constitue une invention à proprement parler. Tou-jours est-il que le silo vertical avait disparu d'Occident quand, en 1873, l'Américain Fred Hatch tenta d'en construire un dans le McHenry County en Illinois. Il n'est pas certain que l'essai ait été concluant ; néanmoins, il marqua la réapparition du silo en agriculture.

Vache mécanique
Agrotechnic, 1987.

On appelle « vache mécanique » un appa-reil qui produit un liquide comparable au **lait** à partir du **soja.** Appelé Agrolactor et mis au point en 1987 par la firme française Agrotechnic, il mesure environ 4 m³. Les graines de soja y sont versées dans une trémie, broyées, pasteurisées, portées à la température de 100 °C, puis rapidement refroidies à 4 °C. Le produit, riche en protéines et graisses à l'instar du lait de vache, présente l'intérêt de pouvoir être facilement digéré par les individus et les populations, surtout africaines, qui ne pos-sèdent pas l'enzyme nécessaire à l'assimila-tion du lait de vache, la lactase. Par ailleurs, il est plus riche en acides gras insaturés, donc il n'ajoute rien à l'apport de cholesté-rol alimentaire. Un kilo de soja et de l'eau suffisent à produire environ 8 l de lait.

art
& technologies
militaires

La mise au point de la bombe atomique, puis de la bombe thermo-nucléaire, dans la décennie 1945-1955 a déclenché parmi les milieux scientifiques internationaux une crise de conscience que les pouvoirs politiques des grands pays n'ont pu éteindre jusqu'à ce jour. La prolifération des petits pays capables de se doter de l'arme atomique n'a fait qu'accentuer un malaise qui a atteint jusqu'au grand public. Bien que les effets de ce phénomène soient impossibles à évaluer, il semble peu douteux qu'ils aient freiné l'invention des moyens de destruction.

Cependant, on observe qu'à quelques exceptions près l'armement n'a guère bénéficié d'inventions majeures, et que les innovations qui s'y succèdent depuis la fin de la Seconde Guerre mondiale sont en fait des perfectionnements techniques d'inventions antérieures, généralement civiles. Les mini-ordinateurs embarqués à bord de missiles ou de satellites militaires, et qui sont capables d'interventions en temps réel, sont ainsi l'un des traits dominants des technologies militaires de la décennie 80, mais ils ne peuvent pas être qualifiés d'inventions au sens ordinaire de ce terme.

De plus, les inventions du domaine militaire souffrent généralement de périodes de vie de plus en plus courtes, comme en témoigne le cas de l'avion à géométrie variable, qui fut en son temps considéré comme une invention de pointe, mais qui a rapidement perdu les faveurs des états-majors.

Contrairement donc à ce qui s'était passé durant les siècles précédents, l'invention ne s'est pas distinguée par une fertilité particulière dans l'art de tuer les gens de 1850 à nos jours, si l'on excepte évidemment cette arme ultime qu'est la bombe.

Avion à géométrie variable
Grumman, 1954.

C'est la firme aéronautique américaine Grumman qui a imaginé la première et construit, en 1954, un avion dont l'angle d'attaque des ailes par rapport au fuselage pouvait passer de la disposition subsonique en T à la configuration supersonique en delta : l'appareil était le XF 10 Jaguar, qui ne fut construit qu'en deux exemplaires. L'intérêt de ce dispositif, dit à **géométrie variable,** était de permettre à des avions supersoniques un **décollage court.** En mission militaire, il permettait également au bombardier supersonique un vol à basse altitude avec moindre dépense de carburant.

Étudiée par de nombreux constructeurs aéronautiques dans le quart de siècle qui suivit, la géométrie variable perdit progressivement de son intérêt en raison de la spécialisation croissante des avions et, à la fin de la décennie 80, on ne recensait plus que trois prototypes d'avions à géométrie variable, le Mig 23 et le bombardier stratégique « Black Jack », tous deux soviétiques, et le bombardier stratégique américain B 1, dont le sort était incertain.

L'un des derniers avions à géométrie variable encore en service, le Mig 23 S, lors d'une démonstration à Kuopio, en Finlande, le 2 août 1978. Les ailes déployées, cet appareil soviétique atteignait Mach 1,1 à basse altitude et, les ailes repliées, montait à Mach 2,3, vitesse maximale.

Blindage (des véhicules terrestres)

Hannibal (?), IIe siècle av. J.-C. ;
Simms, Davidson, Lutski, 1898.

L'idée du blindage de véhicules militaires est sans doute aussi ancienne que celle des armures, et l'on hésite donc à qualifier d'invention la protection de ses **éléphants** par des plaques de métal, imaginée par Hannibal au IIe siècle avant notre ère. C'est une idée que reprendra d'ailleurs l'empereur mongol Kubilay au XIIIe siècle, en admettant qu'elle ne l'ait pas été entre-temps.

■ Grand cas est fait par de nombreux historiens d'un dessin de Léonard de Vinci représentant une casemate circulaire au toit conique, montée sur roues et équipée d'une batterie de canons, où l'on s'est empressé de voir le premier **tank**. En réalité, ce genre de fantaisies, qui n'ont probablement existé que sur le papier, abondent dans les dessins d'ingénieurs de la Renaissance, depuis la **machine d'escalade armée** de l'Allemand Konrad Kyeser, au XIVe siècle, jusqu'aux **chariots armés** de Marianus Jacobus, dit Il Taccola, et aux **véhicules couverts autotractés** de Francesco di Giorgio Martini, aux XVe et XVIe siècles. Si, à la rigueur, la machine de Kyeser pouvait être tractée de l'intérieur par deux chevaux, car il s'agissait d'une carcasse relativement légère, la casemate de Vinci devait être en raison de ses dimensions d'un tel poids, avec ses blindages et sa batterie de canons, qu'on ne voit guère comment on eût pu la déplacer, sauf à la faire tirer de l'intérieur par une demi-douzaine, sinon une douzaine de chevaux. Si elle fut jamais construite, ce dont on n'a pas de témoignages, son efficacité ne dut pas être convaincante, car, jusqu'aux dernières guerres du XIXe siècle, et alors que le **blindage maritime** avait acquis droit de cité (voir ouvrage précédent), aucun chef militaire ne semble y songer. En réalité, le blindage des véhicules terrestres n'est rendu possible qu'à partir de la mise au point, en 1886, d'un **moteur rapide à combustion interne** par l'Allemand Gottlieb Daimler. Douze ans seulement plus tard, la même année et indépendamment, l'Anglais F.R. Simms, l'Américain R.P. Davidson et le Russe W. Lutski construisent un **véhicule automobile blindé** équipé d'une **mitrailleuse**. Le **tank** proprement dit est à l'étude, mais ne verra le jour qu'au XXe siècle.

Bombardement aérien

Curtiss, 1910 ; an., Italie, 1911 ; Rougeron, 1936.

On peut théoriquement faire remonter à 1849 les origines du bombardement aérien ; c'est cette année-là, en effet, que, durant le siège de Venise, les Autrichiens lâchèrent sur la ville des **« bombes sans pilotes »** consistant en petits ballons à air chaud qui portaient chacun une **bombe à mèche** d'une quinzaine de kilos. Ces bombes ne firent que peu de victimes et de dommages.

Dès les débuts de l'aviation, les virtualités du bombardement aérien s'imposèrent avec plus de chances et, en 1908, le comte Ferdinand von Zeppelin équipa ses dirigeables d'un système d'armement comportant cinq bombes de 110 kg pièce. Ce n'est pourtant pas Zeppelin qui vérifia la fiabilité du bombardement aérien (le premier raid aérien effectué par un zeppelin fut celui du modèle L 3 au-dessus de la ville britannique de Great Yarmouth, en 1915 ; il fit deux victimes), mais l'Américain Glenn Curtiss. Ce dernier, après des essais réalisés avec des bombes non chargées, lâcha le 30 juin 1910 une vraie bombe sur une cible en forme de bateau.

■ Peu après, le Royal Flying Corps britannique équipa certains de ses avions de **tubes lance-bombes**. Le premier bombardement réel fut accompli par les Italiens durant la guerre italo-turque de 1911. Un pilote italien sur Blériot XI lâcha, en effet, trois grenades lourdes sur des cibles en Tripolitaine.

Le bombardement aérien devint pratique courante au cours de la Première Guerre mondiale ; il s'effectuait à vue et à main, les bombes étant souvent dégoupillées comme des grenades à main avant le lâcher. Les dégâts causés commencèrent à être considérables. Et les belligérants tinrent alors pour acquis que certains avions devaient être conçus en tant que **bombardiers.**

■ En 1936, le théoricien français Camille Rougeron publia le premier exposé sur la technique du **bombardement en piqué,** qui avait été mis à l'essai, empiriquement, au cours de la Grande Guerre, puis étudié par les Américains dans les années 20. L'intérêt de cette technique de bombardement, qui fut adoptée entre autres par l'aviation militaire japonaise, était que les formations de bombardiers parvenaient à leur cible à très haute altitude, donc n'étaient pas détectées ; c'est à brève distance de la cible qu'elles fonçaient en piqué sur l'objectif, créant un effet de surprise assez grand pour parer l'éventualité d'une riposte anti-aérienne. Cette technique exigeait toutefois un type nouveau de bombardier léger, à grandes performances et moyen rayon d'action, qui n'obtint pas l'assentiment de l'état-major français.

Bombe atomique

Meitner, Frisch, Bohr, 1939 ; Neddermeyer, 1943.

La découverte de l'énergie dégagée par la **fission du noyau atomique** par Hahn, Meitner et Strassmann, en 1938 (voir p. 116), impliquait indéniablement que cette énergie pût être utilisée un jour, mais ne laissait guère entrevoir, dans l'immédiat, de modalités d'exploitation civile, ni militaire. L'Autrichienne Lise Meitner, qui avait dû quitter l'Allemagne alors qu'elle poursuivait des travaux avec Hahn (elle y avait été contrainte par les lois « raciales » du IIIe Reich), n'eut connaissance des résultats finaux de ces travaux qu'une fois exilée en Suède. Elle et son neveu, Otto Frisch, discutèrent donc des résultats obtenus et eurent le pressentiment qu'ils comportaient les germes d'une arme atomique. Ils conçurent la crainte que l'Allemagne réalisât la première une telle arme. En peu de temps, le gouvernement britannique et le célèbre atomiste danois Niels Bohr furent mis au fait des alarmes de Lise Meitner et les trouvèrent justifiées. En 1939, Bohr fut envoyé en émissaire aux États-Unis, chargé d'exposer au gouvernement de Washington les explications de Lise Meitner, afin de persuader les Américains d'entreprendre les travaux qui devaient éventuellement aboutir à une arme atomique. On peut donc dire que l'invention de la bombe atomique revient originellement à Lise Meitner, Otto Frisch et Niels Bohr, ou du moins qu'ils en sont les premiers géniteurs.

■ On était alors très loin d'imaginer les modalités de réalisation d'une arme explosive fondée sur la fission de l'atome ; on ignorait même les mécanismes fondamentaux qui avaient abouti d'abord à la libération de l'énergie enregistrée par Hahn, soit 200 millions d'électronvolts, et le processus chimique qui en était la source. On ne le comprit que lorsque Bohr, refaisant les expériences au laboratoire de Princeton, c'est-à-dire bombardant comme Hahn de l'uranium avec des **neutrons lents,** avec la collaboration du physicien américain John Wheeler, établit que c'était le noyau de l'**uranium 235** seul qui s'était fissionné, l'autre isotope, l'**uranium 238,** n'ayant fait qu'absorber les neutrons. Il s'agissait déjà là d'un progrès considérable : il démontrait qu'une arme atomique devait être fondée sur la fission de l'U 235. Le principe de l'explosion libératrice d'énergie s'était donc dégagé en 1939 : si l'on disposait de quantités suffisantes d'U 235, on pourrait envisager une **réaction en chaîne,** les neutrons dégagés par l'explosion d'un premier noyau allant désintégrer d'autres noyaux, puis ceux-ci, d'autres encore — le nombre de noyaux désintégrés croissant au fur et à mesure de la réaction. C'étaient donc des quantités d'énergie jusqu'alors inconcevables qui pouvaient être libérées, bien au-delà de celles qu'avait enregistrées Hahn.

■ L'alarme crût dans les milieux de physiciens qui appartenaient à la sphère d'influence des Alliés : l'Allemagne, en effet, ne manquait certes pas de cerveaux capables de concevoir eux aussi la possibilité d'une telle arme. De fait, Hahn et Werner Heisenberg, parmi bien d'autres, y avaient déjà pensé. Une course de vitesse devait donc s'engager. Restait d'abord à produire suffisamment d'U 235 pour entreprendre des expériences, et ensuite à imaginer le principe mécanique qui permettrait la réalisation d'une arme transportable, c'est-à-dire, bien évidemment, une bombe.

■ Le minerai d'uranium normal ne contient que 0,7 % d'uranium 235. Les Américains commencèrent donc par construire une installation de **centrifugation** du minerai, procédé qui fut ensuite remplacé par celui de la **diffusion gazeuse**, à travers des filtres qui ne laisseraient passer, électivement, que les molécules plus légères d'U 235. Les physiciens s'avisèrent alors que le principe de la diffusion gazeuse engageait des opérations très longues, le filtrage devant être répété des milliers de fois pour obtenir de l'uranium à 90 %. De plus, il s'avérait que les installations nécessaires devaient être immenses. C'est à cette époque qu'Edwin McMillan et Philip Abelson, de l'université de Californie, découvrirent le **neptunium** ou **élément 93**, dont ils postulèrent — à juste titre — que la dégradation devait aboutir à l'élément 94. Bohr et Wheeler postulèrent également que cet élément, de masse 239, pouvait se fissionner sous un bombardement de neutrons lents, donc qu'il pouvait être substitué à l'U 235.

■ Jusqu'alors, le gouvernement américain considérait d'un œil quelque peu sceptique les possibilités de production d'une arme atomique à partir de travaux de laboratoire et au moyen de processus physico-chimiques qui se révélaient, eux, très coûteux. Une lettre d'Albert Einstein au président des États-Unis, Franklin D. Roosevelt, devait toutefois renforcer la détermination des autorités responsables. Le **cyclotron** de l'université Berkeley, à San Francisco,

fut mis à l'œuvre pour obtenir des quantités opératoires de l'élément 94 ; en 1941, il fut établi que cet élément était le **plutonium 239** et ses possibilités de fission avaient été reconnues. Mais ce n'est qu'un an plus tard qu'il fut démontré que le Pu 239 produisait plus de neutrons que l'U 235.

■ Des difficultés considérables jalonnèrent la route de la bombe atomique. On peut les résumer ainsi : les possibilités de production d'U 235 étaient réduites et, au fur et à mesure que les travaux avançaient, les théoriciens augmentaient leurs estimations de la masse critique, celle à partir de laquelle pouvait se déclencher une explosion « rentable ». La chimie du Pu 239, en outre, était inconnue et l'on découvrit que, lors de sa fabrication, il se produisait un isotope instable, le Pu 240, qui se fissionne spontanément et produit des neutrons, mais avant le point supercritique et en trop petit nombre pour engendrer une réaction en chaîne. Enfin, le mécanisme d'explosion faisait lui aussi problème.

■ En effet, il ne suffit pas d'avoir simplement une **masse critique** d'U 235 ou de Pu 239 pour obtenir spontanément une réaction de fission violente au **point supercritique**, c'est-à-dire avec le dégagement d'énergie et la réaction en chaîne attendus ; certes, ces matériaux deviennent spontanément émetteurs de neutrons et sont dangereux pour la santé, mais leur explosion ne se produit pas en un temps déterminé ; ils émettent des neutrons en continu, selon le principe exploité dans les centrales atomiques. La masse critique ne produit l'explosion attendue que lorsque la perte de neutrons, et surtout de neutrons rapides, est minimale, ce qui est le cas lorsque le matériau fissile est entouré d'une enveloppe réflectrice.

■ Pour réaliser une masse critique qui explose au moment m, le procédé retenu fut celui dont l'Américain Seth Neddermeyer fut l'initiateur en 1943, et qui fut prépondérant dans la réalisation de la première bombe A : il faut réaliser deux demi-masses critiques qui sont brutalement mises en contact — par dispositif explosif classique — ; ainsi s'enclenche immédiatement la réaction de fission productrice d'énergie. En fait, le dispositif consistait à précipiter vers le centre de la chambre de réaction plusieurs charges représentant chacune une masse sous-critique, qui convergent les unes sur les autres pour former une masse qui passe rapidement au point critique. On obtenait ainsi une **implosion**. Le physicien américain Edward Teller imagina un perfectionnement qui consistait à placer ces masses sous pression, ce qui réduisait la masse de matériau utile.

■ Étant donné que la production d'U 235 n'avait pas encore atteint la masse requise, on le remplaça par le Pu 239, et la première explosion expérimentale eut lieu le 16 juillet 1945, sous le nom de code « Trinity ». Elle réserva une surprise de taille : alors que les experts avaient prédit que l'énergie de la déflagration équivaudrait à celle que déclencherait l'explosion de 1 000 à 5 000 t de T.N.T., elle représenta l'équivalent de 20 000 t de T.N.T. La première bombe atomique, *Fat Boy*, fut réalisée avec de l'U 235. Elle n'avait pas fait l'objet d'essais, faute de matériau. Lâchée le 6 août 1945, à 8 h 15, heure locale du Japon, elle détruisit la ville de Hiroshima. Le Japon n'annonça sa reddition qu'après l'explosion de la deuxième bombe, au Pu 239 celle-là, qui fut lâchée sur Nagasaki le 9 août.

L'urgence à poursuivre les travaux sur la bombe atomique, mise en avant par les physiciens des pays alliés, avait été partiellement justifiée. Si les physiciens allemands, qui cherchaient, eux aussi, à mettre au point une bombe du même type, semblent avoir fait traîner les choses, point que l'histoire n'a pas entièrement élucidé, les Japonais, de leur côté, travaillaient activement à la mise au point d'une bombe A. Paradoxalement, c'est l'incohérence du commandement militaire en charge des opérations qui fut la plus grande entrave à l'entreprise.

24 juillet 1946, atoll de Bikini : la **première explosion sous-marine d'une bombe A,** qui projeta à 1 500 m d'altitude une colonne d'eau de 600 m de diamètre.

Bombe H

Teller, Kourtchatov, 1952-1953.

La **bombe nucléaire à hydrogène,** dite plus couramment bombe H ou **bombe thermonucléaire,** est bien l'invention militaire suprême de l'histoire. La date qui lui est assignée plus haut est celle de sa réalisation effective ; en fait, pour les États-Unis, l'histoire de l'invention commence en 1942, lors d'une conversation entre Enrico Fermi, le célèbre physicien italien, et Edward Teller, le physicien américain également célèbre qui avait participé à la fabrication de la première bombe atomique (voir p. 37). Fermi avait suggéré la possibilité qu'une **fission,** telle que celle de l'explosion atomique, déclenchât une **réaction en chaîne** comparable à celles qui sont entretenues dans le Soleil. Les études théoriques effectuées pour vérifier cette hypothèse en montrèrent l'exactitude quelques mois plus tard ; le combustible indiqué serait le **deutérium.** Par la suite, on conclut qu'un **mélange deutérium-tritium** aboutirait à de meilleurs résultats, parce qu'il permettrait d'abaisser la température critique et que le dégagement d'énergie obtenue serait plus puissant.

■ Le principe différait donc fondamentalement de celui de la fission, en ce que celle-ci se résumait à une explosion unique d'une masse critique, dont les atomes étaient « cassés », alors que, dans ce cas, il s'agissait de **fusion** consécutive à une fission, avec une chaîne de réactions se poursuivant jusqu'à épuisement du combustible. La fusion consiste, en quelque sorte, en l'union de plusieurs atomes légers en un seul, avec un dégagement d'énergie beaucoup plus grand que celui de la fission.

■ Le projet ne pouvait toutefois être mis en œuvre qu'avec un **détonateur** fiable, qui était une bombe atomique, laquelle ne fut mise à l'épreuve qu'en 1945. Le programme de la bombe H, dit *Super,* se poursuivit après la guerre, mais avec une certaine lenteur ; c'est l'explosion expérimentale d'une bombe A soviétique, le 29 août 1949, qui raviva chez les Américains le sentiment d'une certaine urgence. En 1950, une usine de fabrication de deutérium fut mise en service en Caroline du Sud. Toutefois, les études théoriques

indispensables à la mise au point de la bombe thermonucléaire se heurtèrent aux difficultés de calculs disponibles : aucun **ordinateur** existant ne pouvait alors les assumer. Teller résolut donc de simplifier considérablement le programme ; des calculs réduits avaient d'ailleurs montré que l'on aurait besoin de beaucoup plus de **tritium** que ne l'avait laissé prévoir le projet initial. Les études se poursuivirent non sans un certain empirisme, jusqu'à la mise à l'essai de la première bombe thermonucléaire, le 1er novembre 1952, à Eniwetok, atoll du Pacifique.

■ Bien que l'on dispose de moins d'informations à son sujet, la bombe thermonucléaire soviétique suivit à peu près le même parcours. Dès 1942, et alors que la première bombe atomique n'avait pas été construite, les physiciens soviétiques avaient, comme Fermi, imaginé la possibilité de réactions de fusion. Ils s'y attelèrent donc avec d'autant plus d'ardeur qu'ils avaient encore moins de moyens de calcul que les Américains, l'**électronique** ayant souffert d'un discrédit mystérieux auprès des idéologues soviétiques. En dépit des conditions de sécurité précaires qui prévalurent dans les installations soviétiques, et qui causèrent la mort de nombreux ingénieurs, l'U.R.S.S. réussit à faire exploser une bombe thermonucléaire le 12 août 1953, soit environ huit mois après les Américains. Le maître d'œuvre en avait été le célèbre physicien Igor Kourtchatov.

La bombe à neutrons ou **bombe N** est dérivée de la bombe H et a été conçue en 1979 par le physicien américain Edward Teller et le mathématicien d'origine polonaise Stanislaw Marcin Ulam. Il s'agit d'une bombe de faible puissance (entre 0,5 et 5 kt), provoquant la mort de tous les organismes vivants se trouvant dans un rayon de 800 à 1 200 m. Son principe est simple : lorsqu'on réduit la puissance d'une explosion nucléaire, les effets mécaniques et thermiques (le souffle et le feu) diminuent plus rapidement que les radiations.

Le potentiel d'annihilation de la bombe thermonucléaire, qui était considérablement plus grand que celui de la bombe atomique, alarma les grandes puissances, qui ne pouvaient affronter, ni par-devers elles, ni à l'égard de l'opinion internationale, les risques de son utilisation.

Le 10 octobre 1963, les États-Unis, la Grande-Bretagne (qui avait produit sa propre bombe thermonucléaire en 1957) et l'U.R.S.S. signèrent le traité trilatéral qui mettait cette arme au ban. En dépit des efforts politiques des trois Grands d'alors, les pays qui n'avaient pas signé le traité poursuivaient leurs propres recherches et se dotèrent néanmoins d'armes thermonucléaires.

Le 17 juin 1967, la Chine procédait à une explosion expérimentale thermonucléaire, suivie par la France, le 24 août 1968. Plusieurs autres pays, notamment l'Inde et Israël, disposent théoriquement, à l'heure actuelle, du potentiel nécessaire à la production de bombes thermonucléaires.

Canon à protons
An., États-Unis et U.R.S.S., vers 1975.

On appelle canon à protons un **système d'armement stratégique** consistant en un **accélérateur d'électrons,** destiné à produire des protons rapides en faisceaux destructeurs d'objectifs matériels, tels qu'un satellite. Ce système semble avoir été conçu vers 1975, à la fois aux États-Unis et en U.R.S.S., comme en témoignent, d'une part, les expériences de propagation de faisceaux d'électrons réalisées à l'époque dans l'espace, depuis les engins soviétiques Cosmos, Soyouz et Saliout, et, d'autre part, les projets de l'U.S. Army Balistic System, confiés à la firme Austin Research Associates.

■ Le principe du « canon » serait le suivant. Dans un premier temps, une diode, à une extrémité, transforme un courant électrique d'une puissance de 10^{11} W en faisceaux d'électrons, qui sont accélérés jusqu'à une vitesse voisine de la lumière ; ces faisceaux circulent en spirales à l'intérieur d'une cage magnétique, le long des lignes de force du champ créé par des bobinages. Dans un deuxième temps, des **atomes d'hydrogène,** qui sont constitués d'un noyau ou proton autour duquel gravite un seul électron, sont injectés dans la cage, en aval des électrons accélérés ; l'hydrogène est ionisé et l'électron périphérique est alors arraché aux atomes d'hydrogène ; ne restent plus que les protons. Dans un troisième et dernier temps, les protons sont accélérés par les faisceaux porteurs d'électrons, jusqu'à une distance de 4 m de la bouche du « canon » ; les faisceaux de protons poursuivent alors leur parcours jusqu'à leur choc destructeur sur une cible donnée, à la cadence d'une bouffée de protons toutes les 200 nanosecondes. Le faisceau mesure 1 cm de section.

■ Dès les premières études, il s'est avéré que ce type d'arme exigeait des courants électriques de très grande intensité et de très grande puissance, et ne pouvait aboutir au stade pratique que grâce à des condensateurs et des générateurs d'un type nouveau, capables de produire de tels courants pendant des durées très brèves. L'objectif proposé était, dans la décennie 80, d'émettre des faisceaux de protons d'un rayon d'action égal à une dizaine de kilomètres, donc capables de détruire un missile dans l'atmosphère à distance utile. La réalisation de condensateurs et de générateurs assez puissants et cependant assez petits pour pouvoir être embarqués à bord de satellites posait à la même époque des problèmes considérables ; c'est pourquoi une version du canon à protons fut mise à l'essai pour le compte de l'U.S. Navy, à l'intention de bâtiments de surface auxquels la charge de grosses unités d'énergie poserait beaucoup moins de problèmes. On estimait en effet dans les années 80 à une centaine de tonnes le poids d'une unité capable de fournir des impulsions de 100 MeV (millions d'électronvolts) pendant 10 nanosecondes, ou encore 6 impulsions par seconde pour une portée de 500 m, et la philosophie générale des recherches favorisait alors les mini-réacteurs nucléaires, assez légers pour être satellisables, comme source d'énergie. C'est, semble-t-il, la solution retenue par les Soviétiques qui avaient mis au point de tels réacteurs dès 1978 et qui en équipent couramment leurs satellites radar. Toutefois, il n'est pas certain, jusqu'ici, que ces réacteurs soient assez puissants pour alimenter en énergie un canon à protons.

Hélice et mitrailleuse synchrones
Fokker, 1915.

L'installation de mitrailleuses sur les premiers avions militaires dut se faire, soit au-dessus de l'aire de rotation de l'hélice, c'est-à-dire sur l'aile supérieure, soit sur le côté, ce qui nuisait quelque peu à la précision du tir.

■ C'est le Néerlandais Anthony Herman Gerhard Fokker qui, travaillant pour le compte des Allemands durant la Première Guerre mondiale, réussit à synchroniser exactement le rythme de la mitrailleuse et le nombre de tours/mn de l'hélice, grâce à un système de **différentiel** de son invention, ce qui permettait d'installer la mitrailleuse dans l'axe visuel du pilote. Le premier appareil ainsi équipé, le Fokker Eindecker, un monoplan, causa des ravages dans les rangs alliés. Neuf mois plus tard, le Français d'origine roumaine Georges Constantinesco refaisait l'invention de Fokker et assurait aux Alliés la repartie dans ce domaine.

Missile air-air
Wagner, 1943.

Un **projectile-fusée autonome,** destiné à être lancé d'avion vers un autre avion, a constitué le premier missile air-air connu ; il a été inventé et mis en fabrication par l'Allemand Herbert Wagner en 1943. Il était destiné à être lancé par des Dornier Do 217 ou Focke-Wulfe 90 et sa désignation était HS 298. Il devait infliger des dommages considérables aux appareils de bombardement ennemis, relativement lents.

Un missile américain air-air (en clair), monté sur le réservoir-conteneur en bout d'aile d'un Scorpion F 89-H.

Missile téléguidé air-air

U.S.A.F. et Hughes Aircraft, 1954.

Le premier missile téléguidé lancé d'avion fut mis au point conjointement par l'U.S. Air Force et la firme Hughes Aircraft. Il était destiné au chasseur F 89 Scorpion de la Northrop Co. et portait le sigle GAR. Ce type de missile se fonde sur le principe du **capteur à infrarouges** qui compare constamment sa trajectoire originelle avec le point rouge constitué par le moteur de l'appareil à abattre, grâce aux calculs d'un mini-ordinateur embarqué. Cet équipe-ment, dit **plate-forme directionnelle,** utilise l'**infrarouge actif,** puisqu'il met en œuvre un faisceau à infrarouges destiné à éclairer la cible ; la rectification de trajectoire s'effectue donc grâce à la superposition du faisceau et de la radiation infrarouge de la cible. Un miroir parabolique concentre les rayons réfléchis sur un **bolomètre,** ce qui confirme le repérage de la cible réelle.

Mitrailleuse

Barnes, 1856 ; Ripley, 1860 ; Gatling, 1862 ; Maxim, 1883 ; Browning, 1885.

En dépit de l'invention du chargeur pivotant par l'Anglais James Puckle, en 1718 (voir ouvrage précédent), la mitrailleuse est un type d'arme qui resta en sommeil jusqu'au milieu du XIXᵉ siècle.
■ En 1856, l'Américain Charles Emerson Barnes reprit, en connaissance de cause ou non, le principe de Puckle et l'améliora considérablement en y ajoutant une **manivelle** qui déplaçait automatiquement l'obturateur en avant et en arrière, ce qui permettait rien qu'en tournant la manivelle de tirer des coups en rafale, au nombre de 60 à 80 par minute ; cela constituait un réel progrès. Ce type de mitrailleuse, qui fut utilisé durant la guerre de Sécession sous le nom de « **moulin à café** », fut encore modifié par un compatriote de Barnes, E. Ripley, qui réintroduisit le **canon multiple,** avec le même type de manivelle. Il y en eut d'ailleurs plusieurs autres versions. Mais toutes ces mitrailleuses nécessitaient des équipes de deux hommes, un servant et un assistant qui alimentait les balles dans le chargeur.
■ L'étape décisive dans l'évolution des mitrailleuses fut franchie grâce à Richard Jordan Gatling et aux **cartouches métalliques** (voir ouvrage précédent). La mitrailleuse Gatling comportait six canons en faisceau, alimentés par un **chargeur cylindrique à tambour,** situé au-dessus de l'arme ; une manivelle faisait tourner un arbre à cames qui, par un jeu d'engrenages, faisait lui-même tourner le chargeur ; le poids des cartouches les faisait tomber d'elles-mêmes dans la chambre de tir, cependant que les cames faisaient avancer l'obturateur et armaient le percuteur. De la sorte, les canons étaient chargés en haut à gauche pendant qu'en bas à droite le percuteur faisait partir le coup. Système sans doute compliqué, mais qui s'avérait efficace, puisqu'il assurait 400 coups à la minute. En plus du servant, il fallait un aide pour approvisionner le chargeur en continu.
■ Un autre progrès fut réalisé en 1883 par l'Américain Hiram T. Maxim. Il consista à utiliser le recul dû à la **réaction des gaz d'explosion** des cartouches à poudre noire, puis des cartouches sans fumée. Ces gaz, en effet, font reculer le canon et l'obturateur ; le canon est arrêté par une butée, mais l'obturateur, lui, continue de reculer, entraînant la douille, qui est alors expulsée par un ressort au fond de la culasse. Si la détente ne subit plus de pression, l'obturateur s'arrête contre une butée, mais, si on maintient le doigt dessus, l'obturateur, également mû par un ressort, engage une autre cartouche dans le canon, et une nouvelle décharge se produit. La mitrailleuse Maxim fonctionne donc tant que l'on garde le doigt sur la détente et,

Une mitrailleuse Spandau 08 15 et le groupe de servants, évidemment allemands, pendant la Grande Guerre.

perfectionnement emprunté à la mitrailleuse Bailey, elle ne requiert plus d'assistant, car les cartouches défilent dans un **chargeur à ruban**. Il s'agit là, en quelque sorte, d'une **mitrailleuse à gaz**, et son efficacité, qui se mesure à la cadence de 600 coups à la minute, l'imposa aux commandes des armées au-delà de 1900. Elle fut perfectionnée en 1885 par l'Américain John M. Browning, qui exploita au maximum les gaz d'explosion en les recueillant dans un cylindre où ils actionnent un piston qui actionne à son tour l'obturateur.

■ Dès lors, la mitrailleuse connut encore beaucoup de perfectionnements, mais guère d'inventions à proprement parler, mis à part la **synchronisation du tir avec l'hélice des avions,** qui permet donc de tirer à travers l'hélice (1915), et la version adaptée, plus légère, du **fusil-mitrailleur** (1916). L'infanterie, les blindés et l'aviation l'adoptèrent dans des versions différentes, avec affûts, les chargeurs et les calibres étant également variables.

La mitrailleuse Gatling connut cinq perfectionnements successifs, sous la forme de la version Nordenfeldt (1879), à tir de volée ; la version Gardner, de la même année, pour les fusiliers marins parce qu'elle était légère ; la version Lowell, également de la même année, ultra-rapide pour l'époque ; la version Wilder (1880), à système revolver ; et la version Balley (1881), qui fut la première à être alimentée par ruban de cartouches.

Satellite artificiel

U.R.S.S., 1957.

Il est tout aussi difficile d'omettre les satellites artificiels d'un recensement des inventions que de les classer parmi les inventions proprement dites. Dès le début du XXᵉ siècle, sinon la fin du XIXᵉ, la parfaite assimilation des lois de Newton avait imposé à de nombreux amateurs de l'**astronautique** naissante l'idée qu'un corps doté d'une vitesse minimale qui serait lancé au-dessus des couches atmosphériques terrestres continuerait de tourner indéfiniment autour de la Terre. On trouve ce principe exposé dans le double roman de Jules Verne, *De la Terre à la Lune* et *Autour de la Lune,* qui fut publié en 1865 et dont les calculs demeurent exacts jusqu'à

ce jour. La **mise en orbite** d'un satellite exigeait toutefois un **lanceur** suffisamment puissant pour parvenir à ce que l'on appelle une **vitesse de libération optimale,** en fait 11,20 km/s, laquelle pouvait permettre d'atteindre une altitude approximative de 200 km et de disposer d'une force centrifuge légèrement supérieure à l'attraction terrestre. Les pionniers dans la recherche, à la fois théorique et technique, furent essentiellement le Russe Constantin Tsiolkovsky, l'Américain Robert Goddard et l'Allemand Hermann Oberth. Dans les années 30, les Allemands furent indéniablement à la pointe des réalisations techniques, les fameuses **fusées V1**

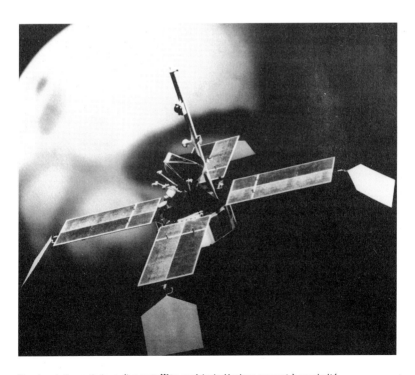

Représentation artistique d'un **satellite** américain Mariner passant à proximité de la planète Mars.

et **V2** constituant, en fait, des précurseurs de lanceurs spatiaux. Une partie des équipes allemandes fut exilée d'office en U.R.S.S. après la Seconde Guerre mondiale ; une autre, dirigée par Wernher von Braun, gagna les États-Unis. Des deux côtés, ces équipes apportèrent un concours précieux à la mise en route de programmes astronautiques. C'est cependant aux Soviétiques que revint l'honneur d'inaugurer l'ère spatiale avec le lancement de Spoutnik I, le 4 octobre 1957, prouesse d'autant plus remarquable que l'U.R.S.S. ne disposait pas alors des instruments de calcul électronique que les Américains avaient pourtant développés de façon appréciable.

■ Le satellite artificiel figure ici dans le chapitre des technologies militaires, car il est évident que les premiers lancers furent effectués dans des contextes fortement politiques et militaires ; par la suite, toutefois, l'invention passa aussi dans le domaine civil, à des fins de **surveillance météo** et comme **relais de télécommunications et télédiffusions.**

chimie
& physique

De la synthèse de l'acétylène à la production de xénon métallique, chimie et physique ont bénéficié depuis 1850 d'un certain nombre d'idées dont quelques-unes ne semblaient avoir qu'une valeur théorique sans lendemain et d'autres, une portée pratique limitée. Mais il s'agit là d'illusion d'optique historique, car l'invention de l'antimatière par P.A.M. Dirac a constitué sans aucun doute l'un des outils intellectuels les plus prodigieux de l'histoire de la physique depuis ses origines, pour la compréhension de la matière. Les cryptates de J.-M. Lehn, par ailleurs, s'annoncent comme l'une des inventions les plus magistrales en chimie, car ils ont déjà commencé à bouleverser aussi bien l'industrie des cosmétiques que celle des teintures industrielles, et la pharmacologie que les chimies extractives. Enfin, à l'heure où ces pages paraissent, il est impossible d'évaluer l'impact des supraconducteurs monocristallins sur l'ensemble de l'industrie électronique.

Il est vraisemblable que les plus grandes modifications des décennies prochaines seront le fait essentiellement des inventions de chimie et de physique. Indéniablement aussi, l'intérêt commercial a énormément contribué à la richesse de l'invention dans ces deux domaines. Il faut toutefois souligner que, contrairement à certaines idées reçues, les plus grandes inventions sont le fruit d'une recherche fondamentale qui s'opère très loin des soucis commerciaux. On peut les comparer à de brillants éclairs d'intelligence qui apparaissent dans la solitude et l'anonymat, puis que l'industrie conquiert et porte à leur point d'achèvement pratique.

Adhésifs
An., vers 1850 ; Certas, vers 1958 ; Eastman, 1961 ; Société européenne de bonding, 1961...

Un répertoire des inventions en matière d'adhésifs exigerait un espace considérable, étant donné que ces produits ont fait et font encore l'objet de recherches internationales, jalonnées de perfectionnements incessants. On peut toutefois considérer que l'ère des adhésifs modernes commence vers 1850, quand on s'avise que le pétrole lampant dissout le caoutchouc. Cette découverte s'accompagne d'une invention, plus tardive : celle des colles à base de caoutchouc en solution ; une fois le **solvant** évaporé, le caoutchouc forme une couche adhésive (plus ou moins adhérente). Le principe établi prévaut jusqu'à nos jours : addition d'un solvant volatil à une substance de base adhésive. Ainsi s'enrichit la gamme des colles organiques, animales et végétales.

■ Les progrès de la **chimie organique,** dans la première moitié du XXᵉ siècle, aboutissent à l'invention de colles à base de **polymères** d'addition, dont la première sera fabriquée en France, par la société Certas, en 1958. En 1961, nouveau progrès quand la firme Eastman-Kodak met au point, après dix ans de recherches, un **monomère cyanoacrylate,** aux propriétés adhésives remarquables, appelé Eastman 910. La même année, la Société européenne de bonding produit l'Araldite, également à base de polymères.

Dès lors, les formules spécifiques d'adhésifs synthétiques vont se multiplier, dans l'optique générale d'utilisations déterminées. En dépit de certaines déclarations, il n'existe pas, en effet, de colles universelles ; chaque type de colle est prévu, non seulement pour des matériaux précis, mais également pour des conditions d'utilisations spécifiques. En gros, l'adhésivité est déterminée par la polymérisation de l'adhésif, qui se produit par l'effet soit de l'humidité, soit de l'absence d'oxygène, soit encore de la chaleur. Cette distinction n'est pas seulement fondée sur les caractéristiques physico-chimiques de l'adhésif, mais également sur le fait que, selon sa nature, un adhésif adhère plus ou moins bien à une surface selon la nature également de celle-ci. En effet, l'adhésivité vise à obtenir une liaison moléculaire qui se rapproche autant que possible de la structure même du matériau à coller, ce qui, en principe, est impossible. Le polissage le plus fin ne peut, en effet, aboutir à une juxtaposition parfaite de l'interface adhésif-substance à coller. L'adhésivité sera donc fonction de la **capacité de pénétration** relative de l'adhésif dans les irrégularités du matériau (par exemple le bois) ou bien de l'**attraction moléculaire,** phénomène fondamental qui n'a commencé à être compris que vers 1960 et qui a permis de réaliser des colles à métaux, comparables à des soudures.

Acétylène (synthèse de l')
Morren, 1859 ; Berthelot, 1862.

En 1859, le doyen de la faculté des sciences de Marseille, le Pr Marcel Morren, publie dans les « Comptes rendus de l'Académie des sciences » un article dans lequel il rapporte qu'ayant déclenché une étincelle électrique dans un ballon de verre où se trouvaient des électrodes de **carbone** et où circulait de l'**hydrogène**, il a obtenu un « **hydrogène carboné** » dont il n'a pas établi la nature. En fait, c'est de l'**acétylène**. Trois ans plus tard, Marcelin Berthelot, porté à la gloire par son invention de la **synthèse de l'alcool** (voir ouvrage précédent), réédite le même exploit. Il baptise toutefois le ballon de verre de Morren « **œuf électrique** » et sait qu'il a synthétisé de l'acétylène. Entre les deux expérimentateurs, une seule différence :

Morren a fait une **découverte** et Berthelot, peut-être, une **invention**. Jean-Baptiste Dumas, chimiste de grand renom et président de l'académie, attire alors l'attention de Berthelot sur la priorité de Morren. Berthelot réplique que Morren n'a pas pu vérifier la production d'un hydrogène carboné. En fait, Morren l'a vérifié par une **analyse spectrale** du gaz obtenu, mais il n'est pas de taille à soutenir la contestation avec Berthelot ; il s'efface. L'histoire oublie son nom.

L'injustice commise par Berthelot et la postérité à l'égard de Morren est l'une des plus criantes de l'histoire des inventions. Il faut rendre hommage à l'historien Jean Jacques qui a tenté de la réparer en 1987 dans son ouvrage *Berthelot, autopsie d'un mythe.*

Aérogels
Kistler, vers 1932.

Les gels, structures associées lâches, constituées de substances colloïdales gonflées par un solvant, se caractérisent par le fait qu'au-dessous d'une certaine température les **chaînes polymériques** s'attachent les unes aux autres. Ils ont toujours intéressé les physiciens et les chimistes parce que, au-dessus d'une température donnée, ils se comportent comme des liquides, et au-dessous, et à une certaine échelle, comme des solides. Les gels présentent la particularité de se déshydrater à l'air. Vers 1932, l'Américain S.S. Kistler, de l'université Stanford, eut l'idée originale de remplacer le solvant fluide par un **gaz** ; il le fit en extrayant celui-ci à haute température et sous pression ; les structures des chaînes polymériques demeuraient cependant inchangées, mais le gel devenait poreux à 98 %, le solvant ayant été remplacé par de l'air. C'est ce que Kistler appela un aérogel. Dans les années 60, une méthode française de fabrication rapide d'aérogels permit de se servir couramment de ceux-ci dans les **détecteurs de particules** des expériences de physique des hautes énergies. Leur étude a montré que ce sont de remarquables **isolants thermiques,** puisque cent fois plus isolants que les verres de silice les plus denses. A la fin de la décennie 80, les études sur les propriétés physiques, optiques et acoustiques des aérogels se poursuivaient dans de nombreux laboratoires du monde.

Antimatière
Dirac, 1928.

Le concept fondamental de l'antimatière fut inventé par le mathématicien P.A.M. Dirac quatre ans avant que l'Américain Carl Anderson ne découvrît la première particule d'antimatière, l'**électron positif ou positron**, en 1932. Cette invention dérivait d'une étude des équations relativistes, laquelle amena Dirac à postuler qu'il existe des états de la matière qui sont énergétiquement négatifs. L'idée parut abstruse et quasiment inacceptable, car, s'il est possible de concevoir une charge négative, comme pour l'électron, il est difficile de concevoir une « anti-énergie ». C'est pourtant bien une particule symétrique de l'électron qu'Anderson observa sur la plaque photographique qui révélait les trajets de particules d'origine cosmique, après passage dans un compteur à gaz de la firme Caltech. Il faut ici préciser qu'Anderson n'avait pas entendu parler de la théorie de Dirac, dont seuls quelques mathématiciens de très haut niveau avaient alors eu connaissance.

■ Le concept d'antimatière n'a cessé depuis lors d'orienter les recherches en physique et en astrophysique. Dirac avait également postulé qu'un e^+ et un e^-

auraient tendance à s'attirer en vertu de la loi de Coulomb, formant ainsi un ensemble appelé **positronium,** dont la durée de vie serait toutefois extrêmement faible, car les deux particules s'annihilaient pour produire des **rayons gamma** : entre 10^{-7} et 10^{-10} secondes, selon l'indice de rotation. Cela aussi fut vérifié expérimentalement. D'autres vérifications suivirent. En 1955, une équipe de physiciens sous la direction d'Owen Chamberlain et d'Emilio Segrè observa que, selon les prédictions mathématiques, des collisions de **protons** de très haute énergie engendraient des **antiprotons,** dégageant une quantité énorme d'énergie. A l'heure actuelle, on a découvert des particules symétriques de presque toutes les particules connues.

■ L'étape suivante consista à supposer qu'il pouvait exister dans l'espace de l'antimatière, constituée d'antiparticules diverses. Cette hypothèse a même inclus la possibilité que les **quasars,** les **pulsars** et les **étoiles à neutrons** seraient des centres d'antimatière isolés dans l'univers. A la fin de la décennie 80, cette hypothèse n'avait pas été vérifiée. Et toutes les théories cosmologiques se trouvaient dans l'impossibilité d'expliquer qu'il existe dans l'univers des masses séparées de matière et d'antimatière. En effet, si l'on admet, dans le cadre de l'explosion originelle ou Big Bang, que la matière a une origine unique, on ne voit pas comment matière et antimatière se seraient séparées. Par ailleurs, la **répulsion gravitationnelle** entre matière et antimatière est incompatible avec la théorie de la relativité générale. Certaines expériences sur des **mésons** et des **antimésons** ont toutefois indiqué que les rapports gravitationnels entre matière et antimatière seraient les mêmes que ceux qui régissent les rapports entre matière et matière. Ce qui, à son tour, pose un problème de taille : si l'agent de la gravité est l'hypothétique particule appelée **graviton,** il faudrait postuler que le graviton est la seule particule qui n'aurait pas de symétrique...

Aspirine
Gerhardt, 1853 ; Kolbe, 1859 ; Riess et Stricker, 1876 ; Hoffmann, 1899.

Largement connue des chimistes et pharmacologues (voir ouvrage précédent), l'aspirine restait à préparer sous une forme tolérable et commode. L'ère moderne de l'aspirine avait commencé en 1838, quand l'Italien R. Piria avait isolé pour la première fois de l'acide salicylique pur, extrait du salicylate de méthyl, tiré lui-même de l'écorce de saule. Mais l'inventeur moderne de l'aspirine est bien le Français Charles Frédéric Gerhardt qui, en 1853, obtint le premier de l'acide acétylsalicylique en traitant du salicylate de sodium avec du chlorure d'acétyle, lui-même extrait de l'écorce de bouleau. De nombreuses publications savantes ou historiques omettent le nom de Gerhardt, qui fut occulté par celui de l'Allemand Hermann Kolbe. La raison en est que ni l'acide salicylique de Piria, ni l'acétylsalicylique de Gerhardt n'étaient obtenus sous **forme stable** et que la production industrielle en était difficile, l'écorce de saule et celle de bouleau n'étant pas très abondantes.

■ Le génie de Kolbe s'inscrit bien dans la grande tradition des **synthèses industrielles** qui caractérise la chimie allemande, au XIXe siècle. Kolbe, en effet, obtient de l'acide salicylique en 1859 sans recourir en aucune manière à un produit naturel. Il chauffe en autoclave un mélange de **phénol** et de solution aqueuse d'**hydroxyde de sodium** déjà chaud ; à 130 °C, il se forme du phénate de sodium, qui est déshydraté par la chaleur, puis refroidi et, à partir de 1874, soumis sous forte pression à une injection de gaz carbonique ; ce produit est de nouveau chauffé plusieurs heures à 150 °C, puis refroidi ; on obtient alors du **salicylate de sodium** ; après qu'il se soit dissous dans l'eau, puis acidifié, on y voit précipiter l'acide salicylique pur, qui est récupéré par centrifugation, séché et enfin purifié par recristallisation et sublimation. Le procédé Kolbe permit de fabriquer de l'acide salicylique à l'échelle industrielle.

■ Cet acide était souvent mal toléré par l'estomac. Aussi, en 1876, les Allemands Peter Theophil Riess et Salomon Stricker reprirent-ils le procédé Gerhardt en le modifiant ; ils préconisaient de traiter l'acide salicylique avec un anhydride acétique. C'est l'Allemand Felix Hoffmann qui, le premier, en 1899, réalisa dans les laboratoires de la firme d'Adolf von Bäyer, à Elberfeld, l'aspirine sous la forme stable que l'on connaît depuis.

Les premières applications de l'acide salicylique, dont on n'a pas fini jusqu'à aujourd'hui d'explorer les propriétés médicinales, intéressèrent l'industrie des colorants et celle des textiles, car chauffé à 200 °C, en présence de chlorure ferrique, il produit une teinture violette. L'un de ses dérivés, la **salicylanide,** est aussi un **antifongique,** protecteur des filés de coton.

Borazon
Wentorf, General Electric, 1957.

Le **nitrure de bore** ou BN est un corps très dur qui avait été obtenu à la fin du XIXe siècle par le Français Henri Sainte-Claire Deville et par l'Allemand Friedrich Wöhler en portant du bore à haute température dans un courant d'ammoniac. Il s'agissait d'une poudre blanche, volumineuse, dont la température de fusion très haute (3 000 °C) en faisait un excellent **lubri**fiant pour coussinets à haute pression ; il est de **structure hexagonale,** comparable à celle du graphite. En 1957, l'Américain R.H. Wentorf, de la firme General Electric Company, a obtenu une forme différente du nitrure de bore, de **structure** cette fois-ci **cubique,** plus dur que le diamant, grâce à la mise en œuvre de très hautes pressions. Son nom commercial est Borazon.

Caoutchouc butylique
Thomas et Sparks, Exxon, 1937.

La découverte du **caoutchouc** au XVIIIe siècle, puis celle, accidentelle, de sa **vulcanisation,** par l'Américain Charles Goodyear en 1839, avaient créé un immense domaine industriel, qui resta longtemps tributaire des plantations de l'arbre producteur du latex, l'hévéa. Comme toujours, les industriels cherchèrent à s'affranchir de cette servitude, qui impliquait d'abord une dépendance économique, puis des frais considérables de transport, le latex devant être importé de pays tropicaux tel que le Brésil d'abord, puis l'Insulinde et la Malaisie, ainsi que de Ceylan où l'on avait créé des plantations d'hévéas ; ils mirent donc les chimistes à la recherche de caout-chouc synthétique. Dès les années 30, il fut démontré que le caoutchouc naturel est composé à 94 % de **polyisoprène,** le reste se partageant entre les acides gras, des protéines, des stérols et des stabilisants naturels ; il était donc possible de le synthétiser à partir du **pétrole,** ce qui commença à être fait, selon des procédés divers, en Allemagne, en Grande-Bretagne, en France et aux États-Unis. Dans ce dernier pays, la firme Exxon obtint un sous-produit pétrolier, le **butylène,** dont il était possible d'extraire l'un des composés principaux du caoutchouc, le **butadiène.** Mais l'**élasto-mère de synthèse** ainsi obtenu ne présentait pas la résistance caractéristique du caoutchouc naturel vulcanisé ; il restait donc à trouver un moyen de le vulcaniser.

■ C'est en juillet 1937 que les Américains Robert Thomas et William Sparks, de chez Exxon, mirent à l'essai une molécule de leur invention, un **polymère** à base d'**isobutylène** et de **fluorure de bore,** qui leur semblait susceptible de réaliser ce que le soufre et la chaleur faisaient sur le caoutchouc naturel. Selon eux, il devait être possible, en introduisant un certain pourcentage de butadiène dans leur polymère, d'obtenir la liaison supplémentaire qui captait le soufre et assurait donc la vulcanisation. L'essai se révéla concluant. La mise au point du procédé industriel fut longue, car ce n'est qu'au début de 1941 qu'Exxon installa la première usine pilote de production de caoutchouc butylique.

Cryptates ou électrides
Lehn, 1976.

On appelle cryptate, terme dérivé de « crypte » ou grotte, des **matériaux cristallins synthétiques,** capables de capter des électrons, qui agissent de manière complexe à l'intérieur de ces pièges, prêtant aux cryptates des propriétés chimiques, optiques ou électroniques inhabituelles. Les Anglo-Saxons désignent ces cristaux sous le nom d'**électrides,** parfois utilisé en français aussi. Les cryptates ont été inventés en 1976 par le Français Jean-Marie Lehn, couronné pour cela par le prix Nobel de physique en 1987, conjointement avec les Américains Donald J. Cram et Charles J. Petersen, qui ont développé l'invention de Lehn et lui ont attribué un troisième nom, celui d'**éthers en couronne.** Il s'explique par le fait que les cryptates sont constitués de deux cercles d'atomes accolés, chaque cercle étant luimême constitué de molécules d'éthers, qui sont composés d'une structure de carbone à laquelle sont attachés des atomes d'oxygène et d'hydrogène. Ce sont les interstices entre ces structures qui servent de pièges. La capacité d'attraction des électrons est due au fait qu'au centre de chaque cryptate on rencontre un atome d'une substance, par exemple du **césium,** qui a perdu un électron et se trouve donc positivement chargé. La difficulté principale de fabrication des cryptates réside dans le risque que les électrons, interagissant avec les atomes des pièges, n'entraînent la destruction de l'ensemble ; cette difficulté peut être prévenue par la purification parfaite des composants, par la fabrication et l'entreposage des cryptates à très basses températures.

■ On doit relever qu'à ces températureslà, avoisinant les $- 263$ °C, les cryptates présentent une particularité curieuse, c'est de devenir le plus souvent **antiferromagnétiques,** c'est-à-dire que la moitié de leurs électrons s'alignent spontanément, avec leurs champs, dans une direction et l'autre moitié, dans le sens opposé. Cette particularité est toutefois absente, sans qu'on sache pourquoi, des cryptates à base de **rubidium** et de **potassium.**

■ Les cryptates constituent l'une des inventions majeures du XXᵉ siècle dans le domaine de la chimie. Leurs utilisations s'annoncent très variées ; en médecine, par exemple, les cryptates pourraient être utilisés comme **traceurs** dans certains diagnostics, et, dans le cas d'une contamination radioactive, ils pourraient capter du **strontium** ou du **cadmium** radioactifs. Dans l'industrie, Rhône-Poulenc les utilise déjà pour fabriquer des **céramiques polymères,** et l'on envisage une application énergétique prometteuse ; certains cryptates, en effet, peuvent capter l'**énergie solaire,** se comportant un peu comme la chlorophylle. Précisons que l'énergie solaire serait captée de la manière suivante : les électrons des cryptates ont des liaisons lâches ; le choc d'un **photon** suffit donc pour les déloger et engendrer de la sorte un courant électrique faible.

Diamant artificiel

Hannay, 1878 (?) ; Moissan, 1904 (?) ;
Allmana Svenska Elektriska Aktiebolaget, 1930-1953 ;
Norton International Inc. et General Electric Co., 1949-1955 ;
De Beers, 1958.

L'histoire de l'invention du diamant artificiel est sans doute l'une des plus confuses de toutes. Le premier qui en ait eu l'idée et qui en ait tenté la fabrication est l'Écossais James Ballantyne Hannay qui, en 1878, commença des expériences visant à produire des diamants artificiels à base d'huile de noir animal, d'essence de paraffine et de lithium dans un cylindre d'acier ; sous forte pression, les corps gras se vaporisaient et réagissaient avec le lithium pour former du carbone, qui restait donc fixé aux parois du cylindre. Hannay s'y reprit à quatre-vingts fois en deux ans ; seuls trois tubes résistèrent à la pression. Hannay rapporta, en 1880, y avoir trouvé de minuscules cristaux de carbone pur, dont la densité, 3,5, correspondait à celle du diamant. Il adressa ces cristaux au minéralogiste en titre du British Museum, à Londres, qui déclara que c'étaient des diamants véritables.

■ En 1896, Henri Moissan, inventeur du four électrique, s'attaqua également au problème et résolut, lui, d'obtenir des diamants artificiels à partir de charbon de bois, de fer et de graphite, ce dernier constituant le revêtement de son conteneur. Il introduisit le mélange en poudre dans son four électrique et en porta la température à 4 000 °C. L'acier avait complètement fondu et avait fondu avec lui une part importante du charbon de bois ; il plongea alors ces matériaux en fusion dans l'eau froide. La particularité du fer est qu'en refroidissant il se dilate. Le raisonnement de Moissan était que le refroidissement soudain durcirait seulement l'enveloppe du nodule en fusion, alors qu'il resterait à l'intérieur un magma qui tenterait également de se solidifier, donc de se dilater, lui aussi, mais qui rencontrerait une considérable résistance, celle de l'enveloppe. Il se créerait alors dans le nodule une pression extrêmement élevée et Moissan espérait qu'elle aboutirait à la formation de diamants. Il vérifia qu'en effet, les lingots entièrement refroidis ayant été dissous dans l'acide, il s'était formé à l'intérieur des cristaux mélangés à du graphite et que la densité de ces cristaux se situait entre 3 et 3,5.

■ Ces deux expériences semblent valides ; celle de Moissan fut en tout cas confirmée par sir William Crookes, qui constata que la méthode de Moissan aboutissait bien à la formation de diamants. Il rapporta également que l'industriel sir Andrew Noble avait lui aussi obtenu des diamants en faisant exploser de la cordite dans des cylindres d'acier, créant une pression de 15 000 atmosphères à la température de 4 000 °C. D'autres expérimentateurs par la suite vérifièrent le bien-fondé de la méthode de Moissan.

■ Mais, en 1928, au terme de vingt années de recherches, sir Charles Parsons, inventeur de la turbine à vapeur, annonça qu'il ne croyait pas que Hannay et Moissan avaient produit des diamants véritables, mais simplement un cristal très dur, capable de rayer le verre. Si les diamants de Hannay, qui étaient toujours disponibles à l'analyse au British Museum, s'avéraient bien être des diamants véritables à l'étude par diffraction aux rayons X (inconnue du temps de Hannay et de Moissan), cela ne signifiait pas, selon Parsons, que Hannay les eût fabriqués ! Parsons jeta donc le doute sur les travaux de Hannay et de Moissan, sans faire avancer la question, qui demeura confuse jusqu'à la fin de la décennie 80. On peut se demander quels étaient les composés de carbone que Hannay avaient fabriqués, si ce n'étaient des diamants... Quant à jeter le discrédit sur Hannay, si cela était loisible à Parsons, ce n'était pas possible avec Moissan, dont le sérieux scientifique valait bien celui de Parsons.

■ Toujours est-il qu'en 1941 l'Américain P.W. Bridgman, pionnier des études sur les **hautes pressions,** mit sur pied un organisme de recherches avec trois sociétés américaines, pour l'étude de la fabrication de diamants artificiels sous très hautes pressions. La guerre interrompit ses travaux, qui furent repris en 1949, indépendamment par la Norton International Inc. et la General Electric. En 1955, la General Electric proclama avoir fait aboutir ses recherches, mais sa déception fut grande lorsque la firme suédoise Allmana Svenska Elektriska Aktiebolaget annonça qu'elle avait poursuivi ses propres travaux sur la question depuis 1930 et qu'elle avait atteint son but en février 1953.

■ Une fois de plus, la revendication suédoise de paternité suscita le scepticisme, d'autant plus que l'équipe qui prétendait avoir réussi à fabriquer des diamants, dirigée par l'ingénieur B. von Platen, affirma s'être intéressée aux pierres de joaillerie et non aux diamants industriels ; or, pour fabriquer des diamants de qualité de joaillerie, il faut une pression de quelque 60 000 atmosphères, que la technologie de l'époque ne semblait pas permettre. Et pourtant, les Suédois démontrèrent le bien-fondé de leurs assertions. Mettant en jeu la mécanique et la métallurgie de pointe, ils avaient imaginé d'enfermer des pastilles de **graphite** et d'un **catalyseur** tel que le **nickel,** le **cobalt** ou le **fer** dans une matrice en **carbure de tungstène** soumise aux pressions énormes développées par un ensemble de pyramides convergentes tronquées, actionnées par une presse. Ce système a été depuis développé par la General Electric et est très connu sous le nom de Belt System.

En 1958, la firme d'exploitation et de vente de diamants bruts De Beers, d'Afrique du Sud, annonçait qu'elle était elle aussi parvenue à des résultats probants.

■ La fabrication de diamants de joaillerie synthétiques n'est pas impossible, mais peu rentable. La General Electric avait ainsi réussi à produire en 1970 un diamant artificiel d'une très belle eau et de la dimension appréciable de 1 carat, qui est exposé à la Smithsonian Institution, à Washington ; mais son prix de revient est considérablement plus élevé que celui d'une pierre naturelle, et la totalité de la production des quelque 140 millions de carats que fabriquent actuellement l'Afrique du Sud, la Suède, l'Irlande, l'U.R.S.S., le Japon, les États-Unis, est constituée de diamants à usage industriel (meules, têtes de lecture d'électrophones, têtes de forage, etc.).

On peut se demander si le scepticisme de Parsons ne fut pas inspiré par l'escroquerie d'Henri Lemoine, aventurier qui persuada le président de la De Beers, sir Julius Wernher, qu'il avait réussi à fabriquer des diamants industriels. Lemoine se trahit en adressant à Wernher des spécimens qui étaient, en fait, des diamants provenant des propres mines de la De Beers. La ressemblance excessive de sa prétendue production avec les diamants naturels lui valut d'être découvert et de passer six ans en prison...

Diamants pelliculaires
Rabalais et Kasi, 1988.

En appliquant par faisceaux des ions de carbone (C^+) de faible énergie (1 à 300 eV) dans un vide très poussé (10^{-10} torr), l'Américain J. Wayne Rabalais et l'Indien Srinandan Kasi sont parvenus, en 1988, à créer des couches de carbone très pur, diamantique, à structure de **carbure,** très adhérentes à la surface qui sert de support. Extrêmement peu conducteurs, donc très **isolants,** d'une dureté égale à celle du diamant, excellents conducteurs de la chaleur, ces films annoncent une grande variété d'applications technologiques, non seulement dans le domaine des isolants, mais également dans celui des **semiconducteurs dopés** et des pièces de **meulage industriel.**

Explosifs

Sobrero, 1846 ; Schultze, 1860 ;
Nobel, 1862, 1867, 1876 et 1887 ; Wilbrand, 1863 ;
Vieille, 1884 ; Linde, 1895 ; Du Pont, 1934 ;
Akre, Cook, 1955.

Le premier explosif moderne, la **nitroglycérine,** dérive de recherches — infructueuses — sur les textiles (voir ouvrage précédent) ; elle fut l'invention de l'Italien Ascanio Sobrero, en 1846. La dynamite, adsorbée par des bâtons de silice poreuse ou kieselgur, d'où son nom de **dynamite gur,** ou des bâtons de charbon de bois, fut d'abord réalisée en 1862 à l'intention du génie civil par le Suédois Alfred Nobel ; elle ne constitue en fait qu'une adaptation de la nitroglycérine. C'est toujours à l'intention du génie civil qu'en 1867 Nobel devait mettre au point les **dynamites primaires,** moins dangereuses à manipuler et moins sujettes au gel, qui en réduisait le pouvoir détonant ; au lieu d'être fabriquées à base de la seule nitroglycérine pure, elles incluent des **alcools polyhydriques** et des *sucres* mélangés à de la **pulpe de bois.**

■ Travaillant dans le domaine des teintures, le Suédois J. Wilbrand fit faire un pas considérable à la **thermochimie** en inventant le T.N.T., ou trinitrotoluène, en 1863. Le T.N.T. était, en gros, le résultat de la nitration du toluène, distillat du pétrole brut. Entre-temps, le Prussien E. Schultze poursuivait des recherches fécondes, entreprises en 1860, et qui visaient à mettre au point un agent **propulsant** pour les projectiles d'artillerie. Son procédé était complexe ; il consistait à réaliser la nitration de fragments de bois, puis à les dénitrer par lavage et à les imprégner de nitrates de baryum et de potassium, destinés à fournir de l'oxygène au bois qui contenait des traces de nitrates. Schultze n'obtint pas satisfaction, son propulsant étant trop rapide pour les obus d'artillerie et les cartouches de la plupart des fusils ; il convenait tout juste à des fusils de chasse perfectionnés. Mais cet explosif, le premier de tous ceux qui furent réalisés à des fins spécifiquement militaires, servit de point de départ aux recherches

sur les **propulsants** dans le domaine astronautique et devait aboutir, au début du XXᵉ siècle, aux **propergols.**

■ En 1876, Nobel, qui s'était spécialisé dans la fabrication des explosifs, fit breveter les **gélatines explosives** et les **dynamites gélatineuses,** qui allaient plus tard donner le **plastic** ; ces produits étaient, les premiers, des sous-produits de la fabrication de la nitroglycérine, et les seconds, des gélatines explosives plus fluides fixées sur des substrats solides, donc moins dangereuses à manipuler. Dans la masse de nitrocellulose que l'on met à dissoudre dans un bain de nitroglycérine, on obtient, en effet, 7 à 8 % d'un produit gélatineux — lequel servit de point de départ à ces nouveaux explosifs —, l'un de ceux qui ont le plus de **brisant,** car explosant à la vitesse de 8 000 m/s, contre 4 000 m/s pour la nitroglycérine.

■ Nouveau progrès en 1884, réalisé par le chimiste français Paul Vieille, inventeur de la **poudre sans fumée.** Le procédé de fabrication consista à dissoudre de la nitrocellulose dans un mélange d'éther et d'alcool, jusqu'à l'obtention d'une masse gélatineuse, dont les particules cellulosiques brûlaient sans dégager de fumée. On mettait la gélatine ainsi obtenue à sécher et l'on obtenait un produit ressemblant à de la corne, qu'il suffisait de couper en petits morceaux pour l'utiliser.

■ En 1887, Nobel inventa un produit révolutionnaire, lui aussi, la **ballistite,** à base d'azote, de nitrocellulose et de nitroglycérine. C'était exactement le propulsant qu'avait recherché Schultze un quart de siècle auparavant. Les Anglais, toutefois, refusèrent de reconnaître son brevet et fabriquèrent le même produit pour leur compte, l'appelant **cordite.**

■ Les explosifs constituaient alors un domaine indépendant et prospère de la chimie organique. L'amélioration du brisant des explosifs permit de réaliser de grands travaux d'ampleur jusqu'alors inconnue, comme le tunnel du Mont-Cenis, creusé sous les Alpes, entre la France et l'Italie, entre 1857 et 1871. De tels exploits furent considérablement facilités par l'invention annexe, en 1831, du **cordeau Bickford,** par l'Anglais William Bickford, puis par la mise au point de l'**allumage électrique à distance,** par l'Américain H. Julius Smith. En effet, le transport et la manipulation d'explosifs posaient des problèmes ; on commença donc à transporter directement sur le site l'agent oxydant et le combustible, que l'on mélangeait sur place et auxquels on mettait le feu à distance. On mélangeait ainsi, peu avant l'explosion, du chlorate de potassium et du nitrobenzène. En 1895, l'Allemand Carl von Linde inventa un procédé qui consistait à jeter un combustible poreux, par exemple du charbon de bois, dans de l'oxygène liquide que l'on faisait exploser à bonne distance ; c'était là un nouveau type d'explosif, parmi plusieurs autres, le **combustible à oxygène liquide.**

■ L'usage militaire des nouveaux explosifs ne commença vraiment que durant la guerre russo-japonaise de 1905 ; il ne s'est pas interrompu depuis lors. En 1907, la firme Nobel réalisa un perfectionnement très important en trouvant un moyen d'empêcher la dynamite de geler. Vers 0 °C, en effet, cet explosif avait été jusqu'alors inutilisable et son réchauffement imprudent avait causé des accidents nombreux et graves. L'invention consista à incorporer dans la nitroglycérine un cinquième à un quart d'**isomères du trinitrotulène** ou T.N.T., un isomère étant constitué de molécules aux formules identiques, mais aux structures différentes, donc aux propriétés différentes aussi. Peu après, une autre invention remplaça celle-ci, consistant à incorporer dans la glycérine une solution nitratée de **sucre,** moins sensible au gel. En 1911, nouveau perfectionnement, dû à la découverte d'un moyen de fabriquer un polymère de la glycérine, la

diglycérine, dont le produit de nitration, la **tétranitroglycérine,** abaissait nettement le point de gel quand il était mélangé à la nitroglycérine. Enfin, en 1925, un pas de plus fut accompli dans la production de dynamite utilisable par très basses températures, rendu possible par la fabrication en masse d'**éthylène glycol,** qui permit de renoncer à la nitroglycérine, sensible au gel, le produit de nitration de l'éthylène glycol, le dinitrate d'éthylène glycol en possédant les mêmes propriétés.

■ En 1934, la firme américaine Du Pont de Nemours inventa un explosif entièrement neuf, le Nitramon, composé de 92 % de nitrate d'ammonium, 4 % de dinitrotoluène et 4 % de cire de paraffine. Le Nitramon se distinguait par sa grande **résistance aux chocs,** y compris une balle tirée par une arme de petit calibre ; il introduisait donc dans le domaine des explosifs un élément de sécurité jusqu'alors inexistant. Il n'explosait qu'à l'aide d'une amorce produite par le fabricant. Une variante plus puissante en fut le Nitramex, qui contenait du T.N.T. et des ingrédients métalliques, tels que de l'aluminium. L'utilisation la plus spectaculaire en fut, en 1958, la destruction d'un rocher qui constituait un grave danger pour la navigation entre l'île de Vancouver, en Colombie britannique, et la côte du Canada.

■ Un autre grand progrès résulta de l'invention d'explosifs à base de mélanges de nitrate d'ammonium et de fuel, ainsi que de gels à base de nitrate d'ammonium et d'eau. La première formule fut trouvée en 1955, en s'inspirant des **explosifs à base de poudre de charbon** inventés en 1947 par l'Américain Robert Akre, et qui fut breveté sous le nom d'Akremite. La seconde formule fut mise au point par l'Américain Melvin Alonzo Cook, ancien employé de Du Pont, et par plusieurs autres chimistes, de manière plus ou moins simultanée, vers 1958 ; elle consistait à mêler du nitrate d'ammonium, du T.N.T. et des gélatines à base d'eau et de colloïdes.

La fabrication industrielle des explosifs fut longtemps périlleuse. En 1862, par exemple, l'usine de Nobel à Heleneborg, en Suède, explosa, et le frère de l'inventeur y perdit la vie. Le premier qui mit au point la fabrication contrôlée de la nitroglycérine fut l'Américain George Nowbray qui, en 1867, réalisa l'exploit de fabriquer 500 t de ce produit et de le transporter, par rail et par mer, sans aucun incident.

Ces derniers explosifs, qu'on désigne sous le terme générique de plastics, se sont imposés en raison de leur forte concentration de produits explosifs, de la plasticité qui permet de les insérer dans toutes les crevasses et de les manipuler commodément, puisqu'ils n'explosent que sous l'action d'un détonateur. Ce sont ces explosifs qui, malheureusement, ont permis l'extension du terrorisme.

Ferrofluides
Rosensweig, 1968.

Également appelés **liquides magnétiques,** les ferrofluides représentent l'une des inventions majeures du XXᵉ siècle, à l'instar des cristaux liquides, des matériaux hétérogènes et des matériaux composites. Il s'agit de fluides, inventés en 1968 par l'Américain Ronald Rosensweig, qui contiennent en suspension des grains infinitésimaux, de l'ordre du millionième de centimètre, d'un matériau magnétique, tel que des **oxydes de fer.** Les applications en sont extrêmement variées et, à la fin des années 80, il n'était pas certain qu'on pût encore les entrevoir toutes. Une compagnie japonaise, Matsushita Electric Industry (Osaka), a fabriqué une imprimante de haute définition susceptible d'imprimer 5 pages à la minute à l'aide d'une **encre ferrofluide** ; de petits aimants provoquent des projections microscopiques au point (8 points au millimètre) de l'encre sur le papier. La société américaine Ferrofluidics a mis au point un **lubrifiant à ferrofluides** par bagues de liquide magnétique qui se maintiennent seules en place et, étant étanches, réduisent considérablement les usures de joints. Une autre société japonaise, Diesel Kiki, s'est dotée d'un **inclinomètre** ultra-sensible à ferrofluides, mesurant la pesanteur en tous les points du liquide. L'armée de l'air américaine était en 1987 très avancée dans la fabrication d'une **peinture** qui rend les avions indécelables au radar ; elle est à base de ferrofluides et de substances non magnétiques, dont l'impédance spécifique empêcherait la réflexion des ondes radar.

■ Les propriétés réfringentes des ferrofluides (chaque grain, micro-aimant, possède un moment magnétique propre, qui fait qu'il réfracte la lumière) laissent entrevoir de nombreuses applications optiques, comme la mesure de la viscosité spécifique d'un liquide placé entre un polariseur et un analyseur, éclairé par un faisceau **laser hélium-néon.** Bien évidemment, les ferrofluides peuvent servir à la réalisation de détecteurs très sensibles de champ magnéti-

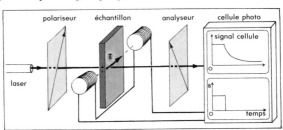

L'un des intérêts principaux des **ferrofluides** réside dans leurs propriétés optiques. Ainsi, un ferrofluide placé dans un champ magnétique laisse passer la lumière, parce que ses grains s'orientent selon ce champ. La lumière peut donc passer entre les grains. Mais, si l'on coupe le champ, le ferrofluide redevient lentement opaque, parce que ses grains reprennent leur orientation antérieure. Cette propriété permet, par exemple, de mesurer la viscosité d'un fluide.

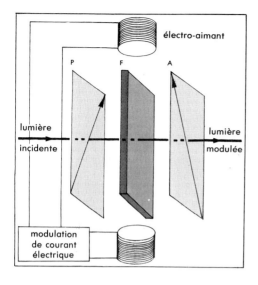

Les propriétés optiques des **ferrofluides** permettent également de détecter et de mesurer un champ magnétique, même très faible. En effet, on sait qu'un ferrofluide exposé à un champ magnétique laisse passer la lumière. S'il n'y a pas de champ, il reste opaque. Dans le dispositif représenté, un échantillon de fluide de l'ordre de 100 microns d'épaisseur est placé entre un polariseur P et un analyseur A, croisés. Si l'on ajoute un électro-aimant commandé par un modulateur de courant, comme ci-contre, on dispose alors d'un modulateur de lumière.

que. On envisage également une application médicale de **ferrofluides injectables** ; étant donné que les cellules cancéreuses sont avides d'oxydes de fer, on pourrait utiliser un ferrofluide compatible pour détecter un cancer et, étant donné également que les particules magnétiques absorbent fortement les **rayons X** et provoquent un échauffement localisé, on peut imaginer de détruire les cellules cancéreuses par **radiothérapie atténuée** (travaux de Patrick Couvreur au laboratoire de pharmacie galénique et de biopharmacie de Châtenay-Malabry). De nombreuses disciplines, de la chimie inorganique et de la physique des colloïdes au magnétisme, s'efforcent de définir les caractéristiques fondamentales des ferrofluides.

Laser
Townes, 1951-1954 ; Maiman, 1960 ; Javan, 1961.

Le laser est un des exemples les plus purs d'une invention qui découle d'une théorie. Peut-être le précurseur en est-il Albert Einstein, qui, dès 1917, jette les bases d'une **émission stimulée de radiations,** en l'occurrence de photons. Si l'on soumet, postule en résumé Einstein, une population de particules à un rayonnement incident d'un niveau énergétique supérieur, et dont le nombre de particules est également supérieur, on accélère l'émission de photons puisque l'on élève le niveau énergétique de la population de particules. Ce niveau se situera, comme on l'a vu par la suite, entre le niveau d'équilibre fondamental et celui du rayonnement injecté. L'injection est dite **pompage**.

■ Le principe du laser est fondé en premier lieu sur l'amplification d'un faisceau de photons par le milieu énergétique relevé. Ainsi, un faisceau de lumière monochromatique qui traverse cette chambre d'amplification sera amplifié par l'émission stimulée des photons, c'est-à-dire qu'il acquerra une énergie supérieure. Pour brider en quelque sorte l'amplification, on utilise ce que l'on appelle une **cavité résonante,** dite aussi **cavité de Pérot-Fabry,** et qui est constituée, en gros, de deux miroirs opposés, parallèles et perpendiculaires au rayonnement, qui se renvoient les photons émis ; l'un des miroirs est transparent en son centre, pour permettre la sortie du faisceau de photons. Il faut souligner que l'amplification n'est obtenue que si la fréquence du faisceau de lumière monochromatique est la même que celle du niveau d'énergie de la chambre d'amplification.

■ C'est le physicien américain Charles Hard Townes, prix Nobel de physique en 1964, qui décrivit le premier, en 1951, la possibilité d'amplification d'ondes courtes, ou **effet maser,** mot acronyme de Microwave Amplification by Stimulated Electromagnetic Radiation. En 1954, Townes en faisait la démonstration et, si Einstein est le père spirituel du laser, on peut dire que Townes en est le père « matériel ».

■ L'effet maser embrassait toutes les radiations ; il est utilisé en astronomie pour l'amplification des réceptions d'ondes radio très faibles. L'effet laser est restreint au domaine optique, où Townes fut également un précurseur, puisqu'en 1958 il décrivait, avec son compatriote Arthur Leonard Schawlow, le maser optique, en fait le laser, mot acronyme de Light Amplification by Stimulated Emission of Radiation.

■ La particularité de l'effet laser est que, les photons étant émis en phase avec le milieu amplificateur, ils gardent dans le temps et dans l'espace la même longueur d'onde ; ils sont donc dits cohérents. Cette cohérence fait que le faisceau laser est **directif,** c'est-à-dire non divergent, comme c'est le cas de la lumière ordinaire, qui diverge et qui est dite incohérente ; de plus, un faisceau focalisé peut porter une énergie considérable sur une tache de dimensions infinitésimales.

■ En 1960, l'Américain T.H. Maiman mettait en service le premier laser à rubis, la nature de filtre de ce cristal garantissant l'émission du faisceau originel de lumière cohérente. L'année suivante, son compatriote A. Javan réalisait le premier des lasers à gaz.

■ Depuis lors, quatre grands groupes de lasers ont été construits, si l'on excepte le laser à électrons libres, d'un principe différent (voir p. 59) : d'abord, les **lasers à solides,** rubis, verre au néodyme, grenat d'yttrium et d'alumine ou YAG ; ensuite, les **lasers à gaz,** gaz ionisé pour les lasers ioniques, gaz carbonique, vapeurs métalliques , ensuite, les **lasers chimiques,** qui utilisent les réactions du fluor atomique sur l'hydrogène ou le deutérium pour produire des molécules excitées, hydrogène-fluor ou deutérium-fluor, ou encore les lasers à iode ; enfin, les **lasers à semi-conducteurs,** où c'est le dopage de certains semi-conducteurs qui produit les molécules excitées. Il faut citer un groupe à part, qui est celui des **lasers à colorants** dans un milieu liquide, et qui constituent la transition vers le **laser à électrons libres.**

■ Les utilisations des lasers sont très nombreuses, de la métallurgie, où ils servent au découpage et au soudage, par exemple, à la métrologie des surfaces et des alignements, des télécommunications à la photocomposition, et de la médecine à l'art militaire. Ils ont rendu des services considérables pour les instruments de mesure et d'observation, permettant de réaliser des

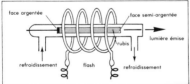 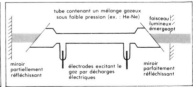

Schémas du laser à rubis et du laser à gaz
Les deux extrémités du rubis rigoureusement parallèles sont argentées, mais l'une reste légèrement transparente pour permettre l'émission du faisceau lumineux.

Le laser à gaz (à droite) du type hélium-néon a une puissance de sortie généralement de quelques milliwatts.

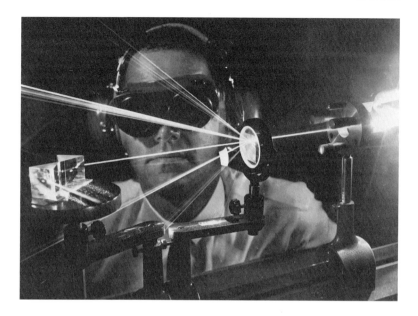

Telle apparaît la mise en œuvre d'un **laser** : le faisceau convergent constituant le rayon laser, rendu cohérent par les prismes à gauche, est à droite.

télémètres d'une grande précision (fonctionnant sur le principe du radar, par émission d'une impulsion lumineuse sur la cible dont il faut mesurer la distance et mesure du temps de retour) et des **gyromètres,** qui mesurent les vitesses de rotation d'appareils mécaniques. Leurs applications en médecine s'étendent de la destruction de tumeurs, polypes, angiomes, fibromes, au traitement des caries et à la microchirurgie ophtalmologique (voir p. 173 : *bistouri-laser*).

Laser à électrons libres
Madey, vers 1970.

Un laser conventionnel (voir p. 57) est constitué d'un appareillage destiné à produire un faisceau de lumière cohérente. Sa capacité dépend de sa longueur d'onde, laquelle est dépendante de la couleur du faisceau. Depuis les origines du laser, on s'efforçait de mettre au point des **lasers à modulation,** c'est-à-dire à longueurs d'ondes variables ; car un même laser pourrait alors servir à plusieurs usages différents. Pour cela, on a tenté d'utiliser des **teintures** qui modifieraient la couleur, donc la longueur d'onde, de la source émettrice, mais les résultats ont été décevants, étant donné que ce type de laser, qui existe d'ailleurs et qui est même en service dans certains laboratoires, n'a qu'une faible puissance et une gamme restreinte de longueurs d'ondes. Au début de la décennie 70, le physicien américain John Madey, de l'université Stanford, imagina un autre type de laser fondé sur le principe suivant : lorsqu'une **particule chargée,** telle qu'un électron, est défléchie par un champ magnétique, elle émet un photon ; en faisant donc passer un faisceau d'électrons à travers un circuit d'aimants disposés dans un certain ordre, on peut disposer du faisceau des photons émis et en faire un faisceau cohérent. La longueur d'onde de ce faisceau dépend alors, soit de l'intensité du champ magnétique déflecteur, soit de l'énergie du faisceau d'électrons, soit des deux combinés. C'est ce que l'on appelle un laser à électrons libres. L'intérêt de ce type de laser est considérable, car, outre qu'il est modulable, il utilise jusqu'à 20 % de l'énergie fournie qu'il transforme en lumière, alors que les lasers conventionnels n'en utilisent que 1 %.

■ A la fin de la décennie 80, le laser à électrons libres était en cours de perfectionnement dans les laboratoires de plusieurs grands organismes américains, T.R.W., laboratoires Bell de l'American Telephone & Telegraph, Boeing, université Venderbilt, Lawrence Livermore National Laboratory, Los Alamos National Laboratory.

■ L'intérêt que ces organismes témoignent à l'invention de Madey s'explique par deux facteurs. Le premier est que le laser à électrons libres est utilisable par le programme dit familièrement de la « **guerre des étoiles** », ou Strategic Defence Initia-

tive (S.D.I.), parce qu'il possède un indice satisfaisant de pénétration de l'atmosphère — ce qui n'est pas le cas des lasers conventionnels. Le second est que cet appareil est précieux en **chirurgie,** parce qu'il permet de pratiquer des interventions d'une extrême précision, et cela en profondeur, d'une manière qui promet d'être inédite. Il semble, en effet, qu'il suffise de teindre des tissus, même de manière disséminée, pour les rendre vulnérables à un laser d'une longueur d'onde correspondant à celle de la teinture. C'est ainsi que des cellules cancéreuses peuvent êtres teintes dans une couleur déterminée, à l'aide d'une teinture pour laquelle elles possèdent une affinité, et puis détruites de manière sélective par un laser qui, lui, traverserait les tissus sans sans les léser.

Il n'existait en 1988 que six lasers à électrons libres utilisés dans le domaine médical, tous aux États-Unis, et tous fonctionnant dans la gamme située entre 320 milliardièmes de mètre, juste au-delà du **violet** dans le spectre visible, et 800 milliardièmes de mètre, juste au-delà du **rouge**. Ces appareils étaient onéreux, puisqu'ils coûtaient environ 12 millions de francs pièce.

Peinture acrylique
Reeves Ltd., 1964.

D'un maniement considérablement plus aisé que la peinture à l'huile, la peinture acrylique, en fait une solution de **copolymères vinyle acrylique,** a été mise au

point en 1964 par la firme britannique Reeves Ltd. Elle a connu un succès certain dans le monde de l'**art,** où elle a donné naissance à une technique particulière.

Peinture fluorescente
Frères Switzer et Ward, 1933.

C'est avec la collaboration du chimiste Dick Ward qu'en 1933 les frères Joe et Bob Switzer, Américains tous les trois, inventèrent la peinture fluorescente, déposée sous la marque Dayglo. Il s'agit d'une peinture à base de **sulfure de zinc,** substance dont les atomes comportent des électrons susceptibles de changer d'orbite

sous l'effet de l'énergie lumineuse ; ces électrons et l'effet qu'ils entraînent retombent toutefois à leur niveau énergétique antérieur dès que la lumière disparaît. C'est le phénomène d'**électroluminescence,** qui n'implique aucun phénomène radioactif.

Peinture métallique isolante

Mott, 1949 ; Emsley et Edwards, 1987...

Depuis Lavoisier, un métal se définit comme un corps qui possède une forte conductivité thermique et une conductivité électrique. Cela étant, les métaux se différencient par leurs structures atomiques. En 1949, l'Anglais Neville Mott postula que, dans certaines conditions de température et de pression, un métal peut devenir isolant, au lieu d'être conducteur. Cette hypothèse était, en fait, un corollaire d'une constatation faite au XXᵉ siècle ; celle que, dans certaines conditions (basses températures), tous les éléments se comportent comme des métaux. La conductivité électrique ne représenterait, en somme, qu'un caractère attaché à un **seuil thermique**. Dans la seconde moitié du XXᵉ siècle, en effet, l'on synthétise des matériaux organiques, tels que le **polyacétylène,** qui sont d'excellents conducteurs électriques, aussi bien que des matériaux inorganiques, comme le **K.C.P.** ($K_2Pt (CN)_4 BrO_3 3H_2O$), également dotés des mêmes propriétés.

■ En 1987, les Britanniques John Emsley et Peter Edwards enrichissaient les connaissances sur la conductivité électrique en formulant l'hypothèse que celle-ci dépend du taux d'atomes nécessaire pour assurer le passage des électrons (il faut quelque 10 000 atomes pour constituer une molécule d'argent, par exemple). Une des conséquences de cette propriété est d'avoir servi à l'armée américaine à mettre au point des peintures contenant des microparticules métalliques, dont la taille est de l'ordre du nanomètre, et qui, étant isolantes, pourraient permettre à des avions d'être « invisibles » aux radars.

Quanta

Planck, 1900.

L'invention du concept des quanta (pluriel de quantum) est l'une des plus importantes de la science moderne. Il n'est pratiquement plus un seul domaine qui ne porte des traces de son influence. L'invention se situe à l'origine dans la **thermodynamique**. En résumé, elle constitue l'aboutissement de théories émises dès les années 1850.

■ En 1859, l'Allemand Gustav Robert Kirchhoff proposa sa **loi des radiations,** selon laquelle la puissance d'émission d'une source de radiations est fonction de la capacité d'absorption du milieu. Puis l'Autrichien Josef Stefan établit la relation qui existe entre un **corps noir** et la quatrième puissance de sa température (un corps noir est une entité abstraite définissant un corps parfaitement absorbant de toutes formes de radiations dans un état thermodynamique donné). C'est sur cette proposition que son compatriote Ludwig Eduard Boltzmann conçut les bases mathématiques de cette relation, connues depuis lors sous le nom de **loi de Stefan-Boltz-** **mann**. S'attaquant à l'étude des phénomènes régis par cette loi, l'Allemand Max Planck observa la discontinuité des émissions de rayonnements propres des corps ; ces émissions s'effectuaient selon lui par « paquets » ou « quanta », en langage courant par quantités. C'est ainsi que Planck formula le principe des quanta. C'était en 1900.

■ Ce concept exerça une fascination considérable sur tous les physiciens de l'époque, et la possibilité d'étudier les radiations sous forme de quanta déclencha une véritable révolution dans un monde où l'on n'utilisait jusqu'alors que les concepts de deux catégories d'objets, les **corpuscules** et les **ondes**.

Les corpuscules étaient des entités occupant une région définie et restreinte de l'espace, occupant aussi à tout moment une position et une vitesse déterminées, leur dynamique étant, quant à elle, définie par leur quantité d'énergie, leur quantité de mouvement et leur vitesse. Les ondes étaient des phénomènes continus, non localisés et occupant tout l'espace. Tout phénomène ondulatoire pouvait donc être considéré comme une superposition d'ondes périodiques dans le temps et l'espace, caractérisées par leur longueur.

■ Plusieurs observations indiquaient déjà que ces définitions exclusives des phénomènes physiques comportaient des lacunes. Dès 1817, en effet, l'Anglais Thomas Young avait démontré dans une expérience célèbre que les photons peuvent se comporter à la fois comme des corpuscules et comme des ondes. Étudiant en effet les **interférences lumineuses,** Young avait postulé que ces particules se propagent, non pas longitudinalement, dans le sens de leur mouvement apparent, mais à angle droit ; cette intuition géniale expliquait un phénomène jusqu'alors incompréhensible, la polarisation, mais elle avait l'inconvénient immense, du point de vue du dogme, de ne correspondre exactement ni à la conception qu'on se faisait des corpuscules, selon les théories de l'Anglais Isaac Newton, ni à celle des ondes, selon les théories du Hollandais Christiaan Huygens. Ces particules qui vibraient « de travers » parurent inconcevables et l'on accusa même Young de faillir à son patriotisme !

■ Reprise avec un faisceau de photons uniques, donc non susceptibles de diffraction, l'expérience de Young allait pourtant se révéler cruciale pour la compréhension des quanta : un photon unique, émis vers une paroi percée de deux trous, produit des interférences sur un écran, tout comme plusieurs faisceaux de photons ; logiquement, cela ne se pourrait que si ce photon passait par deux trous à la fois, ce qui précisément ne se peut. En fait, ce photon se comporte à la fois comme une particule et comme une onde, ce qui serait impossible à concevoir sans les quanta. La même expérience, faite avec des électrons, aboutit à la même conclusion : les photons et les électrons ne sont donc ni des ondes, ni des corpuscules classiques ; on doit, pour les définir, convenir au préalable que les notions d'onde et de corpuscule ne sont que des approximations et recourir au concept de **particule quantique**. Bien qu'il soit impossible de les représenter par des images, on peut approcher de leur définition selon Planck en suggérant que ce sont des paquets d'énergie qui se propagent

selon des **amplitudes de probabilité** ; et c'est ce qui permet de commencer à comprendre que ces particules, photons ou électrons, ne vont pas heurter l'écran situé derrière les deux trous décrits plus haut en tant que particules individuelles, mais en tant qu'amplitudes.

■ Le lecteur voudra bien pardonner la prudence de l'explication que voilà, l'explication exacte requérant un exposé beaucoup plus long et le recours à des formules mathématiques de haut niveau. Reste à observer deux conséquences immédiates de l'application des quanta à la mécanique, qui a permis d'élaborer cet outil fondamental qu'est la **mécanique quantique** : tous les corpuscules, en fait, et non pas seulement les photons et les électrons, se définissent comme des corpuscules quantiques ; et la notion d'**intensité** de la mécanique ondulatoire classique est remplacée par celle de **densité de probabilité,** définie par le carré de l'amplitude.

■ Une troisième conséquence, qui s'est fait ressentir dès les années 20, est que la description d'un système physique général peut se faire exclusivement grâce à l'outil mathématique. Ce qui implique une représentation du monde selon un formalisme mathématique. Dès lors, la description imagée de l'univers physique comme système composé de particules distinctes est devenue désuète. De fait, la mécanique quantique est essentiellement fondée sur l'utilisation de l'outil mathématique.

■ Quatrième et ultime conséquence, aux résonances philosophiques celle-là : le déterminisme défendu par les savants depuis Laplace, et ardemment soutenu par Albert Einstein, en dépit des évidences, n'est plus admissible ; il est remplacé par un **probabilisme statistique**. De l'électronique à l'optique et de la physique moléculaire à l'astronomie, les quanta ont offert un apport immense, dont les richesses n'ont pas encore été, en cette fin du XXᵉ siècle, entièrement explorées.

■ Il convient d'observer toutefois que Max Planck lui-même n'adhéra jamais au probabilisme quantique, qui se développa essentiellement sous l'impulsion de l'Allemand Werner Heisenberg, du Danois Niels Bohr et, en général, des disciples de l'école dite de Copenhague. On peut supposer que sa formation classique expliquerait sa répugnance à l'égard de ce qu'il considérait comme une « dérive ». Mais on peut également supposer que la correspondance, à peu près correcte, entre les phénomènes macroscopiques, tels qu'il les connaissait alors, et la mécanique classique justifiait son refus.

■ Toujours est-il qu'à l'heure actuelle il existe aussi des phénomènes macroscopiques qui ne semblent pas pouvoir s'expliquer entièrement par la mécanique classique, notamment en **astrophysique**. Par ailleurs, le probabilisme quantique semble s'imposer dans certains phénomènes dont la découverte est relativement récente, tels que les **lasers** et la **supraconductivité**.

■ On doit souligner que l'importance de ce débat conceptuel porte surtout sur la valeur des mesures scientifiques et qu'il existe encore des courants scientifiques qui se refusent à admettre le probabilisme

quantique, qu'ils tiennent, somme toute, pour un artifice épistémologique.

Le rôle immense de Max Planck dans l'évolution des sciences exactes contemporaines faillit être gravement compromis par la Seconde Guerre mondiale, au cours de laquelle il se trouva soupçonné par les autorités du IIIe Reich, non seulement en raison des liens d'amitié qu'il avait entretenus avec de nombreux savants considérés comme ennemis, dont Einstein lui-même, mais encore parce que son propre fils avait participé à l'attentat de juillet 1944 contre Hitler et, pour cette raison, avait été exécuté. Après la guerre, Planck connut l'honneur suprême de voir rebaptiser de son nom les anciens et prestigieux instituts de recherche Kaiser-Wilhelm.

L'un des chapitres les plus marquants de l'histoire de la physique contemporaine est celui de l'opposition d'Albert Einstein à la mécanique quantique. Après en avoir reconnu la magistrale pertinence, au début du siècle, Einstein rejeta pourtant ce formidable outil conceptuel. Ce qui le gênait le plus vivement dans la théorie de Planck, c'était son aspect probabiliste. Einstein, en effet, était déterministe, comme l'attestent ses deux formules célèbres : « Dieu ne joue pas aux dés » et « Dieu est imprévisible, mais pas malicieux ». Il s'efforça, en 1910, de couper court à l'avancée irrésistible de la mécanique quantique en publiant son projet de champ unifié de la relativité générale ; il s'avéra immédiatement que ses conclusions

étaient prématurées et nul n'a encore, à la fin de la décennie 80, approché, fût-ce de loin, l'aboutissement de la proposition einsteinienne de **champ unifié** comme Einstein se proposait de le faire, c'est-à-dire en faisant intégralement abstraction de la mécanique quantique. L'obstination du grand savant devait, dès les années 20, faire la désolation de plusieurs de ses pairs parmi les plus illustres, tels Max Born, qui déplorait la perte du « porte-drapeau » qu'avait été Einstein. Dans ses dernières années de travail à l'Institute for Advanced Studies de Princeton, Einstein, désenchanté, s'efforça, mais en vain, de contrebattre la suprématie de la mécanique quantique.

Soude (extraction de la)
Solvay, 1865 ; Mond, vers 1870.

L'extraction de la soude se pratiquait, tant bien que mal, depuis la fin du XVIIIe siècle grâce aux procédés Leblanc et Davy (voir ouvrage précédent). Mais, en 1865, le Belge Ernest Solvay construisait en Belgique une usine dans laquelle il appliquait un procédé d'extraction de la soude entièrement révolutionnaire. Solvay, à vrai dire,

n'en était pas l'inventeur, au sens de l'antériorité absolue ; le mérite de ce que l'on appelle le procédé Solvay doit être sans doute partagé par le Français Augustin Fresnel, qui fut le premier à l'expérimenter et peut-être aussi à le concevoir. L'idée est très simple : on fait agir de l'**ammoniac** et du **gaz carbonique** sur le chlorure de soude ; le gaz carbonique entre en réaction avec le sodium pour former du **bicarbonate de soude,** et l'ammoniac est capté par le chlore, pour former du **chlorure d'ammonium.** La différence de solubilité entre les deux sels permet de recueillir le premier des deux qui se sépare par précipitation. La séparation du sodium et du chlore est réalisée ; on dispose de bicarbonate de sodium, qu'il suffit de chauffer pour que le gaz carbonique se dégage ; il est alors possible de récupérer l'ammoniac en décomposant le chlorure d'ammonium par la chaux. On a donc, en principe, du **carbonate de sodium** au terme de l'opération.

■ En réalité, l'opération est beaucoup plus complexe. Fresnel, qui avait utilisé du sel marin solide, avait laissé perdre son ammoniac et n'avait obtenu aucun résultat. L'Allemand Heinrich August von Vogel avait démontré en 1822 qu'il fallait utiliser de la **saumure** pour mieux attaquer le chlorure de sodium. Plus de dix chercheurs se heurtèrent à l'échec dans leurs tentatives de mise au point d'un procédé où l'on ne perdît ni sel, ni ammoniac.

Le mérite de Solvay fut de concevoir l'installation qui assurait le rendement optimal. Il imagina de faire couler la solution saturée de chlorure de sodium et d'ammoniac à travers des plaques perforées étagées de haut en bas de tours métalliques ; au bas de celles-ci était introduit le gaz carbonique. Le chlorure d'ammonium fut traité, comme prévu, par la chaux et le chauffage y était effectué avec tant de soin que la perte d'ammoniac n'excédait pas 1 %, ce qui était près de trente fois moins que ce que ses prédécesseurs avaient atteint.

Les tenants du procédé Leblanc (voir ou-

vrage précédent) tentèrent de résister au procédé Solvay, mais celui-ci, plus rapide et plus efficace, finit par s'imposer du seul fait qu'il offrait la soude à des prix nettement plus avantageux. Le procédé Solvay fut modifié dans les années 1870 par l'Allemand Ludwig Mond.

■ Il est possible, par électrolyse du sel fondu, d'obtenir de l'**hydroxyde de soude,** plus connu sous le nom de soude caustique, et qui, dans de nombreux cas, peut remplacer les autres formes de soude.

L'application du procédé Davy, par électrolyse, n'était évidemment pas possible du temps de Leblanc, puisqu'elle eût exigé une considérable consommation d'électricité, et qu'il n'y avait alors pas de centrales électriques.

■ La soude est de nos jours utilisée dans la fabrication du papier, du papier cellophane, de la rayonne, du verre, du savon, des engrais, de la porcelaine, des explosifs, des allumettes, des teintures. Le **péroxyde de soude** est un agent blanchissant. Le **bicarbonate de soude** est un produit utilisé en pharmacie et en boulangerie. Le **thiosulfate de soude** sert à fixer les négatifs et les tirages photographiques. Le **sulfure de soude** intervient dans de très nombreuses opérations de chimie industrielle...

Saisissant contraste entre les destinées des deux hommes qui contribuèrent le plus à l'exploitation industrielle de la soude : Nicolas Leblanc, ruiné après la Révolution, se suicida ; Ernest Solvay, qui eut la sagesse de ne jamais concéder de licence de son procédé, devint immensément riche (ce fut aussi un grand philanthrope).

Xénon métallique
Ruoff, université Cornell, 1979.

En soumettant du xénon, **gaz rare,** à une pression de 320 kilobars, soit 320 000 fois la pression atmosphérique, le Dr Arthur L. Ruoff et son équipe de l'université américaine Cornell ont obtenu en 1979

du xénon sous forme métallique. Cette prouesse de laboratoire devait ouvrir la voie à la production d'**hydrogène métallique,** particulièrement utile dans les recherches sur la **supraconductivité.**

communication, culture & médias

L'immense progression des connaissances fondamentales en électronique, en électromagnétisme, en optique, et la maîtrise croissante des techniques ont déclenché, dès le milieu du XXe siècle, une prolifération quasi explosive des divers modes de communication qui s'étaient fait jour auparavant. La diffusion des communications radio, rendue possible dès la naissance de la radio, au début du siècle, fut extraordinairement stimulée par l'invention du transistor, et l'amélioration foudroyante des techniques d'enregistrement du son et de l'image a permis d'accroître les échanges d'informations, au sens fondamental de ce mot, jusqu'à un point que certains estiment proche de la saturation. On peut donc dire que le développement des échanges de signes a constitué l'un des traits majeurs de l'évolution du monde depuis 1850.

Une telle rapidité dans l'échange a fatalement modifié le contenu même des informations et de leurs styles, c'est-à-dire la culture elle-même. Ce serait retourner à l'insoluble paradoxe de la poule et de l'œuf que de se demander si c'est le progrès technique qui a stimulé, par exemple, la diffusion du jazz, puis de ses dérivés ultimes, jusqu'au rock and roll, ou bien si ces modes musicaux n'étaient pas en eux-mêmes l'expression d'un même « esprit du temps », le *Zeitgeist* cher à la philosophie allemande, qu'on peut définir comme esprit d'accélération. Parallèlement, la « science-fiction », créée par Jules Verne, a servi de terrain de jeu, en quelque sorte, à l'imaginaire scientifique. Ses presciences sont célèbres : le point d'où Jules Verne expédiait son fameux obus de la Terre à la Lune est exactement le même dont sont parties les premières missions spatiales américaines. Et, dès 1936, Hugo Gernsback a abordé l'impensable, c'est-à-dire l'exploitation militaire de l'énergie atomique. A l'époque, aucun savant n'y croyait vraiment. Cinq ans plus tard, le projet Manhattan était mis en chantier ! On nous consentira donc de ne pas dissocier culture et science, la science étant une forme de culture, et même d'accorder autant de place au jazz, invention caractérisée, qu'à la radio qui a d'abord permis de le véhiculer.

Autoradio
Blaupunkt, 1932.

La radio était encore jeune lorsque le constructeur allemand Blaupunkt imagina d'en fabriquer un modèle qui pût fonctionner sur la batterie d'une auto et de doter celle-ci d'une antenne (la première voiture ainsi équipée fut une Studebaker américaine).

Courrier pneumatique
Clark, 1853 ; Varley, 1858 ; Culley et Sabine, 1859.

Abandonné à Paris depuis 1984, le système de transmission du courrier par tubes dans lesquels on fait le vide fut inventé en 1853 par l'Anglais C. Latimer Clark. La première installation n'était destinée qu'à l'acheminement de télégrammes entre le Central and Stock Exchange et l'International Telegraph Company ; le cylindre dans lequel les télégrammes étaient enclos, et qui circulait dans un tube où le vide induisait un **effet de succion**, ne parcourait que la distance de quelque 220 m. En 1858, l'Anglais C.F. Varley lui apporta une amélioration en réalisant la réexpédition des cylindres par **air comprimé**, qui permettait donc un trafic à deux sens dans la même ligne. L'année suivante, les Anglais R.S. Culley et R. Sabine organisèrent un **réseau de distribution de courrier par pneumatiques** dans la ville de Londres. Adopté par Paris en 1868, ce système fut modifié : les tracés des tubes (400 km) devenaient circulaires et la circulation s'y effectuait dans le même sens, soit par la force du vide, soit par celle de l'air comprimé.

Dépiquage digital d'enregistrements
Sonic Solutions, National Sound Archives, 1987.

Les enregistrements sonores anciens souffrent presque toujours de « **piqûres** » causées par l'altération des supports et de bruits de fond dus aux défauts des enregistrements anciens. Cette altération peut défigurer le son initial jusqu'à le rendre impossible à reconnaître. Dès les années 60, des techniques de dépiquage **analogiques** ont commencé à se développer. Leur mérite est reconnu, mais elles entraînaient un certain taux de **modification du son original**. En 1987, la firme américaine Sonic Solutions, de San Francisco, a mis au point un système **digital** de dépiquage. Il consiste à faire enregistrer le son original sur un disque dur d'une capacité de 1 400 mégabits, représentant deux heures d'enregistrement, puis à faire éliminer automatiquement les piqûres par un ordinateur qui repère les sons parasites et les supprime, et qui ensuite restaure l'espace manquant par un son de la fréquence égale à celle de la note occultée. Le bruit de fond est pareillement effacé sur la base des plages qui ne comportent pas de son enregistré, aussi brèves fussent-elles. Cet effaçage est effectué sur la base d'un découpage de la plage-type en 2 000 bandes de fréquences distinctes, qui sont toutes mesurées et qui indiquent donc toutes les fréquences à éliminer de l'ensemble de l'enregistrement initial. Travaillant en temps réel, l'ordinateur serait contraint d'effectuer quelque 53 millions d'opérations par seconde ; aussi travaille-t-il en temps différé et met-il de 8 à 10 heures pour restaurer un enregistrement d'une heure. Ce système, dit NoNoise, rivalise avec un autre, mis au point indépendamment en Grande-Bretagne, en 1987 également, dit CEDAR (pour Computer-enhanced Digital Audio Restoration) ; inventé par la National Sound Archives, il fonctionne sur un principe différent : il exige deux versions du même enregistrement à restaurer et compare automatiquement les deux enregistrements, joués en même temps, puis sélectionne le son le plus satisfaisant de chacun d'entre eux.

Le système NoNoise a permis de restaurer des enregistrements de disques musicaux de 1928, où les compositeurs Maurice Ravel et Serge Prokofiev exécutaient leurs propres œuvres au piano ou dirigeaient eux-mêmes les orchestres qui interprétaient des œuvres symphoniques.

Dessin animé
Blackton, 1906.

Le dessin animé constitue le type de l'invention à étapes. On peut, en effet, avancer que le précurseur en fut le **théâtre d'ombres javanais,** dans lequel les ombres de silhouettes découpées et articulées sont projetées sur un écran lumineux, et qui remonte au moins au XVIIe siècle ; en tout cas, le **phénakistiscope** en est l'ancêtre direct. Inventé en 1831 par le Français Joseph Plateau, il était composé de deux disques montés sur un axe. Le disque supérieur était percé d'une seule fente sur son bord ; il était fixe. Le disque inférieur portait sur son pourtour des dessins représentant les phases distinctes d'un mouvement décomposé ; lui était mobile. En faisant tourner ce dernier, on obtenait par le défilement rapide des dessins sous la fente du premier disque une illusion de mouvement reconstitué, en vertu du même principe de **rémanence rétinienne** que le cinéma et la télévision allaient exploiter un siècle plus tard. Le procédé fut perfectionné en 1834 par l'Anglais William George Horner, qui l'introduisit aux États-Unis en 1867.

■ Il est possible que ce soit la nouvelle version du phénakistiscope qui donna à l'Américain J. Stuart Blackton l'idée de réaliser des films de cinéma dessinés, à défilement cette fois vertical, sur bande de celluloïd. Deux ans après que Blackton eut réalisé pour la Vitagraph le premier dessin animé connu — une succession de grimaces fort simples —, le Français Émile Courtet, dit Émile Cohl, humoriste de profession, réalisait pour la Gaumont le premier dessin animé français, *Fantasmagorie.*

■ C'est toutefois aux États-Unis, à la fin de la décennie 1910, qu'une technique standard de réalisation de dessins animés se fit jour, grâce aux inventions successives de ces pionniers que furent les Bray, Carlson, Terry et Fleischer. Walt Disney ne produisit son premier dessin animé, le célèbre *Steamboat Willie,* où il lançait le personnage de Mickey Mouse, qu'en 1928.

La technique de réalisation d'un dessin animé est beaucoup plus complexe que celle d'un film ordinaire, car la mise en scène doit coordonner exactement les mouvements des personnages avec le décor ; celui-ci reste fixe, seuls les personnages se meuvent. Une série d'esquisses est d'abord dessinée, puis photographiée et projetée dans un appareil à défilement rapide, dit **moviela.** Les corrections sont alors rapportées, avant que les esquisses soient confiées à une équipe qui les dessine cette fois-ci au trait sur des feuilles de plastique transparent, puis les colorie. Chaque dessin est ensuite photographié séparément, puis reporté sur film. Il faut à peu près quinze jours pour photographier les 45 000 images d'un dessin animé standard de 300 m, d'une durée de 15 minutes environ.

Le phénakistiscope de Plateau, construit en 1831 par Chevallier. L'image en montre l'envers. Ce « jouet » s'utilisait en face d'un miroir, qui réfléchissait la face représentée, cependant qu'on la faisait tourner et qu'on observait le défilement des phases d'un mouvement, ici un jeu de saute-mouton, par les fentes. Ce fut sans doute le premier mécanisme optique qui exploitât l'effet de rémanence rétinienne.

Disque
Edison, 1878 ; Berliner, 1888.

L'invention du disque plat, tel que nous le connaissons de nos jours, est attribuée à Emil Berliner. En fait, l'idée en fut énoncée pour la première fois par Thomas Edison en 1878, le mérite de Berliner consistant à avoir le premier réalisé et perfectionné ce disque et à avoir créé la première fabrique de pressage de **disques plats,** à Hambourg, à partir de **matrices.**

Le **cylindre** et le disque plat coexistèrent pendant de nombreuses années. En 1894, Charles et Émile Pathé construisirent près de Paris une fabrique de cylindres dont la production connut un grand succès. Le catalogue Pathé devait comprendre en 1904 quelque 12 000 titres.

Disque microsillon

Harrison et Frederick, 1931 ; Hunt, Pierce et Lewis, 1933 ;
Goldmark, 1948.

L'avènement du disque microsillon, en 1948, fut précédé par de nombreux travaux théoriques et techniques. Depuis l'apparition des premiers disques, d'abord cylindriques, puis plats, en 1901 et 1903, le matériau utilisé avait été relativement dur, avec des sillons profonds, et l'aiguille fixée dans la tête de lecture, rigide et usinée avec un rayon angulaire assez grand, dont la pointe suivait le fond du sillon. Il était par ailleurs nécessaire que la tête de lecture fût assez lourde pour que sa pression contraignît la pointe de l'aiguille à suivre exactement les reliefs du sillon. Il s'ensuivait que les bruits de surface, dus à la pression de l'aiguille sur le matériau, « piquaient » plus ou moins fréquemment la reproduction du son. En 1931, les Américains H.C. Harrison et H.A. Frederick démontrèrent qu'il était possible d'améliorer la qualité du son en utilisant à la fois un matériau d'enregistrement moins dur et une tête de lecture moins lourde. Cette démonstration eût dû entraîner dès lors le remplacement de tout le matériel d'enregistrement et de reproduction du son, disques compris, ce qui eût provoqué une révolution commerciale peu opportune. En effet, il y avait alors en circulation des dizaines de millions de disques, qu'il eût été risqué de déclarer dépassés, d'abord parce que la crise résultant du krach de Wall Street en 1929 n'incitait guère le public à des dépenses de ce genre, ensuite parce que la radio faisait une concurrence de plus en plus forte au phonographe. Au demeurant, les **têtes de lecture magnétiques** nouvellement mises sur le marché étaient lourdes et, adoptées par les stations de radio entre autres, ne pouvaient elles non plus être déclarées désuètes. Elles furent bien allégées en 1932, mais elles ne convenaient plus au système, alors populaire, des changements de disque automatiques.

■ En 1933, les Américains F.V. Hunt, J.A. Pierce et W.D. Lewis avancèrent encore en direction du disque microsillon en démontrant la supériorité de la reproduction sonore obtenue avec une **gravure latérale des sillons,** plus ouverte, et une aiguille légère à pointe arrondie. Dès lors, il devenait possible d'envisager une gravure plus fine, avec quelque 100 sillons au centimètre radial, et une tête de lecture légère dont l'aiguille, beaucoup plus fine, reposait sur les bords et non plus sur le creux du sillon. Riche de ces enseignements, qu'il affina, ce n'est cependant qu'après la Seconde Guerre mondiale, en 1948, que l'Américain Peter Goldmark, de la firme Columbia, lança le premier microsillon dont la vitesse de rotation était de 33 1/3 tours et qui mesurait 30 cm. La durée d'une face était passée d'environ 5 minutes pour les disques 78 tr/mn grand format à 25 minutes et la qualité du son en avait été considérablement améliorée. Le **78 tours** disparut rapidement du marché.

Disque stéréophonique

Waters, 1920 ; Cook, 1951 ; coll., États-Unis, 1958.

L'impression de « relief » sonore produite par deux sources diffusant simultanément le même enregistrement semble avoir été observée dès les débuts du disque. En 1920, l'Américain Samuel Waters breveta un procédé assez compliqué qui ne connut guère de suites commerciales et dont le principe consistait à faire passer deux têtes de lecture différentes sur deux sillons distincts ; une démonstration plus fine fut offerte aux ingénieurs des Bell Telephone Laboratories en 1933 quand un concert symphonique donné à Philadelphie fut transmis à Washington par deux jeux de haut-parleurs dont chacun reproduisait les sons de la partie de l'orchestre correspondant à sa position. La **stéréophonie** était le plus efficace quand les deux sources diffusaient des sons différents et complémentaires, selon leurs localisations spatiales distinctes. C'est le principe qu'en 1951 l'Américain Emory Cook appliqua, de façon quelque peu élémentaire, en réalisant des **disques à doubles sillons,** les uns vers le centre, les autres à la périphérie, reproduits par deux têtes de lecture sépa-

rées. La véritable solution se fit jour, par consensus en 1958, dès l'avènement du **microsillon** : elle consistait à graver les deux pistes sur les faces du même sillon, qu'une tête de lecture spéciale déchiffrait simultanément et qui étaient séparément transmises à deux haut-parleurs. Cette tête de lecture pouvait aussi bien reproduire les enregistrements en monophonie, mais les disques stéréophoniques ne pouvaient évidemment être convenablement diffusés que par une tête stéréophonique.

Dissonance
Wagner, 1865.

Jusqu'au début du XIXe siècle, les compositeurs respectaient dans son ensemble la **base diatonique**, c'est-à-dire **non chromatique,** de l'**harmonie.** Quelques musiciens, tels Mozart dans son quatuor dit *Les Dissonances*, Franz Schubert dans son quintette en *do* majeur et Carl Maria von Weber dans son opéra *Der Freischutz* (« Le Franc-tireur »), avaient bien contrevenu épisodiquement aux règles de l'harmonie. Ainsi, Schubert avait fait appel à des **accords de septième diminués** apparents, que Weber pour sa part avait utilisés de fait, mais ces recours avaient surtout servi à accentuer la couleur harmonique.

■ Richard Wagner fut, en 1865, le premier à utiliser systématiquement des modes qui impliquaient une dissolution du système diatonique dans *Tristan et Isolde*, par l'usage de **tonalités ambiguës,** par exemple par une sixième augmentée qui se résout en une septième augmentée, par des successions de **dominantes secondaires**, par des cordes altérées et instables, qui accentuent le chromatisme et noient les structures fonctionnelles traditionnelles. C'est l'instauration des dissonances qui allait mener à la **musique dodécaphonique** et **sérielle.**

Enregistrement magnétique
Poulsen, 1898 ; O'Neill, 1927.

Le principe de l'enregistrement magnétique consiste à soumettre un support métallique sensible au **magnétisme** à des impulsions électriques correspondant aux **fréquences** des sons à enregistrer. La lecture des sons se fait avec une tête magnétique qui transforme à nouveau en sons les différences d'intensité magnétique enregistrées. Ce principe fut inventé en 1898 par le Danois Valdemar Poulsen, qui le présenta à l'Exposition universelle de

1900. Le premier enregistreur magnétique fonctionnait sur un fil de fer souple, à enroulement rapide. L'enregistrement magnétique s'imposa à partir de 1927, quand l'Américain J.A. O'Neill remplaça le fil de fer par une bande **diamagnétique** enduite d'un support métallique. Les supports le plus couramment utilisés sont les **oxydes ferriques** et le **dioxyde de chrome,** sur bande de Mylar.

Espéranto
Zamenhof, 1887.

C'est en 1887 que l'opticien polonais Ludwik Zamenhof imagina un langage universel simplifié, qu'il appela espéranto. Construit avec des mots d'origine européenne romane, le système linguistique de Zamenhof est simple, puisque l'**orthographe** y est phonétique, tous les mots y étant écrits comme ils sont prononcés, et dotés de suffixes spécifiques pour les noms (en o) et les adjectifs (en a). Il ne comprend ni genres, ni déclinaisons de verbes et fait un grand usage des mots composés. Les convulsions politiques qui déchirèrent l'Europe à partir de 1914 ne permirent pas à l'espéranto d'accéder au statut espéré, les considérations et revendications politico-culturelles accentuant encore les particularismes linguistiques et ne laissant guère de place à ce langage universel. Il y a actuellement plus de 100 000 personnes dans le monde qui entretiennent cependant la pratique de l'espéranto.

Fiction scientifique
Verne, 1864 ; Robida, vers 1890.

La fiction scientifique, plus connue à partir de 1940 sous le nom anglo-saxon de *« science-fiction »* (après **« scientifiction »**), doit être considérée comme une invention culturelle majeure, car elle a rempli — et continue de remplir — deux rôles importants : le premier est de familiariser le public avec des applications possibles de la science et de la technique ; le second, de servir de banc d'essai de l'imaginaire. Elle se distingue spécifiquement de la littérature fantastique, mais s'apparente et parfois s'identifie au roman d'aventures, d'où son succès, notamment auprès de la jeunesse. On peut considérer que la fiction scientifique est née en 1864, dans le *Voyage au centre de la Terre* de Jules Verne, mais elle n'a réellement pris forme qu'avec *De la Terre à la Lune* et *Autour de la Lune,* du même auteur. Ne connaissant pas encore les possibilités des **fusées,** qui allaient permettre, au XXe siècle, les voyages extra-terrestres qu'il imaginait, Jules Verne fit propulser l'engin interplanétaire en forme d'obus par une gigantesque explosion, ce qui était impossible. Néanmoins, il eut le mérite de choisir avec prescience le point de départ de l'orbite d'un engin interplanétaire, qu'il situa à Tampa Town, en Floride, à brève distance de l'actuel cap Kennedy, ex-cap Canaveral. Contrairement aux idées reçues, l'œuvre de fiction scientifique de Jules Verne est cependant réduite.

Dans les années 1890, l'illustrateur Alfred Robida popularisa également certains projets scientifiques et techniques, faisant preuve d'une imagination parfois débridée et souvent humoristique. Il annonça toutefois bien avant son temps la télévision à domicile, dans *Le XXe Siècle,* l'un de ses deux ouvrages majeurs d'anticipation,

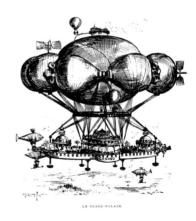

LE NUAGE-PALACE.

Le **Nuage-Palace,** imaginé par le fécond Robida, qui n'avait pourtant prévu ni les moyens de rallier ce casino céleste, ni son instabilité.

Prescience de la fiction scientifique : en haut, la récupération en pleine mer de l'obus lancé de la Terre à la Lune dans le roman de Jules Verne du même nom (1865) et, en bas, la récupération de la capsule Apollo 8, le 27 décembre 1968, après dix révolutions autour de la Lune, soit exactement un siècle et trois ans plus tard...

l'autre étant *La Guerre au XXᵉ siècle*.

La postérité de Verne et Robida fut considérable et témoigna souvent aussi d'une étonnante prescience. C'est ainsi que, dès 1936, l'Américain Hugo Gernsback imagina l'énergie atomique alors que les savants n'y croyaient pas.

Jules Verne consultait de nombreux savants avant de décrire engins et aventures. C'est ainsi qu'il put brosser de son **sous-marin** *Nautilus*, véritable héros mécanique de *Vingt Mille Lieues sous les mers*, une description à peu près plausible.

Grand écran de cinéma
Grimoin-Sanson, 1900 ; Chrétien, 1925.

La projection de films cinématographiques sur grand écran, définie plus tard sous l'appellation de Cinémascope, puis de Scope, a des origines relativement anciennes. C'est en 1900, en effet, que le Français Raoul Grimoin-Sanson eut l'idée d'associer dix projecteurs de cinéma en batterie pour projeter un film (colorié à la main) sur un **écran intégralement circulaire** de 100 m de circonférence ; le public était au milieu de cette enceinte et pouvait tourner la tête autour de lui sans jamais percevoir de solution de continuité dans les images. Les films projetés avaient, évidemment, été filmés en panoramique décomposé, par sections juxtaposées, c'est-à-dire par des appareils de prise de vues aux champs accolés. Ce fut l'un des « clous » de l'Exposition universelle de Paris. L'idée devait en être reprise en 1951 par l'Américain Fred Waller, sous le nom de Cinérama et sur la base restreinte de trois projecteurs et d'un écran en arc de cercle (en fait, Waller y travaillait depuis 1936). Mais il

s'agissait là, en quelque sorte, d'un bricolage exigeant un équipement volumineux et présentant un défaut fondamental : c'est que les trois images projetées comportaient sur leurs marges une frange de jonction. La solution du problème qui se posait, à savoir la façon de réaliser une prise de vues large sur une pellicule unique de dimensions commodes, fut apportée dès 1925 par le Français Henri Jacques Chrétien, opticien et astronome, qui inventa l'**objectif anamorphique**. Celui-ci comprimait l'image latéralement à la prise de vues et permettait donc, après correction à la projection, de reproduire un champ beaucoup plus large que celui de l'image traditionnelle et de projeter une image unique et large sur grand écran. L'invention s'appelait l'**Hypergonar** et c'est la firme cinématographique Twentieth Century Fox qui la lança en 1953, sous le nom de Cinémascope. L'image en Cinémascope était réalisée sur une pellicule à quatre pistes magnétiques.

Jazz
Coll., vers 1850.

Bien qu'il n'existe pas de définition musicologique du jazz qui fasse l'unanimité, il faut considérer à la fois que le jazz est une invention culturelle majeure et qu'il définit un domaine musicologique plus ou moins déterminé. Les origines en sont évidentes, mais anonymes, parce que collectives. Le jazz est le produit du choc culturel subi par les esclaves noirs amenés aux États-Unis et, inversement, des États-Unis con-

frontés à des modes musicaux totalement neufs. Un point rallie l'ensemble des historiens : il n'y aurait pas eu de jazz tel qu'on le connaît si les Noirs n'étaient pas venus en Amérique.

■ Le terrain qui, offert à la genèse de la musique noire, était exceptionnellement propice au développement du jazz, c'était le **chant communautaire** ; il s'était beaucoup développé aux États-Unis au cours du XIXᵉ siècle, et était laïc autant que religieux. Les collectivités, essentiellement agricoles, qui s'étaient implantées dans le Nouveau Monde avaient, en effet, pris l'habitude de se retrouver dans des réunions où l'on chantait le plus souvent des **chants folkloriques** des pays d'origine, Irlande, Allemagne, Angleterre, etc. Parallèlement, les esclaves, constitués en communautés forcées, pratiquaient également le chant communautaire, mais selon des modes, dans des gammes et sur des harmonies dictés par l'intuition beaucoup plus que par des connaissances musicales rigoureuses, et totalement inconnus des oreilles occidentales. Le caractère majeur de cette musique noire était la communication d'une émotion.

■ Dans la musique noire, essentiellement originaire de l'Afrique occidentale, les **accords de médiante ou de dominante,** par exemple, étaient transcrits en **mineur** ou en **relatif,** ce qui évidemment surprenait les oreilles occidentales, et rendait un son quelque peu mélancolique, qui fit par la suite que l'on qualifia ces accords de « notes bleues », le bleu étant une couleur crépusculaire — les Noirs chantaient leurs « blues » au crépuscule. C'est ainsi que naquit sans doute la première forme du jazz, qui était le **blues.**

■ Bien avant les années 1850, des compagnies ambulantes de musiciens se produisaient dans les États agricoles, pour distraire des communautés qui n'avaient guère de divertissements, et présentaient alors des compositions originales fondées sur des airs folkloriques, mais déjà marquées par la musique noire. Dès les origines, le **folk song** américain offrait donc des traces d'influence noire, à la différence des chants folkloriques européens. Cette tendance devait aboutir, observons-le au passage, à la production d'opérettes telles que le célèbre *Show Boat* de Jerome Kern ou le *Porgy and Bess* de George Gershwin, sans doute hybrides de musique blanche et de musique noire, mais caractérisant une forme musicale profondément originale et, en tout cas, vivace.

■ De la même manière, le chant communautaire noir subissait l'influence des chants communautaires blancs et donnait naissance à une forme entièrement nouvelle, qui était le **negro spiritual,** chant d'inspiration essentiellement religieuse, mais interprété également à l'occasion de fêtes non religieuses.

■ Le nouveau style gagna la musique instrumentale, par le biais des saloons et des manifestations et attractions de types aussi divers que les accompagnements de piano dans les premières salles de cinéma et les intermèdes des foires. Selon de nombreux musicologues, la gestation du jazz s'effectua durant le dernier tiers du XIXᵉ siècle, sans qu'on puisse être beaucoup plus précis. Avant que ne se constituât le jazz instrumental proprement dit, apparut une forme particulière, le **ragtime,** dont les morceaux comportaient deux ou trois thèmes distincts de seize mesures chacun. Fortement **syncopé,** le ragtime devait transmettre au jazz une nette tendance aux exposés abrupts.

■ Dès le début du XXᵉ siècle, des morceaux de jazz tels que *Memphis Blues* (1911) et *Saint Louis Blues* (1914), du compositeur noir W.C. Handy, avaient atteint une notoriété qui, sans être nationale, dépassait déjà les frontières régionales. C'étaient là des blues instrumentaux, composés de séquences de douze mesures ne comportant que trois points harmoniques critiques et permettant donc à l'interprète d'improviser librement ses variations mélodiques, selon son style personnel. Ces morceaux étaient au début simplement mémorisés, et variaient souvent beaucoup d'un interprète à l'autre. Par la suite, l'**improvisation** allait marquer le jazz d'une forte empreinte et en devenir même l'un des traits majeurs.

■ Dans les deux premières décennies du XXᵉ siècle, le jazz allait produire une véritable école de création instrumentale, centrée sur la ville de La Nouvelle-Orléans. On peut avancer qu'il y eut là, entre 1905 et 1915, une « deuxième invention » du jazz, fondée sur l'utilisation du **cornet** (ancêtre de la trompette) et de la **clarinette,** avec le **trombone** comme « basse harmonique », dont les artisans les plus marquants furent Freddie Keppard, Jerry Roll Morton, Sidney Bechet, Louis Armstrong et Joe « King » Oliver. Le succès de ces formations tient en partie au fait qu'en dépit du petit nombre de musiciens (cinq suffisaient largement à donner un concert) elles produisaient un volume sonore impressionnant ; il était donc possible d'animer à peu

de frais des cérémonies de mariage aussi bien que d'obsèques, ou des fêtes de rue.
■ Les enregistrements sur disques, sur bandes perforées pour le piano mécanique, puis la radio contribuèrent beaucoup à implanter le jazz dans la culture américaine de l'époque. En 1917, le premier grand orchestre de jazz constitué de Blancs, le célèbre Original Dixieland Jass Band, fit ses débuts à New York. Au lendemain de la Première Guerre mondiale, le jazz devint international et fit à la fois fureur et scandale en Europe.

L'importance de l'influence qu'eut l'invention collective du jazz se mesure à la répercussion qui en résulta sur les arts et les cultures de l'époque. L'originalité, en particulier, du rythme syncopé et la couleur violente des cuivres devaient influencer, non seulement la musique « cultivée » (Chostakovitch, Stravinsky...), mais également la peinture, la littérature et les arts décoratifs.

Dans les années 60, le plus récent des dérivés du jazz (que furent d'abord le fox-trot, le boogie-woogie, le be-bop), le **rock and roll** (lui-même dérivé du boogie-woogie), allait donner lieu à un véritable phénomène social international, transcendant les différences politiques entre l'Occident et les pays du bloc communiste, puisque des formations de rock soviétiques faisaient aussi leur apparition. Qualifié à l'origine de « sous-culture », l'ensemble du domaine musical dominé par le rock and roll et ses infiltrations dans les différents modes d'expression, journalisme, radio, télévision et loisirs compris, sans oublier la mode vestimentaire, allaient promouvoir une culture populaire internationale. A partir du festival de Woodstock, en 1969, qui réunit le chiffre jusqu'alors inouï de 400 000 personnes, et au fur et à mesure de concerts « monstres » (Altamont, île de Wight, etc.), le rock prit une coloration idéologique certaine, politiquement pacifiste, agissant en faveur des minorités de tous ordres et de tendances plus ou moins précisément gauchisantes, dont le rôle historique est encore inestimable.

Précisons que ces lignes ne prétendent pas constituer un historique complet du jazz, qui connut et connaît encore de nombreuses variations, telles que le **hard-bop,** le **jazz-rock** ou le **funk,** non plus évidemment que du rock. Il s'agissait simplement de situer les origines spécifiques de l'invention du jazz.

Linotype
Mergenthaler, 1886.

L'essor de la **presse à grand tirage** doit beaucoup à l'invention de la linotype, qui compose les lignes d'imprimerie en unités complètes, fondues. La linotype est dotée d'un clavier comparable à celui des machines à écrire, qui assemble des **matrices** sur une **tringle ;** ces matrices sont en creux ; une fois la ligne assemblée, selon une justification prédéterminée, un jet de métal en fusion est projeté dans le moule qui se trouve en face des matrices et qui produit alors une ligne complète en relief et en un bloc. La linotype fut inventée par l'horloger américain d'origine allemande Ottmar Mergenthaler en 1884 et brevetée en 1886.

Combinée à l'utilisation des presses rotatives, inventées en 1848 par l'Américain Richard March Hoe, la linotype permit d'accélérer considérablement l'impression des **quotidiens,** jusqu'alors composés à la main, caractère par caractère. Elle devait aboutir à la naissance de la presse à grand tirage, amorcée dès 1847 par la possibilité de produire 18 000 feuilles imprimées sur les deux faces en une heure.

Pellicule photo
Eastman, 1889.

Avant la pellicule photo en bobine, inventée en 1889 par l'Américain George Eastman, les **supports photosensibles** avaient été successivement la **plaque de verre albuminé** (Abel Niepce de Saint-Victor, 1847), le **papier albuminé** (Évrard-Blanquart, 1848), la **plaque au collodion** (Gustave Le Gray, inventeur par ailleurs de la technique de photo paysagiste à deux négatifs, qui donnait du « relief » au ciel, 1849), la **plaque sèche au bromure sur gélatine** (Richard L. Maddox, 1871) et le **papier négatif** (George Eastman et William H. Walker, 1884). Ce dernier était le premier qui se présentât sur bobine ; il devait être monté sur verre pour produire des épreuves. Le dernier pas fut franchi avec la **pellicule transparente,** qui pouvait dès lors remplacer la plaque de verre et servir directement au tirage des épreuves.

Phonographe
Scott, 1856 ; Edison, 1877 ; Cros, 1877 ; Bell et Tainter, 1886 ; Berliner, 1888.

Peu d'inventions ont fait l'objet d'autant de contestations et de versions différentes que le phonographe, les attributions les plus courantes étant faites soit à l'Américain Thomas Alva Edison, soit au Français Charles Cros, soit encore aux deux à la fois. En fait, la gravure d'enregistrement du son est due à l'Américain d'origine française Léon Scott de Martinville, qui inventa en 1856 le **phono-autographe,** appareil constitué d'une membrane vibrante transmettant ses vibrations à un stylet traceur et à un cylindre tournant, enduit de noir de fumée ; c'est avec lui que se firent les premiers enregistrements graphiques de la parole. Cet appareil ne permettait pas la reproduction mécanique du son, mais il était assez connu et utilisé, par exemple dans les laboratoires d'acoustique, pour que l'on y songeât.

■ La principale différence de l'appareil breveté par Edison à la date du 12 août 1877 est le cylindre en acier, donc susceptible de retransmettre les sons enregistrés. Cros, pour sa part, avait, en avril 1877, publié un article dans lequel il proposait de faire reporter par photogravure sur **cylindre d'acier** les sillons préalablement enregistrés sur un **cylindre de verre** recouvert de noir de fumée. Le 10 octobre 1877, Cros demanda à l'Académie des sciences de prendre officiellement acte de son article, déjà soumis sous pli scellé en avril. En effet, il s'alarmait des répercussions des recherches qu'Edison poursuivait dans le même sens en Amérique, dans son laboratoire de Menlo Park. Apparemment donc, l'invention théorique de Cros n'aurait précédé que de quatre mois la réalisation de la même invention par Edison. L'affaire est toutefois plus obscure, car des études récentes (1977) indiquent que le schéma sommaire de l'appareil qu'Edison donna à fabriquer à son collaborateur John Kreusi, daté du 22 août 1877, n'a été réalisé qu'entre le 4 et le 6 décembre 1877, soit trois mois plus tard. C'est en date du 6 décembre qu'Edison prononça des phrases banales, d'abord : « Ce que Dieu a créé » *(What God hath wrought),* puis les premiers mots de la comptine célèbre *Mary had a little lamb,* en face d'un cylindre tournant recouvert d'une mince feuille de papier d'étain. Quand Edison ramena l'aiguille à son point de départ, il entendit la reproduction, faible, mais identifiable, de sa voix.

■ En 1886, les Américains Chichester Bell (le cousin de l'inventeur du téléphone) et Charles Sumner Tainter brevetèrent une version améliorée du phonographe (le mot fut utilisé à la fois par Cros, qui se servit aussi de celui de « **paléophone** », et par Edison), le graphophone, et, en 1888, l'Al-

Edison à 39 ans, en 1897, présentant un **cylindre enregistreur**
recouvert d'étain. *En haut à gauche :* **le phonographe** fabriqué
par Edison, en 1878, et qui, malheureusement, supplante parfois
dans l'esprit du public, surtout américain, l'invention identique
faite en même temps par le poète français Charles Cros.

lemand Emil Berliner conçut un appareil encore plus fidèle, le **gramophone,** et surtout mit au point le disque plat.

■ Le **tourne-disques,** forme électrifiée du phonographe, avait constitué le projet d'Edison dès 1880 ; l'inventeur avait même fabriqué un phonographe à batterie, mais celui-ci s'était révélé trop sensible aux variations de voltage et au poids des disques (alors relativement lourds). L'électrification redevint d'actualité dans les années 30, quand les fabricants produisirent des combinés radio-phonographe. Ces appareils utilisaient des **disques moteurs à induction,** et quelques-uns d'entre eux utilisaient même de véritables **moteurs synchrones,** analogues à ceux des horloges, mais sans manivelle. Ce n'est que dans les années 50 que la fabrication des phonogra-

phes à manivelle fut suspendue, grâce aux progrès de la production de masse d'appareils de précision (les tourne-disques électriques exigeaient, entre autres conditions, un montage sur amortisseurs, afin d'éviter les vibrations). La commercialisation d'appareils à plusieurs haut-parleurs, reliés à des amplificateurs, fit que les tourne-disques étaient devenus des **électrophones.**

La rotation du cylindre enregistreur s'effectua d'abord à la main, ce qui modifiait beaucoup le son ; mais, dès 1878, ce problème fut résolu par l'adjonction d'un moteur électrique. Il y eut même, dans le laboratoire d'Edison, un **phonographe à vapeur...**

Photocomposition
Porzolt, 1894 ; Friese-Greene, 1895 ; Higonnet et Moyroud, 1944-1954.

L'avènement de la photographie (voir ouvrage précédent) incita de nombreux inventeurs, dès la fin du XIXᵉ siècle, à mettre au point un système photographique pour la composition des textes imprimés.

La plus ancienne mention qu'on en trouve est celle d'un prototype inventé en 1894 par le Hongrois Eugene Porzolt. L'appareil, déjà complexe, projetait des matrices de caractères en négatif sur une plaque sensible ; son exploitation commerciale ne suivit pas, en raison de la fragilité du prototype. L'année suivante, l'Anglais William Friese-Greene déposa un brevet pour un appareil similaire, qui ne donna pas lieu non plus à une exploitation commerciale. De très nombreux problèmes restaient à résoudre pour qu'on disposât d'un système fiable et souple, susceptible d'être utilisé dans l'impression des journaux ou des livres.

■ Parmi les contraintes qu'il fallait intégrer au système, il y avait la **justification des lignes et des caractères,** qui imposait un organe de calcul, c'est-à-dire une **automatisation** ; ce fut l'un des trois problèmes, sans doute le plus ardu, aux-

quels s'attelèrent de 1944 à 1954 les Français René Higonnet et Louis Moyroud. Les deux autres organes du système étaient un **clavier pour la saisie des données** et une **unité de composition** photographique, à partir de matrices négatives. Un facteur important tenait à la rapidité de l'opération, chacun des caractères étant, dans le prototype, photographié au 5 millionième de seconde, ce qui, pour l'époque, était remarquable. Enfin, Higonnet et Moyroud intégrèrent une **police de douze corps,** qui satisfaisait ainsi aux exigences de l'imprimerie moderne. Le prototype achevé en 1949, la Lumitype 200, fut exposé aux États-Unis et ce furent, en France, la firme Deberny-Peignot et, aux États-Unis, la firme Photon qui en assurèrent l'exploitation. Les inventeurs perfectionnèrent le modèle jusqu'à sa commercialisation, en 1954. Au départ, grâce à la Lumitype 200, on pouvait composer 30 000 à 50 000 signes par heure, selon la complexité des textes.

■ Le développement de l'**électronique** permit, à partir des années 60, de perfectionner encore cette remarquable invention, essentiellement grâce à l'utilisation des **tubes cathodiques,** qui accroissaient la vitesse de saisie lumineuse des matrices. C'est alors que s'imposèrent les photocomposeuses de la deuxième génération. Une troisième génération suivit immédiatement, grâce à l'intégration des **ordinateurs**. L'enregistrement numérique des caractères et l'utilisation du laser pour le transport du rayon lumineux permirent d'obtenir une photocomposition ultrarapide, de l'ordre de plusieurs millions de signes par heure.

Ce n'est qu'à partir de 1972 qu'apparurent sur les claviers des photocomposeuses des **touches de correction,** ce qui constituait un progrès décisif.

Photographie en couleurs
Maxwell, 1861 ; Ducos de Hauron, Cros, 1869 ; Vogel, 1873.

Dès qu'il eut découvert le principe de la photographie, en 1826 (principe toutefois pressenti en 1802 par l'Anglais Josiah Wedgwood), Niepce confia à son frère son regret de ne pas pouvoir capter les couleurs ; des années durant, on s'efforça donc de réaliser des émulsions susceptibles de fixer les couleurs. On savait bien, depuis Newton, que la lumière blanche est composée des **sept couleurs du spectre,** mais on ne se doutait pas que les **émulsions** disponibles réagissaient seulement à certaines **longueurs d'ondes** des bandes du spectre, en particulier au bleu et au violet, ce qui explique les ciels curieusement plats et blancs des premières photos de paysages. Le regret exprimé par Niepce étant universellement partagé, les recherches étaient intenses, mais les résultats nuls, et les charlatans nombreux. On se contentait de colorer les photos à l'aquarelle.

■ Le premier qui conçut une technique photographique de reproduction de la couleur fut le célèbre physicien anglais James Clerk Maxwell, en 1861. Maxwell eut en effet l'idée de photographier successivement un objet multicolore, en l'occurrence une cocarde de tissu écossais, à travers trois **filtres** : une première fois à travers un filtre bleu, une deuxième fois à travers un filtre vert et une troisième fois à travers un rouge. Les négatifs obtenus sur les trois plaques de verre étaient ensuite projetés simultanément, mais en convergence, sur un écran, chacun étant éclairé par une source lumineuse individuelle, devant laquelle était placé un filtre de la couleur correspondant à celui de la prise d'images. Le procédé était remarquablement labo-

rieux, mais il présentait le très grand intérêt d'avoir réalisé pour la première fois la **séparation des couleurs** pour la reconstitution d'un objet coloré.

■ Quelques années s'écoulèrent et, en 1869, les Français Louis Ducos de Hauron et Charles Cros imaginèrent une solution pratique, en même temps et sans se connaître. Ducos de Hauron dans un petit traité, *Les Couleurs en photographie, solution du problème,* expliquait que l'on pouvait réaliser des photos en couleurs par le **procédé soustractif.** Comme Maxwell, il proposait de prendre trois négatifs différents, à travers des **filtres de couleurs primaires,** rouge (ou magenta), bleu-vert (ou cyan) et jaune. Les positifs étaient tirés indépendamment de chaque plaque et reportés, toujours indépendamment, sur trois plaques de gélatine comportant des pigments colorés, rouges pour la plaque prise à travers le filtre magenta, bleu et jaune pour les deux autres. Il ne restait plus qu'à surimposer les trois gélatines et l'on obtenait une image en couleurs. Ou plutôt, on devait en obtenir une, car il était, lui aussi, passé à côté du problème chimique fondamental : les émulsions ne réagissaient pas comme on l'espérait. En effet, le peu de sensibilité de l'émulsion au rouge obligeait Ducos de Hauron à poser beaucoup plus longtemps l'image prise à travers le filtre rouge, ce qui faisait que les rouges viraient au marron. De même pour le vert qui tendait vers le jaune, et pour les bleus, les moins longs à fixer.

Cros, lui, n'était jamais passé à la pratique, mais son mémoire, destiné à n'être ouvert qu'après sa mort, décrivait toutefois le procédé de façon tout à fait exacte.

■ Ce n'est qu'en 1873 que l'Allemand Hermann Vogel, chimiste, attaqua le problème à la base et améliora la sensibilité au vert des plaques de **collodion** en les trempant au préalable dans un bain d'une teinture à base d'**aniline**. A force de tâtonnements, on améliora progressivement les sensibilités des émulsions aux autres couleurs, la dernière, le rouge, n'étant enfin obtenue que dans les premières années du XXe siècle.

Phototypie
Poitevin, 1855.

On appelle phototypie un procédé d'impression à partir de **reliefs de gélatine** encrée. Il consiste à exposer à la lumière une couche de **gélatine bichromatée** appliquée sur une plaque de verre, sous un négatif. On obtient alors un positif virtuel, où les parties claires du négatif, correspondant aux ombres du document original, sont durcies — on dit tannées — par le bichromate exposé à la lumière ; les parties sombres, elles, n'auront pas subi ce tannage ; on lave alors la gélatine, ce qui élimine le bichromate en excès et la gélatine non tannée se gonfle d'eau. On applique ensuite une encre grasse, qui sera acceptée aisément par les parties tannées et repoussée par les parties imbibées d'eau, les zones intermédiaires se chargeant d'encre en fonction de leur degré de tannage. L'impression se fait sous pression et reproduit le document originel. Ce procédé fut inventé par le Français Alphonse Poitevin en 1855, après la découverte des effets de la lumière sur les colloïdes bichromatés ; Poitevin l'appela photocollographie, le terme phototypie ayant été inventé par son successeur, Maréchal.

La phototypie est un procédé fidèle, mais délicat à appliquer et qui est généralement réservé aux petites séries.

Polaroïd
Land, 1947.

La **photo à développement instantané,** connue sous le nom de la firme Polaroïd, spécialisée auparavant dans la fabrication de filtres de polarisation, a été annoncée à la presse le 27 février 1947. L'accueil fut médiocre, la photo instantanée — d'abord en noir et blanc — ayant été décrite comme un objet qui ressemblait à une photo. L'inventeur, Edwin H. Land, n'aborda la photo couleurs qu'en 1963, avec le **Polacolor,** suivi en 1972 par le **film SX-70,** plus perfectionné. Le principe de ces films repose sur des couches de produits chimiques très minces, les unes sensibles au bleu, au vert et au rouge, les autres étant constituées de développeurs. Le film est nanti sur un de ses bords de gousses de produits de développement, contenant un **réactif alcalin** et un **opacifiant** à base de **dioxyde de titane,** qui empêche la lumière de pénétrer vers les couches sensibles durant le développement et de les voiler ; ces gousses sont écrasées entre deux rouleaux de caoutchouc de l'appareil à la sortie du film à la lumière.

La photo à développement instantané a, en fait, été inventée par la firme photographique Agfa en 1928, mais le brevet, qui n'avait jamais été commercialisé, était tombé en désuétude quand Land en prit connaissance et le perfectionna.

Radio

Fessenden, 1902 ; Majorana, 1904, 1909-1912 ; Fleming, 1906 ; Pickard et Dunwoody, 1906 ; De Forest, 1907 ; Barthélemy, 1910 ; Sarnoff, 1916 ; Black, 1930.

C'est en 1887 que l'Allemand Heinrich Hertz découvrit les ondes qui portèrent d'abord son nom et qu'on appelle actuellement ondes radio ; d'une longueur allant de 6 mm à 10 km, séparées de l'extrême infrarouge par une distance de quatre octaves seulement, elles portaient aisément des **signaux télégraphiques** (voir ouvrage précédent), car on pouvait en élever la puissance sans problème aux points et aux traits, et leur réception de l'antenne au cohéreur ne faisait pas non plus problème. On envisagea aussi, avant la fin du XIXᵉ siècle, de leur faire porter des signaux électriques traduisibles en sons tels que ceux de la voix humaine, mais l'entreprise parut d'abord impossible en raison de leur fréquence très basse. On n'y renonça cependant pas.

■ Au tout début du XXᵉ siècle, plusieurs techniciens proposèrent de se servir d'ondes de très haute fréquence et de forte puissance, mais d'amplitude variable ; les signaux sonores devraient modifier une des deux grandeurs de l'onde, soit sa **fréquence**, soit son **amplitude**. Ce principe, excellent, est celui qui est appliqué actuellement dans la **modulation d'amplitude** et la **modulation de fréquence** ; il présentait à l'époque un grand inconvénient à la réception : il exigeait une puissance d'émission considérable, sans quoi l'on n'entendait quasiment rien. Un émetteur de 50 kW peut ne produire à la réception que quelques microwatts, en raison de la dispersion des ondes radio. Et, de toute façon, la technique de modulation n'était pas établie.

■ Le premier qui imagina un procédé de modulation fut l'Américain R.A. Fessenden : en 1902, il fit des essais de modulation de fréquence sur un alternateur d'Anderson, qui transformait le travail mécanique en énergie électrique, à l'aide des vibrations d'un **microphone** refroidi à l'eau. Fessenden devait, selon ce principe, réussir la première communication de Noël 1906 : émettant sur une fréquence de 50 kc

(kilocycles) avec une puissance de 1 kW, à partir de Brant Rock dans le Massachusetts, il diffusa deux airs musicaux, un poème et une causerie, qui furent entendus par les opérateurs radio à plusieurs centaines de kilomètres de là. Parmi les autres essais de modulation, il faut surtout citer celui du célèbre physicien italien Enrico Majorana, qui imagina en 1904 d'obtenir les modulations par le déplacement d'air causé par la voix humaine. Mais les modulations étaient trop faibles et la réception beaucoup trop défectueuse pour que la radio pût représenter un moyen de communication efficace.

■ La première des étapes décisives de la radio fut franchie quand l'Anglais Ambrose Fleming, conseiller de la compagnie fondée en Grande-Bretagne par Edison, eut l'idée d'utiliser un phénomène singulier relevé par le chercheur américain, alors qu'il s'efforçait de mettre au point l'invention de l'ampoule électrique (voir ouvrage précédent) : dans certaines conditions de vide et de voltage à l'intérieur des ampoules apparaissait une lueur bleuâtre entre les extrémités du filament, suivant un courant qui allait dans le sens opposé au courant électrique. Ce phénomène, appelé « **effet Edison** », intrigua de nombreux savants et ce sont surtout les travaux du physicien britannique sir Joseph John Thomson qui en établirent l'origine : c'était un courant d'électrons de la cathode (négative) à l'anode. Ce transfert d'électrons fut défini comme l'**émission thermoïonique**.

Fleming eut l'idée de se servir de cet effet pour la réception des ondes radio. Il introduisit une cathode et une anode dans un tube à vide, et chauffa la cathode jusqu'à l'incandescence à l'aide d'une batterie. Introduit à son tour dans un circuit de récepteur radio, ce tube entraîna l'effet suivant : l'anode y devenait alternativement positive et négative selon les fluctuations des ondes radio reçues ; et elle attirait les électrons quand elle était négative et les repoussait dans l'autre cas, ce qui faisait

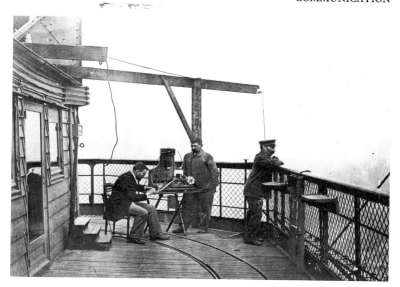

La première émission de **télégraphie sans fil** entre la tour Eiffel, sur la plate-forme supérieure de laquelle sont installés les techniciens pionniers, et le Panthéon : c'était le 29 juillet 1898. Le technicien en jaquette est Ernest Roger ; son correspondant au Panthéon était Eugène Ducretet.

Une installation radiophonique « bourgeoise » vers 1920, à Paris. On relèvera l'encombrement de l'antenne et le fait que les ampoules du poste sont à nu...

que le courant ne pouvait passer que dans un sens. Cette rectification, qui était également un système de détection et de démodulation, et que l'on appelle plus communément un **redressement de courant,** donna lieu à l'invention de la **diode,** en 1905. Elle se révéla essentielle à l'émission et à la réception radio, qui ne peuvent se faire qu'avec des courants unidirectionnels et non alternatifs.

■ Mais les signaux captés grâce à la diode étaient faibles ; ils ne le restèrent pas longtemps : en 1907, l'Américain Lee De Forest perfectionna la diode en ajoutant aux deux électrodes classiques une troisième en forme de grille, qui fonctionnait non seulement comme détecteur, à l'instar de la diode, mais aussi comme amplificateur. La **triode** améliorait à la fois la réception et l'émission, puisqu'elle permettait au tube de délivrer de la puissance sans en absorber.

■ De perfectionnement en perfectionnement, la radio était en train de naître. En 1910, le Français Joseph Berthenod expérimentait le premier **émetteur mobile,** monté sur un dirigeable (puis, en 1914, sur un avion Farman). Et surtout, en 1919, le Français René Barthélemy, appliquant les propriétés des diodes et triodes, mit au point la **radio sur secteur,** qui préparait l'ère de la radiodiffusion à grande échelle, puisque l'on pouvait désormais se passer des piles et des accumulateurs, jusque-là indispensables.

■ Jusqu'alors, les amateurs de radio construisaient leurs propres postes. Le premier de tous les postes radio avait sans conteste été celui qu'avait construit l'Italien Guglielmo Marconi, avec une bobine de Tesla, un cohéreur, un éclateur et une antenne, mais, à partir de 1906, c'étaient les **postes à galène** qui étaient en vogue. La galène est un cristal qui a pour propriété de redresser le courant, et c'est là-dessus que se fonda donc l'invention du poste à galène par les Américains Pickard et Dunwoody. Mais les postes à galène étaient malcommodes ; il fallait promener une pointe sensible sur le cristal pour capter

un courant à basse fréquence, ce qui n'était possible qu'en certains points du cristal ; le signal reçu était très faible et, pour l'entendre, il fallait relier la pointe au circuit d'un **haut-parleur,** lui-même relié à un casque muni d'écouteurs. L'audition de la radio n'était donc possible qu'à ces conditions, et elle le resta même après l'invention de la diode et de la triode.

■ La mise au point des premiers **haut-parleurs à diaphragme et cornet** incita en 1916 l'Américain David Sarnoff à entreprendre la fabrication industrielle de postes de radio à diodes et triodes, et habillés (à l'origine, de caisses de bois), qu'il était possible d'écouter en groupe sans équipement spécial. Ce fut un immense succès, qui préparait l'avènement des postes de radiodiffusion de grande écoute.

■ La plupart de ces postes apparurent en 1921. La première émission radiophonique en France, celle de Radio-Paris, eut lieu depuis la tour Eiffel, en décembre 1921. La réception était sans doute bien plus satisfaisante que du temps des postes à galène, mais elle restait chargée de parasites et caverneuse. En 1930, l'Américain H.S. Black y pourvut par l'invention de la **contre-réaction** qui consiste à réintroduire, à l'émission, une fraction du signal de sortie dans le circuit, en phase. L'invention du transistor en 1948 par les Américains Bardeen, Brattain et Schockley (voir p. 109) devait, au lendemain de la Seconde Guerre mondiale, donner une impulsion considérable à la radio en favorisant la fabrication de postes de petite taille fonctionnant sur batterie et donc portatifs.

La première de toutes les émissions radiophoniques régulières fut réalisée le 2 novembre 1920 par la Westinghouse Electric and Manufacturing Company, à East Pittsburgh en Pennsylvanie, à 20 h. Elle eut pour objet d'annoncer les résultats de l'élection présidentielle qui opposait les candidats Harding et Cox (c'est Harding qui l'emporta). Le journal parlé n'apparut en France qu'en 1925.

Télécopie

Caselli, 1855 ; Meyer et d'Arlincourt, 1872 ; Korn, 1907 ;
Belin, 1925 ; R.C.A., Western Union, A.T.T., 1920-1988.

La transmission de signaux optiques par signaux électriques, ou télécopie, est une des inventions dont les cheminements sont le plus longs et le plus complexes. On peut supposer que le premier qui en conçut l'idée, sans s'être toutefois approché de l'invention proprement dite, fut le célèbre savant anglais Humphry Davy, qui, vers 1826, parvint à tracer des signes à distance par décomposition de l'**iodure de potassium**. Une vingtaine d'années plus tard, son compatriote, sir Charles Wheatstone, fut encore plus près de réaliser l'invention avec son **télégraphe à aiguille**, mais il n'obtint pas de résultats pratiques beaucoup plus probants que l'Écossais Alexander Bain (homonyme du philosophe contemporain), horloger de son métier, en 1842 : la machine de Wheatstone, comme celle de Bain, n'opérait des transmissions de signes graphiques qu'à distance relativement brève et de façon plutôt sommaire. A force de perfectionnements, on en arriva, après l'Anglais Backwell et le Français Pouget-Maisonneuve, au **pantélégraphe** de l'abbé Giovanni Caselli. Il s'agissait d'un système relativement compliqué : une pointe de fer traversée par un courant décrivait des figures sur un papier imprégné d'une solution de **prussiate de potassium,** qu'elle décomposait ; il restait donc sur le papier une trace bleue. En dépit de la difficulté de synchronisation de l'aiguille émettrice et de l'aiguille réceptrice, le système Caselli fut installé entre Paris et Amiens et Paris et Marseille en 1856.

■ En 1872, les Français Meyer et d'Arlincourt améliorèrent le procédé. En 1907, l'Allemand Arthur Korn porta à son achè-vement une invention qu'il avait faite à Paris en 1903 : celle de la **téléphotographie**. Cette année 1907, en effet, la première transmission d'une photographie par fils électriques eut lieu entre Munich et Berlin. Ce fut la photo du président Fallières qui voyagea ainsi sur un millier de kilomètres... L'idée de Korn se résume en une reconstitution de l'image par points décomposés ; elle prélude à l'invention majeure d'Édouard Belin, qui est beaucoup plus rapide et fiable, et qui, surtout, est automatique, alors que les transmissions antérieures étaient manuelles : l'image à reproduire est fixée sur un cylindre et balayée, tranche par tranche, par un puissant faisceau lumineux ; une **cellule photoélectrique** placée dans l'axe du faisceau transforme les impulsions lumineuses en impulsions électriques, d'intensité proportionnelle. Cette invention fut le **bélinographe,** dont le principe, c'est-à-dire le balayage de l'image et la transformation de signaux lumineux en signaux électriques, précède de deux ans les premiers essais de télévision réellement concluants (voir p. 89). Fondamentalement, ce principe n'a pas changé jusqu'à nos jours. C'est l'équipement qui se perfectionne, sous l'impulsion des recherches de firmes telles que R.C.A., Western Union, American Telephone & Telegraph Co., américaines, puis de Sharp, Canon, Ricoh, Toshiba, japonaises, Thomson, française ; il aboutira dans les années 80 à la production d'appareils de télécopie portatifs par raccordement au réseau téléphonique, lesquels, à la fin de la décennie, semblaient promis à un grand avenir commercial.

Téléphone

Reis, 1861 ; Gray et Bell, 1872-1875.

L'invention du téléphone est un point complexe de l'histoire des inventions. Le premier réalisateur d'un système de **transmission du son à distance** semble bien avoir été l'Allemand Philip Reis, précurseur malheureux, mais lui-même tardif. Depuis que l'Anglais Michael Faraday avait démontré, en 1831, que les vibrations

COMMUNICATION

d'un métal pouvaient être converties en **impulsions électriques,** la technologie disposait de tous les éléments nécessaires à la réalisation d'un téléphone ; mais ce n'est qu'en 1861 que Reis s'y attela. Son invention était simple : elle consistait en un **circuit électrique** comportant une **pointe métallique** en contact avec une bande également métallique, elle-même reposant sur une **membrane** ; c'était le transmetteur. Le **récepteur** consistait en une **aiguille métallique** insérée dans un **bobinage** et reposant sur une **boîte de résonance.** La longueur de l'aiguille variait en fonction des impulsions électriques transmises par la pointe métallique du transmetteur, selon le principe de la **magnétoctriction,** c'est-à-dire de la propriété qu'a une tige métallique de changer de longueur selon l'intensité du **champ magnétique** dans lequel elle se trouve, celui-ci étant en l'occurrence produit par le bobinage. Reis, qui fut le premier à appeler son engin « téléphone », aurait réussi à transmettre la parole et la musique dès 1861, selon de nombreux témoignages. Quand il mit en cause le brevet que déposa en 1876 l'Américain Alexander Graham Bell, lors d'une action en justice, sa revendication d'antériorité fut rejetée sous le prétexte que son appareil ne pouvait fonctionner de la manière qu'il décrivait. En fait, l'appareil pouvait fonctionner, mais de manière peu satisfaisante, car, d'une part, il était peu sensible et, d'autre part, des sons trop forts pouvaient couper le contact entre la pointe et la bande magnétique.

■ Bell et son compatriote Elisha Gray attaquèrent le problème de façon indirecte : en s'intéressant à la possibilité de transmettre plusieurs messages télégraphiques à la fois sur un même fil électrique. Gray envisagea l'appareil à réaliser du point de vue électrique et Bell, du point de vue acoustique, et tous deux tombèrent d'accord sur le principe du **téléphone harmonique,** comportant plusieurs feuilles ou vibrateurs métalliques vibrant chacun sur une fréquence déterminée grâce à des **électro-aimants** individuels, aussi bien à l'émission qu'à la réception. La transmission et la réception simultanées pouvaient se faire par le raccord de tous les électro-aimants à un fil unique. Du coup, l'un

et l'autre inventeurs s'avisèrent que ce système pouvait aussi permettre de transmettre les différentes fréquences sonores de la voix humaine, et c'est ainsi qu'ils abordèrent le téléphone. Gray construisit un **récepteur à diaphragme d'acier** placé en face d'un électro-aimant et dont le principe est identique à celui des récepteurs contemporains ; mais il n'avait pas de transmetteur ; c'était en 1874. L'année suivante, Bell remplaça le diaphragme d'acier par une membrane et conçut l'idée, correcte, qu'un élément d'acier en contact avec la membrane et placé devant un électro-aimant transmettrait à celui-ci ses vibrations transformées en impulsions électriques. Il en fit l'essai et n'aboutit à rien. Gray, de son côté, se découragea après avoir imaginé un **transmetteur à membrane mobile** et à deux aiguilles, dont l'une était plongée dans un bain acide pour la rendre conductrice. Grâce à ce système, la résistance électrique variait en fonction des distances entre les aiguilles et faisait donc varier le courant dans le circuit. Tous les deux étaient sur la bonne voie, mais l'ignoraient : si le laboratoire de Bell avait été moins bruyant, l'inventeur aurait pu constater que son téléphone fonctionnait bien, encore qu'il fût peu sensible. Quant à Gray, il semble qu'il n'ait même pas construit son transmetteur, qui était pourtant bien plus efficace que le diaphragme de Bell. On suppose généralement que son découragement fut causé par l'illusion que Bell l'avait devancé et que, de toute façon, la transmission de la voix à distance n'avait aucun intérêt.

■ Le 7 mars 1876, Bell déposa le brevet de son invention, et, trois jours plus tard, ayant mis en essai un transmetteur de type Gray, il réussit à transmettre la voix. L'invention ne devint fiable qu'en 1877, bien qu'un téléphone Bell fît l'objet de démonstrations lors des fêtes du centenaire de Philadelphie, en juin 1876. Elle fut commercialisée au début de 1877 et, en janvier 1878, le premier central téléphonique du monde fut installé à New Haven, dans le Connecticut, où il desservait vingt et une lignes. La première liaison interurbaine se fit en 1883 entre Boston et New York.
La qualité des liaisons téléphoniques bénéficia beaucoup de l'application de la

Devant un auditoire solennel, l'Américain Graham Bell réalise
la **première communication téléphonique à longue
distance,** soit un millier de milles, entre New York et Chicago,
en 1892.

triode amplificatrice, inventée en 1906 par l'Autrichien Robert von Lieben.

■ Jusqu'au milieu du XXe siècle, le téléphone passa, en France et dans une grande partie de l'Europe industrielle, pour un mode de communication « secondaire ». Un rapport officiel, réalisé en France en 1952, n'en prévoyait pas un grand développement... Ce n'est qu'à la fin des années 60 que la France commença à rattraper son retard en équipements téléphoniques et ce n'est réellement qu'à la fin de la décennie suivante que l'obtention d'une ligne téléphonique cessa d'être le fruit de démarches longues et souvent très coûteuses, sinon aléatoires.

L'invention du téléphone, dont le brevet est souvent décrit comme le plus profitable de l'histoire des inventions, déclencha une grande quantité de procès, d'abord entre Bell et Gray, puis entre la compagnie fondée par Bell et la Western Union, qui avait acheté les brevets de téléphone de Gray et d'Edison, pour contourner le succès et les prétentions de la Bell Company. Edison, en effet, avait sensiblement perfectionné l'appareil de Bell en incorporant un **disque de carbone** dans le transmetteur, ce qui en augmentait beaucoup la sensibilité. En 1893, Bell finit par gagner tous ses procès et passa dans l'histoire comme l'inventeur incontesté du téléphone.

Téléphone à commande vocale
C.N.E.T., 1988.

La conjonction du développement des **robots à commande vocale** et du vandalisme dont étaient victimes les **cabines téléphoniques** depuis plusieurs années a conduit, en 1988, le Centre national français d'études des télécommunications de Lannion, en Bretagne, à mettre au point un prototype de cabine téléphonique sans équipement téléphonique visible. Ce prototype se compose d'un boîtier pour y glisser une carte, d'un bouton pour obtenir la tonalité et d'un micro. Hors de portée de l'utilisateur se trouve un micro relié à un ordinateur et doté d'une mémoire d'une soixantaine de mots, dont des mots clés tels que « Police », « Pompiers », « S.A.M.U. », « Envoi », « Correction », en plus des dix chiffres. Il suffit, pour un appel normal, d'énoncer les chiffres un à un.

COMMANDES VOCALES

LES COMMANDES NE SONT PRISES EN COMPTE QUE SI LE TEMOIN VERT EST ALLUME

VOUS POUVEZ ALORS PRONONCER :

_ UN CHIFFRE DE 0 à 9 pour composer votre numéro
_ Le mot CORRIGER pour rectifier le dernier chiffre affiché
_ Le mot ANNULER pour effacer tous les chiffres enregistrés

VOUS POUVEZ EN OUTRE RACCROCHER A TOUT MOMENT GRACE AU BOUTON ROUGE

Le prototype du téléphone à commande vocale, inventé en 1985 et qui devait entrer en service à la fin de la décennie 1980. Ne présentant aucune aspérité, il est protégé du vandalisme.

Télévision

Nipkow, 1884 ; Braun, 1897 ; Wehnelt, 1898 ;
Vichet, 1899 ; Mihaly, 1919 ; Baird, Barthélemy,
de France, Chauvière, 1920 ; Zworykin, 1934.

Le principe de la télévision, c'est-à-dire la traduction d'une image en séries de lignes constituées de points d'intensités lumineuses différentes et sa transmission par des **ondes électromagnétiques** de fréquences et d'intensités différentes, elles-mêmes converties en courants également de fréquences et d'intensités différentes, remonte à 1884. C'est l'année où l'Allemand Paul Nipkow en déposa le brevet. Inspirée par la découverte faite en 1873 de la **photoconductivité du sélénium,** l'idée de Nipkow se fondait sur un disque perforé qui balayait l'image à la transmission et l'écran à la réception ; à la transmission, la perforation ne laissait passer qu'un signal lumineux à la fois ; à la réception, elle n'en envoyait qu'un aussi, ce signal étant modulé par un **amplificateur à sélénium.** C'était là le principe de **balayage séquentiel automatique,** qui demeura en vigueur jusqu'à la découverte du **balayage électronique.**

■ Toutefois, la télévision n'atteignit qu'en 1927 le stade de fiabilité fondé sur le principe suivant : une caméra spéciale, celle avec laquelle on effectue la prise de vues, comporte un tube cathodique à écran transparent ; cet écran est constitué d'une **surface photo-émissive.** Derrière l'écran, un **canon à électrons** émet un faisceau d'électrons qui balaie systématiquement la totalité de l'image ; chaque fois que le faisceau frappe l'écran, un courant électrique est produit, point par point du parcours du faisceau, sur des lignes très rapprochées. L'intensité du courant électrique est proportionnelle à la luminosité du point ; un point blanc est très lumineux, un gris l'est beaucoup moins, un noir ne l'est pas. Ces impulsions électriques sont transmises par câble vers le **centre de traitement** de l'émetteur ; elles constituent des signaux qui sont amplifiés, corrigés et synchronisés avec le son. L'émetteur produit une onde à l'aide d'un **oscillateur** de grande stabilité ; c'est ce que l'on appelle l'**onde porteuse** ; celle-ci est modulée par le **signal vidéo** avant d'être diffusée par l'**antenne** à destination des **postes récepteurs** ; elle est captée par une antenne qui l'achemine par un câble vers le téléviseur. Traités de nouveau dans les circuits électroniques, les signaux vidéo en sont extraits et injectés dans le tube cathodique du récepteur. Là, de nouveau, un canon à électrons arrose un écran luminescent de ces signaux, point après point, ligne après ligne ; c'est l'opération symétrique de celle de la prise de vues.

L'arrosage s'effectue très vite, reconstituant la totalité de l'image en un temps très court. Au ralenti, le téléspectateur ne percevrait qu'une succession de points d'intensité lumineuse variable ; en fait, la persistance du signal lumineux sur la rétine, dite aussi persistance rétinienne, fait que l'impression lumineuse de la première ligne ne s'est pas encore effacée quand le canon à électrons balaie la dernière ligne.

■ Ce principe fut, pour l'essentiel, établi dès 1881, et il fut breveté à Paris, Londres et New York. Il manquait des éléments techniques pour l'appliquer. Le premier à venir fut le **tube cathodique** de l'Allemand Karl Braun, inventé en 1897, qui traitait le problème de balayage du faisceau ; mais il ne faisait qu'indiquer la voie à suivre, car sa focalisation était insuffisante pour décomposer l'image en **spots** ou **pixels** distincts, et le faisceau était d'ailleurs trop faible. L'année suivante, le problème de l'intensité fut résolu par l'Allemand A. Wehnelt, inventeur de la **cathode à oxydes alcalins,** qui améliora l'intensité des électrons émis, mais le problème de la focalisation demeurait. L'année suivante encore, le Français Vichert inventa l'électrode de concentration, qui améliorait la focalisation. On pouvait faire de la télévision, bien imparfaite, certes, mais tout de même de la télévision : en 1919, le Hongrois Denes von Mihaly transmit à quelques kilomètres de distance des images d'instruments et de lettres en mouvement qui suscitèrent l'enthousiasme.

COMMUNICATION

Le disque de Nipkow, invention qui joua un rôle fondamental dans le développement de la télévision, ici dans sa version dite Integra.

■ Plusieurs spécialistes de haut niveau, René Barthélemy, Henri de France et Marc Chauvière en France, John Baird en Angleterre, Schröter en Allemagne, s'efforcèrent, à partir des années 20, d'améliorer la transmission et la réception. En 1927, la Bell Telephone organisa une émission en direct entre New York et Washington, sur la base de l'adaptation du disque de Nipkow qu'avait faite en 1873 l'Américain G.S. Carey : celui-ci avait imaginé de projeter une image sur un écran constitué de milliers de cellules au sélénium, dont chacune serait branchée par un fil électrique à une ampoule électrique ; chaque cellule au sélénium émettant, sous l'impact de la lumière, une décharge électrique d'intensité correspondante à celle de la lumière reçue, l'écran d'ampoules reconstituerait l'image. L'émetteur utilisé en 1927 comptait 2 500 cellules au sélénium et l'écran récepteur était constitué d'autant de lampes au néon.

■ Le dispositif aurait pu connaître une certaine extension, en dépit de sa lourdeur — et de son coût —, si, en 1934, le Russe, entre-temps naturalisé américain, Vladimir Kosma Zworykin, n'avait inventé l'**iconoscope** : l'image à transmettre était projetée sur un écran de cellules photoélectriques dans le fond du tube cathodique ; chaque cellule perdait des électrons à l'impact de la lumière, mais le faisceau d'électrons lui en restituait autant ; le courant induit revêtait une intensité correspondant au niveau d'éclairement de la cellule et déclenchait le signal vidéo, au fur et à mesure du balayage. C'était le précurseur direct du tube moderne.

■ Dès 1928, l'Anglais John Baird fit breveter un procédé de télévision en couleurs qu'il avait mis au point, expérimentalement du moins ; il était fondé sur la constatation que notre vision colorée du monde pouvait être reconstituée à partir

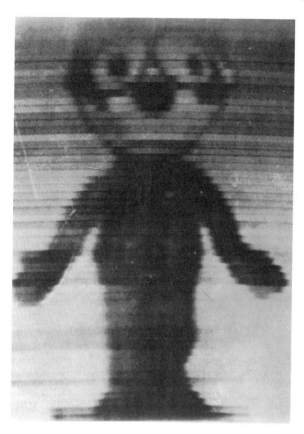

Félix le Chat, célèbre héros de dessins animés, tel qu'il apparaissait dans un **essai télévisé** de 1929 (sur une image à 60 lignes horizontales) et tel qu'il apparut en 1937 (sur une image à 455 lignes).

de trois couleurs, le rouge, le vert et le bleu. Baird imagina donc de masquer les perforations d'un disque de Nipkow par des filtres de ces trois couleurs. C'est le principe qui, en 1960, aboutit au **tube à masque** : l'écran était recouvert de triplets de **pastilles de phosphore** de ces trois couleurs, que balayaient les faisceaux de trois canons à électrons, l'un pour le rouge, l'autre pour le vert, le troisième pour le bleu. Les pastilles ou luminophores agissaient comme les pixels du noir et blanc.

L'idée même de la télévision fut conçue dès 1875 par l'Américain George Carey, mais elle était peu pratique, puisqu'elle proposait d'établir autant de lignes de transmission qu'il y avait de points dans l'image. Dès 1880, toutefois, l'Américain W.E. Sawyer et le Français Maurice Leblanc, le « père » d'Arsène Lupin, eurent de façon géniale l'idée du balayage systématique que devait breveter Nipkow.

Le premier poste émetteur de télévision de France fut installé sur la tour Eiffel le 10 novembre 1935 ; il émit à l'intention de quelques récepteurs expérimentaux, en 180 lignes. L'émetteur suivant, installé en 1937 rue Cognacq-Jay, émit sur 455 lignes. La première télévision commerciale au monde fut installée en 1936 par la Radio Corporation of America sur l'Empire State Building, à New York ; elle émit sur 343 lignes et passa à 525 en 1941. Elle ne comptait alors que 5 000 téléspectateurs. Bien que la télévision fût un objet de luxe, la B.B.C. britannique atteignait déjà 20 000 foyers en 1939. Alors qu'elle avait mis au point dès 1939 une télévision expérimentale en couleurs de qualité exceptionnelle, avec une définition de 1 029 lignes (Telefunken), l'Allemagne ne connut la télévision publique qu'à partir de 1953.

Télévision en relief

Baird, 1928 ; I.R.T., Philips, J.V.C., Sharp, Fisher, Tektronics, Stereographics Inc., Atari..., Odet et I.N.S.A., Chauvière, Guichard et C.N.E.T., 1980...

Les images en relief ont été, en fait, inventées au XIXe siècle (voir ouvrage précédent) en partant d'un principe que plusieurs firmes et techniciens ont appliqué, des décennies plus tard, à la télévision. Ce principe, d'une grande simplicité théorique, consiste à réaliser deux images d'un même objet en deux couleurs complémentaires, A et B, puis à les soumettre au spectateur après qu'elles ont été superposées, ce spectateur étant équipé de lunettes spéciales dont chaque lentille correspond à l'une des couleurs complémentaires. L'œil placé en face de la lentille A ne percevra que l'image A et non l'image B et inversement, la reconstitution avec illusion de relief se faisant directement dans le cerveau par le biais de la **perception**. En 1928, l'Américain John Baird avait déjà breveté

un système de télévision en relief permettant de transmettre et de recevoir des images stéréoscopiques (par séparation). Des essais de cinéma en relief fondés sur ce principe ont eu lieu dans les années 30. ■ A partir de 1980, les firmes et chercheurs liés à la télévision ont commencé à mettre au point une application de ce principe au petit écran. Dès 1982, des chaînes de télévision, américaine, britannique, allemande, française, ont diffusé des films en noir et blanc qu'il était possible de percevoir en relief à la condition qu'on fût muni de lunettes stéréoscopiques. En 1987, l'Institut für Rundfundtechnik de la R.F.A. et la firme Philips d'Eindhoven ont présenté un procédé plus élaboré que la simple superposition à la projection de deux images ; il consistait en un balayage de l'écran en 1 250 lignes, chaque image occupant l'écran sur 625 lignes, les lignes paires pour une couleur, les impaires pour l'autre. Les firmes J.V.C., Sharp (Crystaltron), Fisher, Tektronics avaient également mis au point des procédés quelque peu différents.

■ D'autres firmes et chercheurs ont aussi tenté d'aborder une étape plus délicate, qui est la réalisation de l'illusion de relief en couleurs ; en effet, l'utilisation de couleurs complémentaires ne produit que des gris et rend donc impossible la reconstitution de la couleur. La reconstitution en question est possible grâce à l'utilisation de **filtres polarisants,** non colorés, dont les plans de polarisation, étant perpendiculaires, séparent les images droite et gauche sans en altérer les couleurs. Des lunettes polarisantes dont les plans correspondent à ceux qui ont présidé à la séparation des images ont alors le même effet que les lunettes décrites plus haut : elles ne permettent à chaque œil de voir qu'une seule image.

■ Toutefois, ce type de reconstitution est complexe, car il exige d'une part des postes équipés de deux **tubes cathodiques,** un pour chaque image, deux écrans placés à 90° et un système à miroir semi-transparent

permettant de voir les deux images en superposition ; ou bien encore, un écran à filtres polarisants microscopiques. En tout état de cause, ce dernier système, évidemment plus simple, exige également des lunettes « actives » polarisantes, reliées au téléviseur soit par fil, soit par liaison infrarouge ou ultrasonique. En 1988, le prix des seules lunettes (10 000 F pour celles de la firme américaine Stereographics Inc., par exemple) limitait considérablement l'expansion commerciale du procédé.

■ Parmi les firmes et chercheurs qui figuraient dans les années 80 dans le peloton de tête des travaux sur la télévision en relief, il faut citer les firmes américaines Stereographics et Atari, les Français Christophe Odet, de l'I.N.S.A. de Lyon (procédé Céravision), Marc Chauvière et Jacques Guichard, du C.N.E.T. Plusieurs de ces travaux portent sur la réalisation de matériaux spéciaux pour les filtres polarisants, tels qu'une **céramique transparente au titanate de zirconium** dopé au plomb et au lanthane (Stereographics), ou bien **d'écrans à cristaux liquides séparateurs** (J.V.C., Atari, etc.), ou bien encore **d'écrans tramés séparateurs** (Tappan Printing, Japon).

Vidéodisque
Philips, Thomson-C.S.F., R.C.A., J.V.C., vers 1972.

Un vidéodisque ou disque vidéo est un support de matière plastique, souple ou rigide, sur lequel des images sont enregistrées et peuvent être reproduites sur un écran de télévision à l'aide d'un appareil de lecture correspondant. Ce type de support a été breveté par plusieurs firmes à la fois, à commencer par la néerlandaise Philips vers 1972, en même temps que son système de lecture. De nombreuses autres firmes et des inventeurs privés avaient toutefois étudié et proposé, dès les années 50, des prototypes de ce genre ; en fait, le vidéodisque est ce qu'on peut appeler une invention-développement, puisqu'il représente un dérivé de l'**enregistrement magnétique sur bande,** ce type de support étant

ici remplacé par un disque. Dans le procédé Philips, le principe est le même que celui de la télévision : un flux d'électrons proportionnel à l'intensité du message est émis par le tube et reconstitue l'image, ligne par ligne ; le disque, en effet, est gravé de 45 000 sillons en spirale, comportant des **cuvettes** qui sont toutes de largeur et de profondeur égales, seuls variant la longueur et l'espacement de ces cuvettes, qui constituent les informations transcrites par la **tête de lecture à rayon laser** à la cadence de 1 500 tr/mn. Les messages lasers sont transmis à un ordinateur qui les fait convertir en flux d'électrons.

■ Dans le procédé Philips, le disque, rigide, doit être retourné pour qu'on puisse lire l'autre face. Dans le procédé de la firme française Thomson-C.S.F., le disque est transparent et il suffit de régler la focalisation du rayon laser pour lire l'une ou l'autre face sans manipulation et, par ailleurs, le disque étant souple, c'est lui-même qui maintient une distance égale entre sa surface et la tête de lecture, ce qui évite les interruptions de lecture dues aux vibrations.

■ Dans le procédé de la firme américaine R.C.A., enfin, la lecture se fait, non par rayon laser, mais à l'aide d'une **électrode polarisée,** qui transforme en signaux électriques les variations de distance entre elle et le disque, selon qu'il y a ou qu'il n'y a pas de cuvette et que la cuvette est plus ou moins longue. Il convient également de signaler le procédé de la firme japonaise J.V.C., plus récent, où le guidage de la pointe de lecture est assuré, non plus par le sillon lui-même, mais par un **signal** **optique de piste** intégré au signal vidéo. Ces deux derniers procédés sont dits à **lecture capacitive.**

Après avoir, à sa naissance, suscité un enthousiasme prématuré et inspiré des investissements financiers souvent considérables, le vidéodisque a souffert d'une défaveur également hâtive et n'a commencé à s'imposer que dans la seconde moitié de la décennie 80, notamment dans le domaine professionnel **(banques de données)**. Une partie de sa défaveur temporaire tient à la fiabilité des systèmes de lecture, une autre à l'ampleur des investissements nécessaires à sa diffusion et aux inconnues de sa rentabilité commerciale. Mais on estimait à la fin des années 80 que ce mode d'enregistrement de données n'avait pas encore atteint, près de vingt ans après son invention, sa pleine expansion.

Visiophone
A.T.T., 1927 ; Reichspost, 1936 ; Chen, 1977...

Il est extrêmement délicat d'assigner soit une date, soit un inventeur déterminés à la visiophonie ou **vidéophonie,** c'est-à-dire à l'association de la **téléphonie** et de la **télévision.** On trouve, en effet, d'innombrables références dans la littérature scientifique à ce prolongement logique de la téléphonie, certaines remontant même au dessinateur d'anticipation du XIXᵉ siècle Alfred Robida. Il restait, toutefois, à concevoir un système qui fût à la fois capable d'émettre et de recevoir simultanément des images parallèlement à des sons, ce qui n'allait pas sans difficultés, essentiellement techniques.

■ La plus ancienne référence à une mise en œuvre effective de la visiophonie semble être la conversation entre le secrétaire d'État américain au Commerce, Herbert Hoover, et Walter Sherman Gifford, président de l'American Telephone and Telegraph Company ou A.T.T. ; elle eut lieu en 1927 et permit à chacun des interlocuteurs de voir l'autre, grâce à ce qui n'était, en fait, que l'association de la télévision et de la téléphonie, sans équipement spécifique. L'expérience, signée donc

A.T.T., demeura sans lendemain, du moins aux États-Unis.

En Allemagne, toutefois, la Reichspost mit en place dès 1936 un service de visiophonie par câbles co-axiaux entre Berlin-Witzleben, Leipzig, Nuremberg et Hambourg. Les communications s'effectuaient, non de domicile à domicile, mais de cabine spéciale à cabine semblable. L'émission se faisait à l'aide d'un appareil spécialement conçu, inspiré du **système à balayage modèle Nipkow** (voir *Télévision*, p. 89). L'image à transmettre était explorée par 90 objectifs en 1/25ᵉ de seconde, et comportait à sa réception 180 lignes (ce qui indique qu'elle était de qualité médiocre par rapport à nos images de télévision actuelles).

■ Les recherches dans ce domaine ne reprirent qu'au cours des années 60, toujours sur la base d'un couplage classique télévision-téléphonie, notamment en Italie, au Japon et en U.R.S.S., où fut créé un service qui utilisait le réseau télévisuel normal en dehors des heures d'émission. Aux États-Unis, les abonnés d'A.T.T. eurent accès à un système dit **Picturephone** à partir de 1971 (à Chicago et à

Le visiophone, à peu près tel qu'il sera lors de sa mise en service éventuelle, dans la dernière décennie du XXe siècle.

Pittsburgh, pour commencer), mais il n'eut pas de succès commercial, cent exemplaires seulement étant encore en service fin 1972 —, en raison de son coût d'utilisation. Il était d'ailleurs déjà apparu que la visiophonie n'avait d'avenir qu'à la condition que son exploitation et son coût pussent rivaliser avec ceux du téléphone ordinaire.

Il fallait donc en fait recourir à un système de **transmission numérique.** Celui-ci consiste à numériser les images pour les réduire à des données compressibles, qui seraient expédiées par les canaux exigus des lignes téléphoniques (ou du câble), à destination d'un récepteur équipé d'un système de décodage qui transformerait à nouveau les données numériques en images. Le **système analogique,** lui, consiste à simplement transmettre les images point par point, selon l'intensité de chaque point.

■ L'Américain W. Chen, dès 1977 chez Ford Aerospace, puis chez Compression Labs Inc., développa ses recherches sur la base du principe suivant : l'image est décomposée en **pixels** (pour Picture Element) comme à la télévision, chaque pixel étant défini par des valeurs numériques de **luminance** et de **couleur** ; sur 625 lignes de 720 pixels, le consensus technologique en 1987 consistait à n'en retenir que 576 « utiles », ce qui fait qu'elle se définit par 3 millions de bits de luminance et autant de bits de couleur. A la cadence de 25 images par seconde, il faudrait donc transmettre quelque 166 millions de bits ou mégabits par seconde, ce qui dépasse les capacités de transmission par **fibres optiques,** si l'on veut obtenir une image de qualité comparable à celle de la télévision. La tendance en 1988 était de sacrifier la qualité de l'image à la faisabilité de la visiophonie, en la réduisant à 34 mégabits, quantité alors compatible avec la capacité du réseau téléphonique, qui est de 64 kilobits par seconde, mais seulement, bien évidemment, après compression des messages.

■ Ce problème de la **compression des images** a dû être abordé sur la base d'un système mathématique complexe, que l'on peut seulement résumer ici, et qui consiste, non pas à transmettre la totalité des données de chaque pixel, comme si l'on se contentait de répliquer la transmission analogique dans une transmission numérique, mais à ne transmettre que les différences entre un pixel et le suivant. C'est à quoi travaillaient encore en 1988 le C.N.E.T. (Centre national d'études des télécommunications), la S.A.T. (Société anonyme des télécommunications) et le C.C.E.T.T. (Centre commun des études de télévision et de télécommunications), en France, le R.A.C.E. (Research in Advanced Communication Technology) européen, la Televerket suédoise et de très nombreux laboratoires américains et japonais. La même année 1988, un système de visiophonie fonctionnait à titre pilote à Biarritz, en France, et l'ensemble des techniciens estimaient que la visiophonie serait implantée dans le monde vers 1993.

électronique
& mathématiques

A leur naissance, les mathématiques furent un moyen d'explorer l'Univers par l'imaginaire des nombres. Elles permirent ainsi de postuler la distance de la Terre aux étoiles, qu'aucun humain de l'époque ne concevait de pouvoir atteindre. Avec le temps, la géométrie s'affina jusqu'à rompre tous ses liens avec son père intemporel, Euclide ; elle se mit à décrire un monde singulier, presque inaccessible à l'imaginaire, puisqu'on y faisait, par exemple, référence à un temps négatif !

A sa naissance aussi, l'électronique, qui ne s'appelait encore qu'électricité, n'était guère qu'une province de la physique, consacrée à une seule particule, en somme, l'électron. Mais, vers le milieu du XXᵉ siècle, l'électronique prêta ses services aux mathématiques pour fabriquer la première machine à calculer automatique ; c'était le fameux E.N.I.A.C., monstre qui occupait des dizaines de mètres carrés et pesait des dizaines de tonnes, et qui avait d'ailleurs été ébauché dès 1919 par ces grands méconnus que sont Zuse, Eccles, Jordan. Rapidement, ce mariage « de convenance » tourna à la passion : les premières grandes lettres de noblesse données à l'électronique le lui furent par les mathématiques et, tout d'un coup, volant à la vitesse de l'électron, l'esprit mathématique se découvrit des horizons infinis.

L'association sacrée électronique-mathématiques n'allait cependant plus connaître qu'un grand moment de gloire, qui fut l'irruption de la théorie des quanta dans l'explication de phénomènes électroniques autrement incompréhensibles, tels que l'état soliton dans les transistors moléculaires ou les essais d'application de la supraconductivité aux transistors. Dès le début de la décennie 80, l'électronique allait chercher une nouvelle jeunesse auprès de la chimie organique, tandis que les mathématiques dérivaient vers la spéculation philosophique, comme dans la théorie des catastrophes et la cosmophysique, qu'elles phagocytaient en quelque sorte. En effet, après avoir été l'instrument de la physique, les « maths » en devenaient finalement le contenant.

Dans l'infiniment petit, le génie d'invention en arrivait à exploiter l'inconcevable ou, plus exactement, l'incomparable et, dans l'infiniment grand, il atteignait à la poésie...

Cellule photoélectrique
Elster et Geitel, 1896.

L'un des appareils les plus utilisés dans la technologie moderne, de la photométrie astronomique à la télévision, en passant par les méthodes de surveillance, le repérage des couleurs dans l'imprimerie et les cellules solaires, a été inventé en 1896 par les Allemands Julius Elster et Hans F. Geitel. Quatre ans plus tard, il passait du stade d'appareil de laboratoire au domaine des applications pratiques. Une cellule photoélectrique est constituée d'un **tube électronique** dont la cathode est sensible aux rayons lumineux ; quand elle est frappée par des photons, elle est excitée et émet donc des électrons, qui sont captés par l'anode. Le courant ainsi produit est proportionnel à l'intensité de l'éclairement.

■ L'effet photoélectrique lui-même avait été décrit dès 1837, mais il ne fut « redécouvert » et partiellement compris que lorsque l'Allemand Heinrich Rudolf Hertz observa, en 1887, que la lumière ultraviolette modifie le voltage le plus bas nécessaire pour la production d'une étincelle entre deux électrodes. Par la suite, on en déduisit que la cathode émettait des rayons « discrets », négatifs, dits **rayons cathodiques**. L'identité de ces rayons avec les électrons fut établie en 1900 par l'Allemand Philipp Anton Edward Lenard. Entre-temps, Elster et Geiter avaient imaginé de construire un détecteur de lumière fondé sur ce principe. En 1902, on commença à comprendre un peu mieux le phénomène de base mis en œuvre ; on découvrit ainsi que la vélocité maximale des électrons émis était indépendante de l'intensité lumineuse reçue par la cathode. Mais c'est seulement en 1905 qu'Albert Einstein l'expliqua entièrement en postulant que la lumière peut être considérée à la fois comme ondulatoire et comme constituée de **quanta** énergétiques, qui induisent l'émission des électrons cathodiques.

Géométrie
Riemann, 1854 ; Beltrami, 1868 ; Klein, 1872 ; Lie, 1886 ; Cartan, 1894 ; Henri Poincaré, 1873-1912,...

L'événement majeur en géométrie, à la fin du XIXe siècle, est l'apparition de la **géométrie non-euclidienne**, inventée quasi fortuitement en 1773 par l'Italien Girolamo Saccheri, puis structurée entre 1836 et 1840 par le Russe Nicolas Lobatchevski et le Hongrois János Bolyai (voir ouvrage précédent). L'un des caractères singuliers dans ce type de recherche, à l'époque, est que les savants publient peu, ont relativement peu de contacts les uns avec les autres. C'est ainsi que Lobatchevski et Bolyai parviennent indépendamment aux mêmes concepts que l'Allemand Bernhard Riemann réinvente également tout seul en 1854. De ces trois grands géomètres et mathématiciens, c'est sans doute Riemann qui tire les conclusions les plus avancées de cette sorte de révolution.

■ Riemann aborde vigoureusement le problème de la **nature de l'espace** et il invente le concept que reprendra plus tard Albert Einstein : ce n'est pas un milieu neutre, mais qui interagit avec les objets qui y sont plongés. Il soutiendra, lui, que, par un point, on ne peut mener aucune parallèle à une droite... Mais ses écrits, publiés après sa mort, en 1866, resteront également méconnus sur l'instant. Dans les années suivantes, l'Italien Eugenio Beltrami démontre que, si l'on considère simplement la distance et l'angle dans un plan euclidien comme des fonctions des coordonnées qui ont fourni la distance et l'angle dans un espace sphérique, on retombe sur le système de Lobatchevski. Il réalise donc un passage entre la géométrie euclidienne et la non-euclidienne, auquel l'Allemand Felix Klein donnera en 1872 encore plus de netteté : il invente, en effet, le principe selon lequel à chaque groupe de transformations dans l'espace correspondent des propriétés de l'espace, qui demeurent **invariantes**. Il distingue donc plusieurs types de géométries dont chacune est caractérisée par un groupe de transformations et d'invariants : la **projective**, qui conserve la notion de point et de droite ; l'**affine**, qui conserve la droite, mais non les longueurs et les mesures d'angles ; la **métrique**, qui conserve les distances ; l'**euclidienne**, qui conserve longueur, dimension, mesure des angles et forme des figures ; les **non-euclidiennes** étant partagées en deux groupes : la **métrique hyperbolique**, qui conserve comme invariante une conique réelle, et la **métrique parabolique**, qui conserve la mesure des angles.

■ Deux grands mathématiciens, Lie et Cartan, vont, à la suite de Klein, défricher ce domaine tout neuf qu'est la géométrie non-euclidienne. Sophus Lie, Norvégien qui travaille à Leipzig, s'attache à définir les transformations de contact entre sphères et lignes droites de l'espace. Sa formulation analytique fondera ce que l'on appelle l'**algèbre de Lie**. Le Français Élie Cartan affine encore les instruments d'exploration de ce domaine, de plus en plus étroitement lié à l'algèbre ; en 1894, il offre une classification de tous les groupes continus et finis de Lie, travail qu'il complétera en 1914 avec la détermination des algèbres de Lie. Cartan est également célèbre pour avoir construit des géométries générales comprenant les géométries riemanniennes.

■ Une place spéciale doit être faite au mathématicien dominant de l'époque, Henri Poincaré, qui s'attache à l'application des équations différentielles en **physique mathématique** et en **mécanique céleste**. « Spécialiste » des **fonctions**, dont il a découvert deux classes, il est le premier à étudier les fonctions analytiques à plusieurs variables complexes, qui vont le mener, entre 1881 et 1911, à la **géométrie analytique**, constituée de la théorie des variétés et des espaces analytiques. Ce résumé excessivement succinct de son œuvre, qui comprit près de cinq cents

mémoires, ne rend certes pas justice à ce génie exceptionnel. On peut seulement esquisser ici un aperçu de ses conclusions sur la pratique des théories mathématiques : celles-ci ne sont significatives que lorsqu'elles sont bâties à partir de l'intuition immédiate. Poincaré apparaît donc comme le premier savant qui ait entrevu et déclaré que ni la géométrie ni les mathématiques ne peuvent constituer une représentation du monde, mais qu'elles sont simplement un outil de travail dans la connaissance du monde. De fait, Poincaré, à la différence de ses prédécesseurs, s'est très souvent penché sur les applications de la géométrie et des mathématiques à l'analyse des phénomènes physiques, par exemple l'électrodynamique des corps en mouvement, la vibration des membranes, le refroidissement d'un solide, les orbites planétaires... En conclusion, on peut avancer que Poincaré est le premier grand géomètre et mathématicien qui ait intégré ses connaissances au domaine de la **physique théorique**.

■ Il va sans dire que cette histoire des inventions géométriques à partir de 1850 est par force extrêmement condensée, et que les noms et dates cités ne sauraient constituer que des repères indicatifs. L'histoire de la géométrie est celle d'une succession continue d'inventions et seul un vaste ouvrage pourrait rendre justice à ses très nombreux héros.

L'apport de la géométrie aux techniques est inestimable. De la mécanique à l'astronomie, de l'architecture à la physique théorique, ses retombées sont incalculables.

Il est opportun de rappeler ici la surprise qui s'empara du monde savant à la publication de la théorie de la **relativité restreinte** d'Albert Einstein, en 1905. L'on s'attendait, en effet, à ce que ce fût Poincaré qui formulât cette théorie clé, dont il maîtrisait aussi bien l'aspect conceptuel que les instruments d'analyse, car il était un mathématicien d'une puissance incomparable. Mais on suppose que l'audace de la relativité aurait suscité en lui quelque réserve.

Klystron
Frères Varian, 1937.

Le klystron est une des inventions électroniques majeures du XXᵉ siècle ; il est utilisé dans les radars, les communications téléphoniques à longue distance, la télévision radiodiffusée et la télévision par câble, les communications par satellite, les accélérateurs de particules, les appareils de radiothérapie. Il s'agit en gros d'un **amplificateur** et **accélérateur** d'ondes électroniques. Tel qu'il fut inventé en 1937 par les frères Russell Harrison Varian et Sigurd Fergus Varian, Américains d'origine irlandaise, le klystron se présente sous la forme d'un **tube cathodique** dans lequel un filament est chauffé par le courant électrique et chauffe à son tour la cathode. La surface de celle-ci est traitée de telle sorte qu'à une température donnée elle émette des électrons. Ceux-ci sont attirés par l'anode positive qu'ils atteignent après être passés par une cavité spéciale du tube, dite **tube de dérivation** ; là, des micro-ondes interagissent avec les électrons qui, toujours dans ce tube de dérivation, tendent à se grouper, les uns s'accélérant, les autres

se ralentissant. A l'endroit où leur concentration est la plus forte, les électrons passent dans une deuxième dérivation ; les micro-ondes s'en trouvent amplifiées, du fait que l'agitation électronique est passée à un niveau d'énergie supérieur. Les micro-ondes sont alors dirigées pour émission à l'autre extrémité du tube.

Aucun des frères Varian n'ayant de connaissances fondamentales en électronique, le département de physique de l'université Stanford, qui avait été chargé par les acquéreurs du brevet, la Sperry Gyroscope Co., de développer l'invention, fit appel à des techniciens. Ceux-ci, Edward Ginston et John Woodyard, réalisèrent à l'aide du klystron le premier système de génération d'ondes courtes nécessaires au radar (voir p. 164). Dérivé du **résonateur de cavité**, le premier klystron avait coûté cent dollars en matériel ; la somme avait été avancée par le président de l'université Stanford.

Machine à écrire électronique
Olivetti, Casio, 1978.

La première machine à écrire électronique, dotée d'**éléments de mémoire** susceptibles d'enregistrer un texte, a été produite simultanément en 1978 par les firmes Olivetti, italienne, et Casio, japonaise.

Machine de Turing
Turing, 1936.

L'un des concepts clés de la **théorie de l'automation** et de la **théorie de l'informatique** a été inventé en 1936 par le mathématicien anglais Alan Turing et est connu sous le nom cité en tête de cette rubrique ; il s'agit d'une machine qui serait capable d'accomplir n'importe quelle tâche ; en termes théoriques, il s'agit d'une **machine logique** capable de calculer

n'importe quel nombre calculable. Elle fonctionnerait par balayage d'une bande comportant un nombre en principe illimité de cases, dont chacune contiendrait un nombre fini d'instructions sous forme de symboles ; sa grande originalité est que cette machine serait également capable de porter elle-même les informations dans les cases, en fonction de la tâche à accomplir, donc de modifier les informations contenues dans ces cases. La machine de Turing, qui sert toujours de référence aux travaux d'informatique et de logique, s'est par la suite révélée faisable par la mise en œuvre des mécanismes rétroactifs (en anglais, **feedback**).

La machine de Turing, qui ne fut jamais construite et qui est à ce jour un prototype idéal, fut inventée par le savant en réponse au paradoxe célèbre du mathématicien allemand Kurt Gödel, qui spécifiait qu'aucun système mathématique ne pouvait être à la fois cohérent et complet ; pour démontrer la validité de son paradoxe, il établit une formule dont la teneur se résumait à ceci : « Ce postulat ne peut être prouvé ». Turing conçut donc une machine capable d'inventer des données au fur et à mesure des tâches dont elle effectuait la reconnaissance. Pour lui, en effet, la solution constante des problèmes mathématiques requiert un nombre infini d'idées nouvelles. Turing, qui fut l'un des plus grands mathématiciens de tous les temps, se suicida en 1953 pour échapper aux lois britanniques qui réprimaient l'homosexualité.

Micro-ordinateur
Ahl, 1974 ; Wozniak, 1975.

Deux facteurs essentiels ont concouru à l'invention du micro-ordinateur : celle du **microprocesseur** (voir p. 107) et l'agacement causé aux électroniciens et informaticiens amateurs par la difficulté d'accès aux grands ordinateurs.
Le premier prototype fut réalisé par David Ahl, employé de la D.E.C., deuxième firme mondiale d'ordinateurs après I.B.M. L'appareil avait la taille d'un gros téléviseur (puisqu'il comportait d'ailleurs un écran de télévision) muni d'un clavier. Présenté à D.E.C., il ne suscita guère d'intérêt.
En 1975, Steve Wozniak conçut indépendamment un autre prototype et n'eut pas plus de succès. Il fallut neuf ans pour que l'invention s'imposât.

Ordinateur
Abraham et Bloch, 1918 ; Eccles et Jordan, 1919 ; Bush, 1927 ; Aiken, 1937 ; Eckert et Mauchly, 1946...

Le terme « ordinateur », qui est générique et est employé depuis 1950, désigne des **instruments mathématiques** dotés d'une certaine autonomie grâce à des circuits électroniques. Ces instruments, dits aussi **machines à calculer,** sont apparus plusieurs siècles auparavant (voir ouvrage précédent) ; ils effectuaient des fonctions distinctes à l'aide de rouages et de dispositifs exclusivement mécaniques.
De nombreux mathématiciens avaient envisagé, dès le début du XXᵉ siècle, l'utilisation de l'électricité dans les machines à calculer ; il semble que ce soient les Français J. Abraham et E. Bloch qui, les premiers, en 1918, aient appliqué l'électricité au fonctionnement d'une machine à calculer, selon le principe du **calcul binaire** : les nombres y sont exprimés par des suites de deux chiffres, 0 et 1, qui correspondent à l'ouverture ou à la fermeture d'un circuit. Attribuée parfois à l'Allemand Zuse, cette idée fut en tout cas portée à son premier point de maturité, celui qui marque la naissance de la **première génération** de machines à calculer électroniques, par les Anglais W.H. Eccles et F.W. Jordan, lesquels, en 1919, construisirent un système électronique proprement dit (mais non un ordinateur), fondé sur le **couplage de**

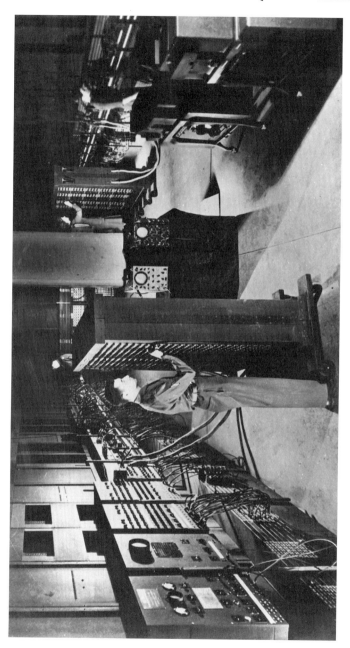

Le premier de tous les ordinateurs, un objet quasiment archéologique, le fameux **Eniac** construit en 1946 à l'université de Pennsylvanie, et qui occupait tous les placards de la pièce qu'on voit ici. Il dégageait évidemment une chaleur insoutenable, exigeant des systèmes de ventilation très puissants.

deux tubes électroniques ; le signal ou information passait — ou ne passait pas — dans un sens, qui correspondait à l'entrée, et il sortait — ou ne sortait pas — dans l'autre sens, celui de la sortie. C'était là le prototype du principe de bascule, dit aussi **flip-flop**, plus tard généralisé dans la construction d'ordinateurs digitaux.

■ En 1927, l'Américain Vannevar Bush et ses collègues du Massachusetts Institute of Technology construisaient sur ce principe l'ébauche d'un **analyseur différentiel**, qui fut sans doute la première machine à calculer fiable ; elle était capable de résoudre une vaste gamme d'équations différentielles. Elle fut portée à son point maximal de perfectionnement, dans le cadre de la première génération de machines mathématiques, par l'Américain Howard Aiken, constructeur du Mark 7 d'I.B.M. en 1937. Lourd (8 t), très encombrant (il mesurait 15 m de long et 2,40 m de haut), extrêmement complexe (il contenait 800 km de câbles), néanmoins très rapide pour l'époque (il effectuait des additions en 0,3 s et des divisions en 12 s), le Mark 7 était bien une machine électronique, mais ses relais, eux, étaient électromécaniques.
Le modèle qui lui succéda en 1942, l'E.N.I.A.C. (Electronic Numerical Integrator and Computer), construit par les Américains John Mauchly et John Eckert (avec la collaboration d'A.W. Burks, C.C. Chu, J. Davis, K. Sharpless, R. Shaw), n'était pas beaucoup plus léger (3 t), mais il était mille fois plus rapide, comportait une mémoire de 20 nombres de 10 chiffres, et, enfin, il était entièrement électronique.

■ Achevé en 1946, après de nombreux remaniements depuis l'origine, l'E.N.I.A.C., ancêtre des ordinateurs modernes et dernier des appareils de la première génération, comportait des inconvénients essentiels et d'autres qui étaient secondaires. Ces derniers résidaient dans le fait que, chauffant beaucoup à cause de ses 18 000 tubes (qui exigeaient une circulation d'air complexe à l'intérieur des armoires), il tombait souvent en panne, que sa réparation était malaisée et que sa consommation d'électricité était très élevée (175 kW). Ses inconvénients essentiels tenaient à l'exiguïté de sa mémoire et, partant, à sa difficulté d'utilisation.

■ L'étape suivante avait été annoncée par les travaux de l'Anglais Alan Turing (voir p. 101) : elle avait pour objet de réaliser une machine dont la mémoire fût assez vaste, non seulement pour entreposer un nombre de données supérieur à celui de l'E.N.I.A.C., mais encore d'enregistrer des données au fur et à mesure des opérations, avec un temps d'accès à la mémoire qui restât inférieur à celui des opérations mêmes, condition essentielle à la rapidité du fonctionnement. Or, c'était impossible avec la technologie mise en œuvre dans l'E.N.I.A.C. : chaque relais de la mémoire, qui consistait en un système de **tores électroniques** sur tiges, était commandé par une lampe, elle-même reliée par d'innombrables connexions à d'autres lampes ; accroître la mémoire revenait à aggraver l'encombrement et la fragilité opérationnelle de l'ensemble. Quant à accroître la rapidité, c'était impossible avec les moyens disponibles.

■ C'est alors que deux inventions s'imposèrent, celle des **mémoires à cristaux** et celle du **transistor** (voir p. 109). Les premières, suivies de mémoires encore plus perfectionnées, accroissaient considérablement la souplesse d'utilisation, le second réduisait l'encombrement. L'U.N.I.-V.A.C. de Remington Rand, l'E.D.V.A.C. de l'université de Pennsylvanie et de l'armée américaine, le S.E.A.C. du National Bureau of Standards de Washington, l'E.D-.S.A.C. du laboratoire de mathématiques de l'université de Cambridge, plus rapides, plus performants, moins encombrants et plus fiables, inaugureraient la **deuxième génération d'ordinateurs**.

■ La **troisième génération** d'ordinateurs vit le jour vers le milieu des années 60 avec l'invention des **circuits intégrés** ; il s'agissait de microcircuits électroniques à base de transistors et de résistances. Ces microcircuits, soudés à des supports rigides, permettaient de faire l'économie, considérable, des câblages ; ils introduisaient donc la **miniaturisation** dans les ordinateurs ; les capacités de ceux-ci augmentaient immensément, cependant que les dimensions des armoires étaient divisées par plusieurs centaines de fois. Le premier circuit intégré fut réalisé en 1959 par Texas Instruments, et le premier à être commercialisé le fut en

1965 par Fairchild Semiconductors. L'avènement des **mémoires à disques** devait encore accroître les capacités des ordinateurs, en même temps que la fabrication en série réduisait progressivement leur coût.

> Le premier problème soumis à l'E.N.I.A.C., sur la physique nucléaire, aurait demandé un siècle pour être résolu à la main, deux semaines avec une machine mécanique du type Babbage ; il le fut en deux heures.

Le terme générique d'ordinateur désigne trois types d'appareils. Les **ordinateurs analogiques** représentent des valeurs ou des nombres par des quantités physiques ; ils résolvent les problèmes sur la base de variables continues et non d'unités discrètes, comme les ordinateurs digitaux. Les **ordinateurs digitaux** calculent spécifiquement ou discrètement, sans variables ni degrés, mais seulement en réponse à des signaux exacts du type flip-flop ; ils représentent les données par caractères, chiffres et symboles, en s'en tenant à un nombre fini d'alternatives. Enfin, les **ordinateurs hybrides** combinent les deux types précédents et fonctionnent de manière comparable au cerveau humain.

Ordinateur à commande vocale
Martins et Cox, E.M.I.-Threshold, 1973.

Le premier ordinateur capable de comprendre la parole et de répondre avec une **voix synthétique** a été réalisé en 1975, par la firme britannique E.M.I.-Threshold, d'après l'invention des Américains Thomas B. Martins et R.B. Cox, faite en 1973.
■ La compréhension de la parole se fonde sur le fait que la voix se définit comme une série de **vibrations** que l'on peut décomposer d'après les **transformées de Fourier** en plusieurs **sinusoïdes** ; un système de filtres permet de mesurer ensuite la **fréquence** et l'**énergie** de chaque point de la sinusoïde et de les traduire en **langage binaire**. Chaque point correspond à une série de signaux (1 et 0) réflétant l'absence ou la présence de 32 caractéristiques phonétiques regroupées, selon les principes de la **linguistique,** en cinq familles : voyelles, consonnes, pauses longues et pauses courtes, plosives. L'ordinateur équipé de ce système d'analyse est doté d'une mémoire de 220 mots, de quelque langue que ce soit. Chaque mot est décom-

L'ordinateur à commande vocale devrait intégralement modifier, d'ici à la fin du XXe siècle, les rapports de la société avec l'informatique.

posé ensuite en 16 intervalles égaux, ce qui correspond à $16 \times 32 = 512$ bits. Pour apprendre à identifier la voix et l'élocution de son utilisateur, l'ordinateur enregistre le même mot dix fois de suite et en extrait une moyenne normative, qui lui permet d'identifier les paroles prononcées (dans un vocabulaire évidemment restreint), même si la voix de l'utilisateur varie de tonalité ou de débit. Les images moyennes de chaque mot sont enregistrées sur cassette et peuvent être réutilisées par la machine elle-même pour fournir ses réponses. Ce système, qui avait été étudié en France (où il ne suscita pas d'intérêt de la part des grandes firmes), a été depuis lors développé et représente un aspect majeur des ordinateurs futurs.

Ordinateur à graphisme manuel (Pen Writer)
Scriptel, 1988.

Le premier système électronique informatisé permettant de transmettre et de conserver en mémoire des graphismes manuels a été commercialisé en 1988 par son inventeur, la firme américaine Scriptel. Cet appareil, que l'on peut appeler ordinateur à graphisme manuel et que ses producteurs appellent « Pen Writer », c'est-à-dire « écriveur à plume », consiste en un écran sur lequel il est possible d'inscrire manuellement un message, qui est alors mis en mémoire. Un des types de ce système peut également transcrire les messages constitués de mots et de chiffres en caractères standards. Ce système, qui doit être raccordé à un ordinateur I.B.M. ou compatible, offre trois types d'écrans, l'un fluorescent, à cristaux liquides, l'autre électroluminescent et le troisième, à plasma de néon. Il est possible d'effacer certains éléments des messages graphiques.

Le pen-writer ou stylo à écrire sur un écran, mis au point en 1988, et qui devrait, comme l'ordinateur à commande vocale, modifier considérablement les rapports du public avec l'informatique. Il permettrait, par exemple, de signer une lettre à distance...

Puce
Saint Clair Kilby, 1958.

La puce est, en électronique, un support qui contient plusieurs **transistors** (voir p. 109). Elle fut inventée le 12 septembre 1958 par l'Américain Jack Saint Clair Kilby, qui travaillait à la Texas Instruments. Ce prototype ne comportait que quelques transistors et condensateurs, sur une surface et dans un volume néanmoins de loin inférieurs à ceux des mêmes composants s'ils avaient été assemblés séparément. Le transistor, qui était engagé déjà dans la course à la miniaturisation, ne résista pas longtemps à la concurrence : après avoir été d'abord adoptée par l'armée américaine pour les circuits électroniques de fusées, la puce passa en 1973 dans le domaine public. Sur la demande du directeur de la Texas Instruments, Saint Clair Kilby construisit une **calculatrice** à puce aussi puissante que les modèles électromécaniques de l'époque, mais qui tenait dans la main. Ce fut la « Data-Math », qui déclencha une véritable révolution, d'abord en raison de son prix relativement très faible (149,50 $), puis de sa maniabilité et de son efficacité (quatre opérations en 5 s). La puce elle-même a été depuis lors miniaturisée et certaines d'entre elles comportaient, à la fin des années 80, jusqu'à 1 million de transistors.

Superconducteur monocristallin
Fujitsu, 1988.

Tout courant d'électrons dans un matériau conducteur subit une déperdition d'énergie, due aux chocs des électrons contre les éléments des réseaux cristallins qu'ils traversent. Selon la configuration des réseaux, le ralentissement du flux d'électrons est plus ou moins grand, mais, dans des conditions ordinaires, il entraîne toujours une déperdition proportionnelle à un dégagement de chaleur, qu'explique le principe de transformation de l'énergie. Dans les années 80, un renouveau d'intérêt pour le phénomène de la **supraconductivité** a amené à la découverte de matériaux qui, à des températures très basses, n'opposent pas de résistance au passage des électrons. Le phénomène, qui s'explique de façon très simplifiée, par une modification de la configuration des réseaux, avait été découvert en 1911 par le Hollandais Kammerlingh Onnes, puis considéré pendant plus d'un demi-siècle comme une curiosité de laboratoire sans intérêt pratique. En effet, la réalisation de températures avoisinant le **zéro absolu,** − 273 °C, coûte beaucoup plus cher qu'elle n'est rentable en électricité. Puis, en 1987, la découverte de matériaux supraconducteurs à des températures nettement supérieures au zéro absolu stimula la recherche et mena à la découverte des propriétés supraconductrices de certains **oxydes cuivreux,** en particulier, propriétés d'autant plus intéressantes qu'elles se manifesteraient même à des températures voisines de 0 °C, voire au-dessus. Cette découverte devait d'ailleurs valoir un prix Nobel presque immédiat aux Suisses Bednorz et Müller.

■ L'un des problèmes révélés par les études sur la supraconductivité est celui de l'épaisseur des matériaux supraconducteurs. En effet, des matériaux comportant plusieurs épaisseurs de réseaux tendent à dissiper l'énergie plus facilement que des matériaux constitués d'une seule couche cristalline. Partant de ce fait, les laboratoires Fujitsu, de la firme d'électronique japonaise du même nom, ont mis au point une technique de fabrication de cristaux supraconducteurs de l'épaisseur d'une seule couche cristalline, dits pour cela monocristallins et mesurant donc environ un tiers de micromètre. Le matériau en question, susceptible d'être utilisé dans la fabrication de composants électroniques, est un composé de bismuth, de strontium, de calcium, de cuivre et d'oxygène ; il entre dans le groupe des **céramiques.** En électronique, un tel matériau peut permettre de construire de très grands circuits intégrés avec déperdition minimale d'énergie et rapidité inégalée. Il peut également permettre la construction d'appareils de mesure ultrasensibles, tels que des S.Q.U.I.D. (Superconducting Quantum Interference Device), susceptibles de mesurer des variations très fines du champ magnétique.

Superhétérodyne
Armstrong, 1917

On appelle **hétérodyne,** en électronique, un appareil qui produit des **oscillations de haute fréquence,** pures ou modulées, en combinant le courant alternatif local avec celui des ondes électromagnétiques ; en **réception radio,** il joue donc le rôle d'**amplificateur** (voir p. 82). Les résultats des premières hétérodynes n'étaient pas concluants, aux débuts de la radiophonie, étant donné que les équipements étaient conçus pour de basses fréquences. En 1917, l'Américain Edwin Howard Armstrong imagina de convertir les signaux de haute fréquence en fréquence intermédiaire, qu'il était plus facile d'amplifier. Ce fut la superhétérodyne, dont Westinghouse acquit le brevet pour la somme, alors considérable, d'un demi-million de dollars.

Théorie des ensembles
Cantor et Dedekind, 1876-1879 ; Schröder, 1877 ; Peano, 1895 ; Zermelo et Fraenkel, 1904-1910 ; Borel, 1916-1925...

La théorie des ensembles est une branche de l'**axiomatique mathématique** qui permet de traiter le **discontinu** et qui peut être présentée comme symétrique de l'autre branche, constituée par la **topologie,** qui permet de traiter le **continu** ; dans cette perspective, le nombre, discontinu, est l'objet de la théorie des ensembles, alors que l'espace, continu, est celui de la topologie. Il s'agit là d'une création, donc d'une invention, qui est employée dans de nombreuses branches des mathématiques et, en particulier, dans le **calcul des probabilités** et en **informatique.**

■ Pour en comprendre la genèse, il faut y distinguer deux étapes : la première, que l'on pourrait appeler intuitive, la seconde, qui est ultérieure et spécifiquement axiomatique. L'étape intuitive, c'est-à-dire celle de l'invention proprement dite, est le fait de l'Allemand d'origine russe Georg Cantor, auquel il convient d'associer son compatriote Richard Dedekind. C'est Cantor qui, au terme de ses échanges avec Dedekind, entre 1876 et 1879 (approximativement, car il est quelque peu présomptueux d'assigner des dates précises à l'élaboration d'un concept), formula la théorie de l'ensemble : « J'appelle ensemble toute collection M d'objets m bien distincts de notre pensée ou de notre perception. » On observera au passage que la formulation en allemand est quelque peu ambiguë, et il faut préciser que les objets m sont bien distincts *dans* notre pensée et notre perception. Ces objets devaient, par la suite, être définis sous le nom d'éléments. On a alors remplacé le terme M par E.

■ Un ensemble E se définit par son écriture, et il convient de citer l'invention du signe d'inclusion $\subset$ par le mathématicien et logicien allemand Ernst Schröder, en 1877, différencié du signe d'appartenance $\in$, bien distinct et inventé, lui, en 1895 par l'Italien Giuseppe Peano. Si l'on écrit $A \subset E$, cela signifie que E inclut A, mais si l'on écrit $x \in E$, cela signifie que x, élément, appartient à E. Par la suite fut inventé le signe □, qui signifie inter et qui indique qu'un signe est distinct d'un autre.

■ Le formalisme de cette écriture présentait un avantage inédit, la possibilité de décrire des quantités discontinues et d'y relever des **lois de composition**. Celles-ci devaient aboutir à l'élaboration d'une « **algèbre des structures,** avec des morphismes, groupes, monoïdes anneaux, corps, isomorphisme, modules, espaces vectoriels, etc. » (A. Aaron-Upinsky). A la base se trouvait une inconnue caractéristique, qui est l'impossibilité de définir l'élément qui, à la différence du point d'Euclide, était cependant divisible...

■ En 1904, l'axiomatique esquissée par Cantor prenait forme et permettait, par exemple, à l'Allemand Ernst Zermelo d'énoncer l'**axiome du choix,** dit également **axiome de Zermelo,** qui démontre que tout ensemble est bien ordonné. Mais c'est l'Allemand Adolf Abraham Fraenkel qui, au début du siècle, parachevait l'axiomatique de la théorie des ensembles, laquelle est désignée depuis sous le sigle ZF, des initiales de ces mathématiciens. Cette axiomatique ne constituait pas seulement un formalisme ; augmentée de l'**axiome de constructibilité,** implicité dans l'axiome de Zermelo, elle devait permettre d'éviter les paradoxes.

■ En effet, la théorie des ensembles est régie par trois notions. La première est qu'un ensemble est considéré comme une collection finie ; la deuxième, qu'il est constitué d'une collection de sous-ensembles arbitraires et la troisième, qu'un ensemble est, en fin de compte, l'abstraction de la notion de propriété, puisqu'il est constitué d'une collection d'objets d'une propriété donnée. Notions toutefois floues, car un raisonnement pouvait, jusqu'à Zermelo et Fraenkel, satisfaire à une des trois notions ci-dessus, mais non aux trois à la fois. Or, dans une démonstration, cette contradiction était d'autant plus pernicieuse qu'elle ne pouvait être décelée en un endroit précis du raisonnement. C'était ce qu'évitait l'axiomatique ZF, en assignant des règles à la définition des structures.

■ Cette axiomatique devait être enrichie entre 1916 et 1925 par le Français Léon Borel, logicien et mathématicien de premier ordre (c'était aussi un grand lettré), qui affina la théorie des ensembles en lui appliquant les principes de la **théorie des fonctions**.

Il s'en faut de beaucoup que l'évolution de la théorie des ensembles se soit arrêtée là ; ses évidentes possibilités d'applications à l'informatique (puisque l'élément peut être assimilé à une information et l'ensemble, au fichier) appelaient des développements, qui furent, en effet, apportés par un Quine et un von Neumann, pour ne citer que ces deux noms.

Transistor
Bardeen, Brattain, Shockley, 1948 ; Westinghouse, 1961.

Le transistor peut se définir essentiellement comme une **triode** ne nécessitant pas de tube à vide. Cette caractéristique est due à l'utilisation d'une grille faite de matériaux **semi-conducteurs**. Ceux-ci sont des corps spéciaux, cristallins, dont la structure fait que les électrons induits se propagent à travers les interstices, entre les mailles cristallines, et donnent donc naissance à un courant identique au courant induit. Un cristal pur aurait une forte résistivité, c'est-à-dire qu'il faut une forte tension pour y faire passer un faible ampérage ; les semi-conducteurs étant chargés en « impuretés » (atomes d'un autre corps), la résistivité y est plus faible. Utilisé en tant que grille, comme dans la triode (voir p. 84), un semi-conducteur se comporte comme la troisième électrode, et cela à l'air ambiant ; il dispense donc de la nécessité du **tube à vide**. C'est la propriété que découvrirent, en 1948, les Américains John Bardeen, Walter Brattain et William Shockley, chercheurs des Bell Telephone Laboratories. A la découverte se joignit l'invention, qui consistait à réaliser une triode avec deux billes d'**indium** pour les électrodes et une « bougie » de **germanium** pour la grille ; le transistor était né. La « bougie » était la **« base »**, et les électrodes étaient deux fils métalliques très fins servant, l'un d'**émetteur,** l'autre de **collecteur.** Une combinaison des potentiels du circuit faisant que la résistivité était plus faible à l'interface positive électrodes-base qu'à l'interface négative, il apparaissait là un **potentiel oscillant** qui transformait le transistor en **amplificateur.**

L'année où les trois inventeurs reçurent le prix Nobel de physique, 1955, fut également celle où apparut le **transistor à jonctions** ou **bipolaire,** dans lequel deux transistors étaient connectés, en série, par deux fils, avec des sens de conduction opposés. C'était là le prélude lointain des circuits imprimés.

■ Même dans sa forme primitive, le transistor provoqua une révolution en électronique. Robuste, facile à fabriquer, peu coûteux, il remplaça les anciennes « lampes » quasiment du jour au lendemain. Il devenait possible de réduire considérablement le volume de nombreux appareils, dont, en premier lieu, les postes de radio.

Quand, en 1961, la firme Westinghouse inventa les **transistors à couche mince,** dits T.F.T. (Thin Film Transistors), il fut possible de réduire davantage encore le volume des transistors : une simple feuille de mylar, d'acétate de cellulose ou même de papier suffisait comme support aux trois éléments du transistor, et il devenait banal de ramener celui-ci pratiquement à deux dimensions, sur une surface de 1 mm². La course à la **miniaturisation** était engagée. Les premiers produits à en bénéficier furent encore les radios, puis les prothèses et les satellites artificiels, enfin les ordinateurs.

Les semi-conducteurs, essentiellement le germanium, le silicium, qui lui succéda, le sélénium, l'antimoniure d'indium, le stannate de magnésium, les oxydes cuivreux et certains sulfures, présentent divers points communs avec les supraconducteurs. Bardeen et Brattain se sont d'ailleurs distingués d'abord dans des travaux sur la supraconductivité (voir p. 127).

Transistor moléculaire

Lyons, McDiarmid, Mott, 1978 ; Friend et université de Cambridge, 1988.

On appelle transistor moléculaire un transistor dont les éléments actifs sont en **matériaux carbonés,** donc organiques. L'idée en a été évoquée plusieurs fois dans la littérature scientifique de la fin des années 80. Les pionniers ont été des chercheurs tels que l'Américain L.E. Lyons, et les Anglais Hugh McDiarmid et Neville Mott, vers 1978. Les premiers essais eurent lieu avec des transistors à diodes en matériaux organiques dopés à l'oxygène ; ils furent théoriquement intéressants, mais décevants dans la pratique. La première réalisation probante en est due à l'Anglais Richard Friend et à une équipe de l'université de Cambridge. Mettant à profit de nouveaux procédés chimiques, Friend a réalisé, en 1988, des diodes en **polyacétylène,** polymère organique. Il a ainsi obtenu des résultats qu'il déclare mille fois plus

convaincants que ceux des précédents prototypes comportant des éléments organiques — ce qui indique un rendement énergétique remarquable, de 5 % environ.

■ Dans les semi-conducteurs classiques, à base de silicones et d'arséniure de gallium, les électrons qui circulent font sur deux bandes : une **bande de valence,** où les électrons sont liés aux atomes, et une **bande de conduction,** où ils sont libres de se mouvoir et véhiculer l'électricité. Il existe une différence d'énergie entre les deux bandes dans la zone dite « bande interdite » *(band gap).* Quand le courant circule, des électrons de la bande de valence sont arrachés et passent dans la bande de conduction ; ils laissent donc des vides dans la bande de valence. Le polyacétylène étant une chaîne d'atomes de carbone à liens simples et doubles alternés, il se trouve donc que les bandes de valence et de conduction sont superposées, et l'écart entre les deux ne représente qu'une énergie d'extraction de 1,5 eV. Toutefois, cet écart n'est plus aussi net que dans les transistors classiques, car la redistribution des charges induit alors un état qui se trouve à mi-chemin des bandes de valence et de conduction, et qu'on appelle un **état soliton.** Théoriquement, les transistors organiques seraient donc plus rapides et plus économiques que les transistors classiques.

■ Par ailleurs, les transistors organiques présentent une particularité spécifique : les électrons y sont poussés de la bande de valence à la bande de conduction par des **photons,** à la condition que ceux-ci se trouvent à un niveau énergétique supérieur à celui de l'écart ou fossé d'énergie. C'est-à-dire que, soumis à des **infrarouges,** le polymère des diodes accélère le courant, propriété qui avait été notée dès 1978, d'ailleurs.

Les perspectives pratiques de cette invention sont tellement variées qu'à la fin de la décennie 80 on envisageait un remplacement général des transistors classiques par les moléculaires.

Les transistors moléculaires ne doivent pas être confondus avec les transistors organiques envisagés par certains chercheurs à la fin des années 80 et qui devaient consister en circuits électrochimiques établis entre des **cellules vivantes,** par exemple des cultures bactériennes ou tissulaires. Ce principe, hautement spéculatif, se fonde sur le fait qu'une cellule vivante est capable d'emmagasiner un nombre d'informations considérablement supérieur à n'importe quel constituant inanimé, du moins en l'état actuel des connaissances. Un système électronique à cellules vivantes fonctionnerait sur la base d'impulsions données lors d'échanges de substances chimiques déterminées ou de fréquences électriques exactement dosées. Il serait, très éventuellement, capable des mêmes opérations que le cerveau, mais il serait également capable de les répéter indéfiniment. Un tel système constituerait l'artefact qui se rapprocherait le plus étroitement du cerveau vivant. Mais il ne pourrait fonctionner que dans des circonstances très précisément déterminées (température, pH, etc.) et pour un temps limité, à moins qu'il ne s'agisse de cellules éternelles, telles que les cellules cancéreuses. Il implique des connaissances sur les échanges électrochimiques qui seraient plus fines que celles dont dispose actuellement la biologie...

Transistors mono-électroniques
A.T.T., 1988.

Des transistors tellement sensibles que le passage d'un seul électron suffit à y induire un courant électrique ont été inventés par les ingénieurs des laboratoires américains A.T.T. en 1988. Capables de fonctionner à très basses températures, ils peuvent servir d'**électromètres** pour la mesure de charges de la valeur de 1 % d'un électron.

« Vaccins » pour ordinateurs
I.D.C. Ltd., Sectra, Plus Development..., 1988.

Plusieurs incidents apparentés au sabotage ayant été signalés dans les systèmes informatiques de grands organismes, notamment dans les années 1986-1988, les firmes de logiciels se sont mises en quête de **systèmes de protection des données** enregistrées ; ces systèmes sont appelés des « vaccins », les vices de fonctionnement ayant été appelés **« virus ».** En effet, introduits subrepticement dans les programmes, ils sont susceptibles de les fausser, voire de les détruire, et ils sont « infectieux », puisque susceptibles aussi de gagner d'autres systèmes à l'occasion d'un transfert de mémoires.

■ Ces « vaccins » reposent, en fait, sur des **codes d'accès à la mise en mémoire** sur disques, durs ou non ; dans un de ces « vaccins », appelé Canary et produit par la firme britannique I.D.C., l'ingérence d'un opérateur ne possédant pas le code d'accès fait que l'image d'un canari vivant sur le disque inviolé est automatiquement remplacée par celle d'un canari mort, ce qui constitue un système d'alerte. Le système T-Cell de la firme suédoise Sectra, de Linköping, consiste en un **logiciel** d'une complexité telle que son intégrité ne peut être altérée que par des ordinateurs très puissants, donc par une détermination de

sabotage avérée et hautement organisée. Le système Passport Plus, de la firme américaine Plus Development, de Milpitas, en Californie, consiste en un disque dur mobile, qu'on enlève après utilisation. D'autres firmes d'informatique ont également mis au point des systèmes apparentés.

Les alarmes qui ont conduit à la mise au point de systèmes de sécurité furent souvent justifiées. C'est ainsi qu'on s'aperçut en 1988 qu'un jeune Allemand avait eu accès à une trentaine d'ordinateurs des services militaires américains en Allemagne et qu'il avait donc eu l'occasion de les détruire, de les fausser et également de les violer.

énergie
& mécanique

Un phénomène majeur marque l'histoire du génie humain depuis 1850 dans le domaine des énergies : c'est l'invention d'une méthode d'utilisation de l'énergie atomique. Phénomène majeur et même spectaculaire, car, dans les années 30 encore, l'immense majorité des savants doutait franchement de la possibilité de pouvoir exploiter un jour cette énergie, et la petite phrase de Gustave Le Bon à ce sujet, qui remonte à 1920, ne reposait guère, il faut le préciser sans rien enlever au mérite de ce savant, sur des données techniques sérieuses. En 1942, pourtant, l'Italien Enrico Fermi faisait diverger la première pile atomique. Que dire alors des recherches sur l'énergie « éternelle », celle d'une pile à fusion, auprès de laquelle les piles à fission feraient l'effet de teufs-teufs auprès d'un avion à réaction ? Et pourtant, on y travaille toujours assidûment.

Dans la décennie 80, la supraconductivité est venue modifier encore le paysage énergétique mondial : certains composés à base d'oxydes cuivreux permettraient, pense-t-on assez raisonnablement, d'économiser considérablement l'électricité, en réduisant la résistance des éléments conducteurs. Une batterie de voiture électrique durerait des mois !

Parallèlement, l'angoisse des nations a enclenché des mouvements également fertiles, qui ont abouti à la mise au point de procédés d'exploitation de l'énergie solaire. Cette angoisse est d'abord venue de l'insécurité, certes relative, mais réelle, des centrales atomiques, puis de l'inévitable échéance que constitue la fin des carburants fossiles. Plusieurs accidents nucléaires, les plus célèbres étant ceux de Windscale, en Angleterre, de Three Mile Island, aux États-Unis, et de Tchernobyl, en U.R.S.S., ont engendré, dans les années 80, une prise de conscience unanime de la réalité des dangers de l'atome civil. La crise pétrolière en 1973, pour sa part, avait rappelé au monde industriel son excessive dépendance à l'égard des pays producteurs. Les recherches sur les piles solaires, qui avaient été à l'origine considérées avec dédain par les spécialistes, commencèrent alors à porter de plus en plus leurs fruits, et il est peu douteux que le XXIe siècle n'emploie l'énergie solaire à une échelle considérablement plus large qu'à l'époque où paraissent ces pages.

Par un paradoxe frappant, le progrès technique a donc amené à réduire le rôle d'une invention cruciale, l'exploitation de la cassure des atomes...

Aérodynamique

Tsiolkovski, 1892-1896 ; Citroën, Chrysler, 1934.

Les problèmes de la **résistance de l'air** à un objet en mouvement furent pressentis dès la naissance de la **balistique** (voir ouvrage précédent), mais les leçons en restèrent lettre morte bien après que les véhicules motorisés, terrestres, maritimes et aériens, furent dotés d'une vitesse qui suscitait de tels problèmes.

■ Le premier théoricien en la matière fut un pionnier, Konstantin Eduardovich Tsiolkovski, qui construisit entre 1892 et 1896 un grand nombre de **souffleries** destinées à définir mathématiquement les forces de friction qui s'exercent sur la surface d'un véhicule. Tsiolkovski étudiait, en effet, un prototype de dirigeable rapide. Ni les avions, ni les autos, ni les bateaux,

à quelques exceptions près, tel le véhicule « La jamais contente » du Belge Camille Jenatzy, qui battit en 1899 le record des 100 km/h avec une carrosserie en forme d'obus, ne prirent l'aérodynamique en compte dans leurs conceptions. Les premiers véhicules automobiles qui essayèrent de réduire la résistance de l'air à l'avancement furent, simultanément, la 7 A, dite première traction avant, d'André Citroën, et la Chrysler Airflow. Dès lors, le souci d'aérodynamisme gagna l'ensemble de l'industrie automobile et l'aviation. Quelques excès l'étendirent ensuite à des objets destinés à demeurer immobiles, comme des théières, ou à ne se mouvoir qu'à de très faibles vitesses, comme des fers à repasser...

Étude d'**aérodynamisme** appliqué à une moto. Dessin d'un prototype Honda.

Énergie atomique

Einstein, 1907 ; Hahn, Meitner, Strassmann, Bohr, 1939... ; Fermi, 1942.

La notion de **fission de l'atome** procède autant de l'analyse intellectuelle que de la découverte fortuite ; elle n'est donc pas une invention dans la pleine acception de ce terme ; néanmoins, il est malaisé de l'exclure du domaine des inventions. Elle est contenue en germe dans la célèbre équation publiée en 1907, où Albert Einstein met en équivalence **énergie** et **matière**. La possibilité de disposer de l'énergie atomique demeura cependant du ressort des spéculations intellectuelles, et même, pour certains, des spéculations hasardeuses, jusqu'au jour de 1938 où les Allemands Otto Hahn, Lise Meitner et Fritz Strassmann découvrirent que l'**uranium** bombardé avec des **neutrons**, lents ou rapides, décomposait cet élément en deux autres, le **baryum** et le **krypton**, avec un dégagement d'énergie d'une puissance jusqu'alors insoupçonnée (200 millions d'électronvolts). C'était bien là une découverte « fortuite », dont seulement Lise Meitner saisit la portée. (Voir *Bombe atomique*, p. 35.)

■ L'énergie atomique, quant à elle, civile ou militaire, procède bien, en revanche, de l'invention au sens traditionnel et, plus précisément, c'est son emploi civil qui découle de son emploi militaire. En effet, l'énergie atomique civile n'aurait pas pu être exploitée sans les recherches qui aboutirent à la fabrication de la première **bombe atomique**. Celle-ci permit de clarifier trois facteurs essentiels. Le premier était la nature de l'élément susceptible de servir de siège à des **réactions en chaîne** avec dégagement d'énergie. Après la découverte de Hahn, approfondie par Bohr, il s'avéra que c'était l'uranium et, plus précisément l'uranium 235, présent en faibles quantités dans l'uranium 238. Puis, après la découverte du neptunium, on comprit que ce pouvait également être le **plutonium 239**. Mais il fallut plusieurs années avant que l'on maîtrisât la technologie de l'uranium. Même quand on eut mis en œuvre la fabrication de la première bombe atomique, on ignorait si le combustible nucléaire convenable serait de l'uranium ou du plutonium.

■ Ce fut l'Italien Enrico Fermi qui construisit, aux États-Unis, le **premier réacteur nucléaire** connu, à l'université de Chicago ; ce réacteur atteignit le point critique le 6 décembre 1942. Il fonctionnait au **graphite** (400 t), à l'**uranium métal** (6 t) et à l'**oxyde d'uranium** (50 t), avec des barres de contrôle en **cadmium**. Les quantités importantes d'oxyde d'uranium s'expliquent par le fait que c'était de l'oxyde naturel ou *yellow cake*. Le graphite servait de **modérateur**. Tel quel, ce réacteur était infiniment précieux, bien qu'il présentât le grave défaut de n'avoir pas de **système de refroidissement** (ce qui exposait les opérateurs à des risques mortels dans le cas où la pile se serait emballée), et qu'il fallait le démonter (non sans périls) pour retirer le plutonium incrusté dans le graphite modérateur ; le plutonium est, en effet, un produit de fission de l'uranium, le plus dangereux de tous.

■ Cette pile permettait d'avancer dans la connaissance du deuxième facteur, la connaissance de la **forme d'uranium** qui offrait le meilleur rendement (il est aujourd'hui admis que c'est le **dioxyde d'uranium**). Le troisième facteur, le plus ardu, était la **métallurgie de l'uranium**, qui exige des installations lourdes, dangereuses et coûteuses. Ce n'est pas, de fait, avant 1945 que les États-Unis, en dépit de la compétence des équipes et des individus responsables, réussirent à disposer d'une quantité suffisante pour fabriquer la première bombe A.

On peut donc considérer que Fermi est le véritable inventeur de la pile atomique, c'est-à-dire de l'utilisation civile de l'énergie nucléaire.

■ Le système de contrôle qu'il avait mis en œuvre consistait à produire une masse critique, puis, dès que la réaction s'était enclenchée, à retirer progressivement les barres d'uranium, pour éviter une surchauffe ou, pis, un emballement de la réaction. Système qui eut le mérite supplémentaire de démontrer que le point critique pouvait être obtenu plus facilement qu'on l'avait craint (ce fut d'ailleurs un encouragement notable aux ingénieurs attelés à la fabrication de la bombe).

■ Le premier réacteur connu qui produisit de l'électricité fut celui de l'Argonne National Laboratory, qui fut mis en service en 1951. C'était un réacteur dit **thermique à neutrons rapides,** sans modérateur, fondé sur le principe de l'utilisation de barres d'uranium enrichi (U 238 + U 235) au cœur, avec de l'uranium naturel (U 238) à l'extérieur. Il présentait un avantage considérable, qui était d'enrichir la partie externe elle-même, la transformant en plutonium fissile. Ce type, dit **surrégénérateur,** fonctionnait, si l'on peut dire, sur deux vitesses de neutrons : les neutrons rapides déclenchaient la fission de l'U 235 ; si la section du tube d'uranium est appropriée, la fission produit suffisamment de neutrons (soit neutrons rapides ralentis, soit neutrons lents) pour engendrer également la fission de l'enveloppe d'U 238. Celui-ci, par ailleurs, capte ce

que l'on appelle des **neutrons de résonance,** qui le transforment en **neptunium,** puis en plutonium 239 fissile. Ainsi, la barre d'uranium est-elle théoriquement « consommable » dans sa totalité, ce qui accroît considérablement son rendement.

L'électricité était produite par captage de la chaleur, d'abord par un échangeur de métal liquide **(sodium-potassium),** puis par une turbine à vapeur classique.

La France mit en service, dès 1948, le premier réacteur de recherche, qui fonctionnait à l'uranium naturel, avec l'eau lourde comme modérateur.

Quand la pile de l'université de Chicago entra en fonctionnement, Fermi téléphona à son collègue James B. Conant, à l'université Harvard, pour lui adresser le message secret suivant : « Jim, je pense que cela t'intéressera de savoir que le premier navigateur italien a débarqué aux États-Unis. »

Énergie géothermique (exploitation de l')
Larderel, 1818 ; Conti, 1903...

Il est difficile d'assigner une date à la première exploitation de l'énergie géothermique et, pour la même raison, de l'attribuer à un inventeur. Le surgissement de vapeurs ou d'eaux chaudes des entrailles de la Terre inspira sûrement autrefois une utilisation « sauvage » de l'énergie géothermique. Au XVe siècle, le voyageur florentin Niccolo Zeno rapporta avoir vu, au Groenland, des serres chauffées par sources, dans lesquelles poussaient des orangers, des pommiers et des rosiers ; l'eau chaude courante était distribuée dans les habitations des colonies nordiques du Groenland... Dans de nombreuses régions du monde, les sources d'eau chaude servirent aussi très tôt à des entreprises rudimentaires de chauffage ou à l'alimentation de bains publics, parfois thérapeutiques. C'est donc à titre académique surtout qu'il convient de citer le nom du Français François

de Larderel qui, le premier, exploita les émissions de vapeur géothermique d'un petit village de Toscane, qui lui doit actuellement son nom, Larderello ; c'était en 1818. Si Larderel fut un inventeur, il ne le fut donc qu'*in partibus,* car il n'avait apparemment pas prévu une exploitation plus élaborée de l'énergie géothermique. C'est Arago qui, en 1848, fit forer le puits d'eau chaude de Grenelle.

■ Mais le pionnier en la matière semble avoir été le prince Giovanni Conti, qui fit construire à Larderello une station pilote de transformation de l'énergie géothermique en **énergie électrique.** Elle permit de faire briller quatre lampes à incandescence ! La centrale de Larderello fournit actuellement plus de 290 MW, qui alimentent le réseau électrique des chemins de fer de l'Italie centrale. Plus d'un demi-siècle s'écoula cependant entre la construction de cette centrale, pourtant éminemment performante, et la construction de la suivante, qui se fit en 1958 en Nouvelle-Zélande, à Wairakei.

On distingue la géothermie de **haute énergie,** dont les gisements se trouvent dans des zones d'échauffement anormal, de celle de **basse énergie,** dont les gisements sont constitués de nappes aquifères moyennement chaudes. Dans les premiers, la température atteint de 200 à 300 °C ; ces gisements sont très rares et on n'en connaît que cinq au monde, Larderello, les Geysers en Californie, Valle Caldera au Mexique, Matsukawa et Otake au Japon. Dans les seconds gisements, la température se situe entre 60 et 90 °C ; ils se trouvent à des profondeurs de 1 000 à 2 000 m et sont plus courants. Exploités parfois depuis longtemps pour le seul chauffage, ils commencent à être beaucoup plus utilisés depuis la seconde moitié du XXe siècle en général, mais on considère qu'il s'agit là d'une source d'énergie largement sous-estimée, ne fût-ce que pour le chauffage (en effet, seules les sources de haute énergie sont susceptibles de produire de l'électricité).

Fusion par muons négatifs
Frank et Sakharov, vers 1948.

La **fusion thermonucléaire** catalysée par muons négatifs, dite aussi **fusion froide,** se différencie de la fusion chaude de la manière suivante : dans la fusion chaude, des **lasers** élèvent l'**hydrogène** à des températures voisines de celles du Soleil, créant ainsi un **plasma** ou gaz ionisé, dans lequel les paires d'atomes d'hydrogène se fondent et produisent à la fois de l'**hélium** et de l'énergie (voir p. 38). L'inconvénient de la fusion chaude est la nécessité de dépenser des quantités considérables d'énergie pour atteindre la température nécessaire. En 1947, les Soviétiques F.C. Frank et Andreï Sakharov ont imaginé d'utiliser des particules appelées muons négatifs dans une chambre contenant du **deutérium** et de l'hydrogène. Théoriquement, les muons négatifs se lient aux noyaux de ces éléments, qui effectuent une fusion, puis éjectent les muons, lesquels vont à leur tour s'unir à d'autres noyaux et ainsi de suite. Ce faisant, l'énergie dégagée élève progressivement la température ambiante, et cette élévation peut être utilisée pour produire de l'électricité par le relais de turbines. La même découverte fut refaite par l'Américain Luis Alvarez en 1957. Puis il apparut que le processus était trop lent, les muons se dégradant avant d'avoir enclenché la réaction en chaîne escomptée.

■ Au début des années 60, le Soviétique V.P. Dzelepov, de l'Institut de recherche nucléaire de Doubna, obtint une réaction beaucoup plus rapide en remplaçant le deutérium et l'hydrogène par le deutérium et le **tritium** à fortes densités. Le temps de réaction était alors mille fois supérieur. Cette supériorité s'explique par le fait que deutérium et tritium se combinent pour former une molécule à deux noyaux entourés d'un nuage d'électrons ; il y a alors un effet ping-pong qui aboutit à la fusion triple des deux noyaux et du muon négatif, c'est-à-dire qu'il y a formation de ce que l'on appelle un **ion muomoléculaire** avec fort dégagement d'énergie, et cela dans un temps approximativement égal à un millième de la durée de vie du muon. Toutefois, pour que se produise le dégagement d'énergie, il faut qu'il y ait éjection d'une particule porteuse, qui pourrait être un électron ; or, la capacité de l'électron d'absorber de très hautes énergies ne se présente que dans des conditions rares. Sans quoi le phénomène reste encore trop lent.

■ La fusion froide à muons négatifs semblait donc condamnée à demeurer dans le domaine théorique, quand, en 1967, l'Estonien E.A. Vesman démontra que l'énergie peut être libérée par l'entremise d'une **vibration** de l'ion muomoléculaire ; cette vibration n'est possible, selon la mécanique quantique, que dans un rapport

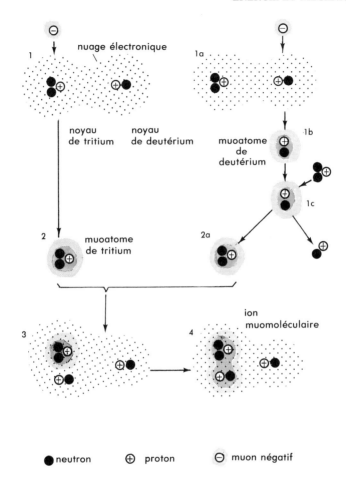

neutron   ⊕ proton   ⊖ muon négatif

Le principe de la **fusion froide** est le suivant : si l'on rapproche un noyau de deutérium et un noyau de tritium à une distance très petite, leurs noyaux se fondent pour donner naissance à une molécule unique, dont un nuage électronique forme le ciment. S'il se trouve à proximité, un muon, particule négative, produit de désintégration du méson, va s'y loger. S'il rencontre un noyau de tritium, ce muon va tourner près de lui, formant alors ce qu'on appelle un muoatome de tritium. De même, s'il rencontre un noyau de deutérium, il forme un muoatome de deutérium. On lui administre alors un choc et il quitte le noyau de deutérium pour rejoindre le noyau de tritium, parce que celui-ci, plus lourd, exerce irrésistiblement une attraction supérieure à celle du deutérium. Le nouveau muoatome de tritium retourne alors à la molécule de deutérium, dont il traverse le nuage électronique, et puis réagit avec le noyau. On assiste alors à la formation d'une molécule nouvelle, qui est un ion muomoléculaire, dont le muon est le ciment. Il y a dégagement d'énergie.

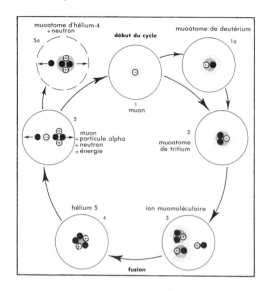

L'ion muomoléculaire formé par la fusion d'un noyau de tritium et d'un noyau de deutérium est de courte durée ; il se transforme en une nouvelle molécule, formée d'un noyau d'hélium 5, autour duquel gravite le muon, et d'un neutron. Cette nouvelle molécule est également très éphémère : le noyau d'hélium 5 se désintègre pour donner naissance à un neutron, un noyau d'hélium 4 et un muon, expulsé du fait d'un déséquilibre énergétique.

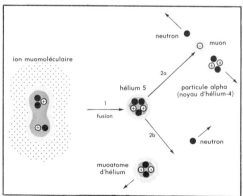

La libération du muon lors du phénomène précédent engage un cycle : nouvelle formation d'un muoatome de tritium ou de deutérium, ce dernier ultérieurement destiné à devenir un muoatome de tritium, formation d'un ion muomoléculaire, puis d'un noyau d'hydrogène 5 avec un neutron, puis désintégration de ce dernier. C'est une source d'énergie théoriquement continue.

précis de sa fréquence avec l'énergie de liaison de l'ion. Le Soviétique L.I. Ponomarev, en 1977, et l'Américain Steven E. Jones, en 1982, ont montré que la formation d'ions muomoléculaires peut être accélérée par élévation initiale de la température du deutérium et du tritium ; cela

produit dans leurs molécules une **agitation cinétique** qui accélère la formation des ions par l'entremise des muons ; chaque muon catalyse alors 150 réactions et, formé avec une structure lâche, se contracte en une structure plus serrée qui entraîne l'éjection d'un électron chargé d'énergie.

La fusion froide à muons négatifs — qui n'est d'ailleurs plus si froide — se heurtait en 1988 à des problèmes à la fois techniques et énergétiques.
Techniques : la possibilité de production, lors de la fusion, de **particules alpha** qui captent les muons et les empêchent de poursuivre leur action catalytique. Énergétiques : le prix élevé de la production de muons négatifs. Aussi cherchait-on à la fois des modes de production nouveaux et moins coûteux de muons et de particules qui puissent être des agents plus efficaces. Une réussite dans ce domaine modifierait consi-

dérablement l'exploitation de l'énergie nucléaire, une centrale à muons ne pouvant ni s'emballer, ni entraîner un accident par surchauffe comme une **centrale à fission**. En mars 1989, les physiciens américains Martin, Fleischmann et Stan Pons déclenchaient dans le monde scientifique une émotion sans précédent, en annonçant qu'ils avaient réalisé la **fusion froide** avec un appareillage extrêmement simple : en effectuant une électrolyse d'eau lourde avec une électrode au palladium. Alors que nous mettons sous presse, les résultats se confirmaient, mais on attendait encore une théorie du phénomène.

Générateur magnétohydrodynamique
Branover et Solmecs, 1988.

Il est bien malaisé d'attribuer un nom et une date à l'invention du générateur magnétohydrodynamique, qu'on peut, pour l'essentiel, définir comme un générateur classique qui utilise **un gaz ou un métal chaud comme conducteur**, au lieu du classique bobinage de cuivre des générateurs conventionnels. On pourrait ainsi faire remonter l'invention à l'Anglais Michael Faraday, qui, dans les années 1830, conçut le projet grandiose de jeter dans la Tamise de la limaille de fer et d'installer sur les rives des aimants géants. L'eau étant conductrice de l'électricité, le passage de la limaille de fer devant les aimants suffirait à la charger d'électricité sans aucune dépense d'énergie ; il n'y aurait plus qu'à récupérer l'électricité à l'aide d'électrodes géants plongés dans l'eau... Théoriquement géniale, cette invention, qui relève un peu du folklore attaché à Faraday, aurait été en fait assez délicate à réaliser et à rentabiliser.

■ Toutefois, le remplacement des fils de cuivre par des fluides chauds fait depuis les années 70 l'objet de recherches parfaitement réalistes et il a donné naissance à un nouveau domaine, qui est la **magnétohydrodynamique**, dite également M.H.D. La France, les États-Unis, l'U.R.S.S. et de nombreux autres pays ont beaucoup fait progresser les travaux théoriques et pratiques en M.H.D., pour la raison essentielle que celle-ci fournit environ 50 % de plus d'énergie que le générateur classique utilisant le même carburant. Un exemple particulier peut permettre de comprendre cet avantage : en chauffant du charbon à quelque 2 760 °C, soit une température qui est environ le double de celle qu'atteint un générateur classique, les Américains obtiennent un plasma gazeux, dans lequel ils injectent des sels de potassium pour en augmenter la conductibilité électrique, et puis ils réinjectent ce plasma dans un tunnel aimanté, où il s'engouffre avec la force et la vitesse d'un jet de gaz à la sortie d'une tuyère de fusée, engendrant ainsi de l'électricité. L'intérêt de la technique américaine est que le résidu du plasma, bien qu'un peu refroidi, peut encore être utilisé pour faire fonctionner un générateur classique, cette fois. Ce qui permet de convertir en électricité près de 50 % des joules par kilogramme du charbon, alors que les générateurs classiques, n'en convertissent que 35 %. Autant dire que le charbon nécessaire pour obtenir 2 kWh dans un générateur classique en produirait 3 dans un générateur M.H.D. On comprendra ainsi tout l'intérêt pour ce nouveau domaine.

■ Alors qu'en 1988 Américains et Soviétiques projetaient la mise au point d'un gé nératcui commercial pour le milieu de la décennie 90, l'inventeur israélien Herman Branover, directeur du Centre de M.H.D. à l'université Ben-Gourion du Néguev, en Israël, et la firme américano-israélienne Solmecs Ltd. avaient réussi à réaliser un prototype commercial de générateur utilisant comme liquide un mélange de plomb et de bismuth fondus, dont le fonctionnement avait donné satisfaction et dont la commercialisation était prévue pour 1990. Ce prototype, appelé Etgar 5, ne convertit que 46 % de l'énergie disponible dans le fluide, mais pourrait aussi bien utiliser du charbon, du pétrole ou de l'huile de schiste. Sa caractéristique est de ne fonctionner qu'à des températures cinq fois plus élevées que celles des grands prototypes américains et soviétiques, et donc de convenir aux pays disposant de peu de pétrole ou ressources pétrolières.

Moteur Diesel
Diesel, 1892 et 1893.

Trente ans après que Beau de Rochas eut établi le principe du cycle à quatre temps dans le moteur à explosion (voir ouvrage précédent), l'Allemand Rudolf Diesel s'intéressa au fait que le rendement thermique de ce moteur était médiocre, et essaya de mettre en application le principe énoncé par Sadi Carnot, selon lequel le rendement d'un moteur à mouvement réciproque ou réversible dépend de la température à laquelle il opère, et qui est l'un des deux principes de base de la **thermodynamique**. Publié en 1824 dans une brochure intitulée *Réflexions sur la puissance motrice du feu et les machines propres à développer cette puissance*, ce principe était malheureusement passé inaperçu à l'époque, où l'on ne construisait dans toute la France qu'une cinquantaine de moteurs par an et où de telles considérations sur le rendement étaient beaucoup trop en avance sur ce que l'on attendait de la puissance mécanique. Ce n'est que plus d'un demi-siècle plus tard, quand le frère de Carnot republia les *Réflexions*, que l'on rendit hommage au génie du physicien (et contre les assertions erronées de William Thomson, lord Kelvin, selon lequel le principe de Carnot était faux).

■ L'une des idées directrices de Carnot, qui allait le plus influencer Diesel, était qu'il fallait modifier le **cycle du piston** dans le cylindre, lequel était cause de déperdition de chaleur. Dans un premier brevet, déposé en 1892, remanié en 1893, Diesel propose d'obtenir la chaleur nécessaire à la combustion du mélange air-carburant du moteur à explosion classique, non par une étincelle, mais par une **compression** très élevée de l'air seul, qui suffit à porter celui-ci à la température qu'il faut. Le carburant est alors vaporisé dans le cylindre, et la pression des gaz chauds pousse le piston. Jusqu'ici, le principe du moteur Diesel n'est pas très différent de celui du moteur à quatre temps, sauf toutefois que l'étincelle de combustion est supprimée. Mais Diesel modifie par ailleurs le dessin de son moteur de telle sorte que la compression de l'air s'effectue hors du cylindre ; c'est donc de l'air comprimé qui est directement injecté dans le cylindre. De plus, les gaz de carburant brûlé sont chassés par des ouvertures au bas des cylindres par l'effet de l'injection d'air comprimé ; la course du piston, qui n'a plus lieu de descendre jusqu'au bout du cylindre, se trouve réduite. Diesel a donc remplacé le cycle à quatre temps par le **cycle à deux temps,** se rapprochant ainsi du principe du **moteur à cycle incomplet** proposé par Carnot, où la déperdition de chaleur est réduite par suite de la réduction de la course du piston.

■ Diesel a introduit par ailleurs un élément considérable d'économie : son moteur peut fonctionner avec des **carburants non raffinés.** En 1896, le conglomérat Krupp s'y intéresse et essaie de réaliser un moteur Diesel à charbon, qui est abandonné. Mais, l'année suivante, un moteur fonctionnant au pétrole non raffiné donne satisfaction.

■ Le moteur Diesel fait rapidement les preuves de sa **fiabilité** et de la supériorité de son **rendement.** Du point de vue de la fiabilité, il est facile à fabriquer, robuste et ne connaît pratiquement pas de pannes ; du point de vue de l'économie, outre sa supériorité thermodynamique sur le moteur à quatre temps, il coûte moins cher parce que le pétrole non raffiné est alors nettement meilleur marché. Mais ce moteur contrarie les habitudes intellectuelles des ingénieurs de l'époque et il met plus de vingt ans à s'imposer. On lui reproche d'abord son poids, qui est certes plus élevé par cheval-vapeur fourni que celui du moteur à quatre temps. On lui reproche également son fonctionnement bruyant et l'odeur particulièrement déplaisante de ses gaz d'échappement. Paradoxalement, Diesel lui-même est l'une des causes du retard avec lequel les industriels

adopteront son moteur : jusqu'à sa mort, en 1913, l'ingénieur exige, en effet, que les moteurs construits sous licence répondent à ses spécifications rigoureuses et, notamment, qu'ils soient conçus pour fonctionner à température constante ; Diesel se veut strictement fidèle à la théorie de Carnot. L'ennui est qu'à température constante son moteur fonctionne beaucoup trop lentement, que, pour atteindre un rendement donné, il doit donc être beaucoup plus puissant et que c'est à bas régime qu'un tel moteur présente le plus les inconvénients cités plus haut. Le moteur Diesel ne sera donc amélioré qu'après la mort de son inventeur pour atteindre ses niveaux actuels de perfectionnement.

■ En tout état de cause, Diesel a rendu un service signalé non seulement à la mécanique, mais également au moteur à quatre temps. Il a, en effet, permis de comprendre que le rendement d'un moteur à combustion interne, à deux ou à quatre temps, est fonction du **taux de compression** décrit plus haut. En élevant les siens, le moteur à quatre temps verra son rendement considérablement amélioré.

■ Il convient ici de rendre hommage à deux précurseurs de Diesel : l'Anglais James Joule, qui, en 1885, essaya de réaliser, le premier, le cycle idéal incomplet de Carnot, en recourant à un **piston poreux,** par lequel s'échappaient les gaz de combustion, et son compatriote Akroyd Stuart, qui, en 1890, conçut un **moteur à fuel** fonctionnant à basses pressions.

Moteur de Szilard, dit « moteur de l'ange »

Szilard, 1929.

La caractéristique essentielle d'un **moteur thermique,** tel qu'un réfrigérateur, est qu'il fonctionne sur une différence de température qui, pour être maintenue, exige une dépense d'énergie. C'est un moteur qui obéit à la **deuxième loi de la thermodynamique,** qui veut qu'un système isolé ne passe jamais deux fois par le même état. Autrement dit, les molécules froides ne peuvent pas redevenir des molécules chaudes sans dépense d'énergie. Cette loi ou

principe, qui postule l'**irréversibilité des phénomènes physiques,** a fait l'objet d'études innombrables depuis sa formulation par Sadi Carnot, et elle a nourri jusqu'à aujourd'hui des spéculations philosophiques extrêmement poussées.

■ En 1871, l'Écossais James Clerk Maxwell formula une théorie, devenue depuis lors célèbre. Prenons un récipient rempli d'air à température uniforme et rempli de molécules qui se meuvent à des vitesses différentes, dit Maxwell, et divisons ce récipient en deux parties, A et B, isolées par une cloison percée d'un tout petit trou, puis mettons à la garde de ce trou une toute petite créature intelligente. Cette créature est capable de ce que nous ne pouvons pas faire : voir les molécules individuelles et en mesurer le degré d'énergie ; elle pourrait alors laisser passer les molécules les plus rapides de A en B, par le petit trou, et les molécules les plus lentes, de B en A. Étant donné que la vélocité est associée à la température, B serait donc rempli de molécules chaudes et A de molécules froides.

■ Cette créature fut vite appelée le **« démon de Maxwell »**. On l'appela « démon » parce qu'elle était hautement subversive ; en effet, elle bouleversait l'ordre naturel des choses et contrevenait, en particulier, au principe de Carnot. Si l'on disposait d'un tel démon, il n'y aurait plus besoin de sources d'énergie. On pourrait réchauffer ou refroidir de l'eau, par exemple, sans charbon ; en surveillant le fameux trou, le démon pourrait maintenir une chaudière éternellement chaude et le condensateur éternellement froid.

Bien entendu, il y eut d'innombrables objections à la théorie du démon de Maxwell ; certaines se fondèrent sur la mécanique quantique pour réaliser des démonstrations de l'erreur maxwellienne. Toutes se révélèrent fausses.

■ En 1929, le célèbre physicien hongrois Leo Szilard, qui devait plus tard collaborer aux États-Unis, en tant qu'Américain, à la construction de la première pile atomique avec Enrico Fermi, reprit le problème à zéro. Il fallait l'aborder du point de vue de l'**équilibre des systèmes dissipatifs,** qui sont régis par l'**entropie,** c'est-à-dire la tendance naturelle de tout ensemble doté d'énergie à tomber à un niveau d'énergie minimal. Le démon de Maxwell ne pouvait être efficace que tant que l'Univers (ou, en tout cas, le système énergétique dans lequel il « travaillait ») continuait d'exister. En effet, en faisant passer les molécules les plus lentes en A, le démon augmentait l'entropie en A et le travail qu'il effectuait finissait par augmenter l'entropie générale de l'Univers, puisqu'il créait un nouvel espace d'une entropie supérieure à celle qui avait existé auparavant. De plus, pour

vérifier la vitesse d'une molécule, le démon devait obligatoirement la ralentir, ce qui entraînait son refroidissement et, par là-même, un autre accroissement de l'entropie. Szilard invente alors un moteur, totalement théorique, il va sans dire, mais dont les retombées vont être considérables. Il imagine un moteur à un seul cylindre, dans lequel il n'y aurait qu'une seule molécule, animée d'un mouvement quelconque. Le cylindre est doté d'un appareil de mesure à mémoire qui permet de savoir où se trouve la molécule. A un moment donné, on insère dans le cylindre une cloison qui le divise en deux, comme le récipient imaginaire de Maxwell ; l'appareil dit de quel côté se trouve alors la molécule. La mémoire de l'appareil, qui ne connaît que trois données, zéro, D, quand la particule est à droite, et G, quand elle est à gauche, passe donc, après l'insertion de la cloison, en D ou en G. Ensuite, un piston est placé dans le cylindre, du côté où ne se trouve pas la molécule, et enfoncé jusqu'à ce qu'il touche la cloison. Ce serait là un **moteur à compression sans travail,** puisque le cylindre est vide, ne contenant rien d'autre qu'une molécule d'un côté et pas de molécule du tout de l'autre. La cloison est alors retirée et le piston heurte la molécule. Celle-ci exerce une pression sur le piston ; elle l'oblige à revenir à sa position initiale. Le recul du piston engendre alors de la chaleur par frottement. Il ne reste plus qu'à recommencer le cycle. Résultat : on a transformé l'énergie de l'environnement en énergie locale.

■ C'est totalement en contradiction avec la deuxième loi de la thermodynamique ; en apparence, du moins, car il y avait tout de même un phénomène irréversible : le moteur de Szilard avait absorbé l'énergie du milieu ambiant, donc, il en avait augmenté l'entropie. Il n'avait pas fait intervenir le démon de Maxwell : aussi le surnomma-t-on **« moteur de l'ange »**.

■ On en était là de ce travail théorique (qui fut, lui aussi, l'objet d'innombrables analyses), quand, en 1960, l'Américain Rudolf Landauer, qui étudiait le traitement des données chez I.B.M., du point de vue de la thermodynamique, constata que certaines opérations de traitement, comme la copie de données en électronique, d'une mémoire à l'autre, étaient équivalentes à

une mesure ; en effet, une mémoire « mesurait » l'autre en en acquérant l'information.
Il semblait donc que ce processus apparaîtnt aux phénomènes irréversibles (Szilard avait, lui aussi, formulé l'hypothèse que la mesure des particules par le démon entraînait une perte d'énergie irréversible). On supposait, à l'époque, c'est-à-dire dans les années 50, que toute opération électronique engendrait au moins une perte de chaleur, fût-elle infinitésimale.
■ Une dizaine d'années plus tard, Landauer établit, après des travaux très poussés, que certains traitements de données entraînent bien des transferts d'énergie, mais que certains autres, et notamment les copies, n'en entraînent absolument aucun. Il en tira la conclusion que certains états logiques d'un ordinateur correspondent donc à des états physiques (ou énergétiques) distincts. La constatation allait mener assez loin, puisque ses prémisses infirmaient déjà le postulat de Szilard : les mesures, en l'occurrence les transferts d'information, ne provoquent pas toujours des transferts de chaleur. En d'autres termes, le démon de Maxwell ne provoquait pas nécessairement de pertes d'énergie des molécules chaque fois qu'il les mesurait...
■ Landauer tira de ses observations un autre postulat. Imaginons une mémoire dont on a effacé les données ; ces données disparues étaient au nombre de n ; à n'importe quel moment de leur présence dans la mémoire, leur ensemble pouvait être défini comme 2^n, en raison des variations possibles. Tout d'un coup, cette mémoire passait d'un état énergétique élevé à un état unique stable. Cette transition était comparable au temps où, dans le « moteur de l'ange », le piston avait comprimé la molécule, c'est-à-dire encore au temps, celui-ci universel et mécaniquement réel, où un piston a

comprimé un gaz. Il y avait donc eu un état d'entropie supérieur avant la compression. Il s'ensuit qu'on ne peut pas effacer les données d'une mémoire sans augmenter l'entropie de l'environnement, c'est-à-dire sans abaisser son niveau énergétique.
■ Ces considérations subtiles menaient à une constatation d'une portée immense : c'est que, lorsqu'on efface des données, on procède à une opération irréversible. En d'autres termes, le démon de Maxwell ne pouvait pas enfreindre la deuxième loi de la thermodynamique. En effet, si l'on reprend le principe du moteur de Szilard, on constate qu'après chaque compression de l'unique molécule la mémoire de l'appareil doit se remettre à zéro pour savoir dans quelle moitié du cylindre se trouve la molécule. Il en était forcément ainsi pour le démon : il ne pouvait pas mesurer l'énergie d'une molécule sans avoir auparavant une mémoire vierge, nécessaire à l'enregistrement de la donnée. Rendre sa mémoire vierge ne pouvait aller sans dépense d'énergie, puisque, chaque fois que le démon devait mesurer l'énergie d'une molécule, il devait remettre sa mémoire à zéro.
■ Le moteur de Szilard a fourni un modèle théorique d'une valeur immense pour l'ensemble de la physique, et pas seulement pour la thermodynamique. Il alimente encore les débats de physique générale sur l'irréversibilité de tous les phénomènes de la Nature, selon laquelle le **Temps,** vecteur de tous les phénomènes matériels, doit arriver à un terme le jour où toute l'énergie du système solidaire qu'est l'Univers sera dissipée. A ce moment-là, l'Univers aura atteint un **degré d'entropie oméga,** où plus aucun échange d'énergie ne sera possible, puisqu'il n'y aura plus de différence, donc plus de vie.

Pile à combustible
Bacon, 1959.

On appelle pile à combustible celle où les réactions productrices de courant électrique sont obtenues à partir de substances contenues à l'extérieur et non à l'intérieur de l'enveloppe. Son intérêt est de fournir du courant en continu, ce qui n'est pas le cas

des piles et accumulateurs électrolytiques classiques. Il semble que la pile à combustible ait été imaginée, mais en théorie seulement, dès le milieu du XIXᵉ siècle, comme l'atteste par exemple la **batterie voltaïque à gaz** de l'Anglais William Henry Grove.

■ C'est cependant l'Anglais Francis Bacon qui construit, en 1959, la première pile à combustible spécifique. Elle contient un électrolyte alcalin, de l'**hydroxyde de potassium** dissous dans de l'eau. Les électrodes sont en métal poreux dans lequel cet électrolyte ne peut pénétrer que de manière contrôlée ; derrière l'une des électrodes, en forme de plaque, se trouve de l'oxygène et, derrière l'autre, de l'hydrogène. Celui-ci, entrant en contact avec les ions de l'électrolyte, dans les pores de l'électrode correspondant, libère des électrons, cependant qu'à l'opposé les atomes d'oxygène capturent ces électrons. Les bornes des électrodes étant connectées à un circuit externe, le courant circule tant qu'il y a de l'hydrogène et de l'oxygène dans les réservoirs. Le fonctionnement peut être entretenu sans interruption à condition que l'on recharge les réservoirs. Les piles à combustible sont très utilisées en **astronautique.**

Pompe à chaleur
Kelvin, 1851.

Le principe de la pompe à chaleur est de près d'un siècle antérieur à ses premières réalisations ; il fut conçu en 1851 par William Thomson, lord Kelvin. Il consiste essentiellement en une inversion du réfrigérateur : celui-ci produit du froid à l'aide d'un évaporateur et rejette de la chaleur à l'aide d'un condensateur. Dans la pompe à chaleur, ou **thermopompe,** la chaleur fournie à l'évaporateur est accrue à l'aide d'un compresseur. Elle peut donc être utilisée pour le chauffage.

C'est vers le milieu du XXe siècle que l'on commença à fabriquer des appareils réversibles de conditionnement d'air, grâce à des valves qui inversaient la circulation de l'air.

Semi-Diesel
Price, 1914.

Le moteur de Diesel (voir p. 122) posa à sa naissance un problème, constitué par la nécessité d'un **compresseur d'air à haute pression,** donc fortement consommateur d'énergie lui-même. De plus, il présentait un défaut, c'est que la soudaine détente de l'air fortement comprimé dans un cylindre où la pression était inférieure entraînait un refroidissement qui retardait l'ignition ; en effet, toute réduction de pression entraîne un refroidissement de gaz. Diesel n'avait eu recours à l'injection sous pression que pour injecter dans son cylindre du charbon en poudre, mais, quand les carburants liquides remplacèrent le charbon, on put remplacer l'injecteur par une **pompe.** Cela ne résolut pas tous les problèmes, comme on s'en aperçut aux **gaz d'échappement** des moteurs, qui étaient très épais. La combustion était donc imparfaite, même à des régimes proportionnés à la puissance du moteur.

■ On s'avisa alors que, d'une certaine manière, le type de pompes qu'on avait mis en œuvre pour les carburants liquides n'était pas efficace : disposées en batterie, à raison d'une pompe par cylindre injectant théoriquement le carburant au moment le plus rentable de chaque cycle de cylindre, elles diffusaient ce carburant trop faiblement pour en assurer une combustion complète. Chaque gouttelette de carburant partait en quelque sorte « à la recherche » des molécules d'oxygène à brûler, et, comme l'oxygène ne représente que 20 % de l'air, la combustion était bien imparfaite, d'où les fumées. On modifia donc les injecteurs de façon à créer des tourbillons intérieurs qui offraient le plus de chances possible de combustion au carburant. Les résultats furent plus ou moins satisfaisants. En 1914, l'ingénieur anglais William T. Price résolut de contourner ce problème ; il abaissa paradoxalement la pression dans les cylindres ; théoriquement, la combustion ne pouvait plus se produire. Mais Price y pourvut en installant dans le cylindre un fil de **nichrome**, alliage nickel-chrome extrêmement résistant, qui chauffait rapidement sous l'effet d'un courant électrique et devenait incandescent. La combustion se faisait donc, et beaucoup plus complètement qu'avec le moteur pré-

cédent. Price l'améliora encore, après avoir déposé son brevet, en injectant une partie du carburant en fin de cycle, pour entretenir la combustion du fil de nichrome. Ce fut ce qu'on appela le « semi-Diesel », parce qu'il était à deux temps, avec un taux de compression près de moitié moindre ; il était aussi plus économique.

Servomoteur
Farcot, 1853.

On appelle servomoteur tout mécanisme jouant un rôle intermédiaire ou final dans la mise en œuvre d'un **système de régulation ou d'asservissement.** Le terme fut forgé par son inventeur, le Français Joseph Jean Jacques Farcot. En 1853, il adapte à la machine à vapeur un régulateur qui permet à la fois le fonctionnement en continu et les variations de régime ; c'est ce qu'il appelle un **régulateur isochrone,** c'est-à-dire de durée égale. Ce n'est cependant là que l'embryon du servomoteur, Farcot poussant toujours plus loin sa philosophie de l'asservissement intégral de la machine à l'homme, c'est-à-dire d'un automatisme qui dispense l'opérateur d'une surveillance et d'une intervention continues. En 1863, il imagine, le premier, d'asservir le moteur en dirigeant l'énergie de celui-ci à l'aide d'un organe de com-

mande manuelle. Le premier servomoteur proprement dit fut installé cette même année sur un navire, pour commander le gouvernail. Les commandes étaient traditionnellement transmises par des chaînes ou des câbles, actionnés par un timonier. Le servomoteur rendait possible de transmettre les commandes par une tige qui actionnait un distributeur de fluide sous pression ; cela rendait donc les commandes beaucoup moins pénibles. Le principe en était astucieux : l'admission du fluide sous pression dans le cylindre provoquait le déplacement du piston dans un sens ou dans l'autre, l'injection de fluide se faisant soit en amont, soit en aval du piston. La manœuvre du tiroir du distributeur commandait donc le mouvement du piston et, partant, celui du gouvernail par un système de bielles.

Supraconductivité à haute température
Michel et Raveau, 1981 ; Bednorz et Müller, 1986.

La supraconductivité, c'est-à-dire la capacité pour un corps de laisser circuler un courant électrique sans résistance, donc sans dissipation d'énergie, est un phénomène extrêmement complexe qui a été découvert en 1911 par le Néerlandais Kammerlingh-Onnes. Son intérêt est à la fois scientifique et technique. Scientifique, parce que la supraconductivité ouvre des aperçus sur la structure de la matière et du comportement des particules, qui sont

loin d'être complètement explorés. Il reste, par exemple, à expliquer pourquoi, dans la supraconductivité, les électrons se forment par paires et, au lieu de se repousser, comme ils le font normalement, ainsi que toutes particules de charges identiques, ils se couplent étroitement (phénomène qui ne peut être interprété qu'à l'aide de la **mécanique quantique**). Technique, parce que la suppression de la résistance électrique de matériaux réduit la perte dans les transmissions d'électricité, élimine l'échauffement (ce qui, dans le domaine des **semi-conducteurs,** permettrait des performances bien supérieures), autorise à imaginer l'emmagasinement de l'électricité (c'est-à-dire la possibilité de piles suscepti-bles d'alimenter des voitures pour de longs parcours), la mise au point de trains à lévitation magnétique ultra-rapides...

■ De 1911 à 1986, toutefois, la supracon-ductivité ne fut réalisable qu'à des tempéra-tures extrêmement basses, voisines du **zéro absolu,** soit — 273 °C. Si les savants qui en entrevoyaient les applications pratiques étaient nombreux, leurs efforts pour élever les températures auxquelles elle se mani-feste ne furent guère récompensés ; en 1986, la température la plus élevée que l'on eût obtenue était de 250 °C, soit 23,3 kelvins (1 **kelvin** étant équivalent à 1/273,16 de la température thermodynami-que du point triple de l'eau) — ce qui entraînait que la supraconductivité n'était acquise qu'au prix d'une dépense d'éner-gie, celle qui est nécessaire pour obtenir le refroidissement, de loin supérieure à celle qui pourrait être économisée. Mais, en 1981, Claude Michel et Bernard Raveau et leurs collaborateurs du laboratoire de cristallographie et science des matériaux à l'université de Caen synthétisèrent des oxydes métalliques, en fait des **oxydes de cuivre et de lanthane,** dopés au **baryum** ou au **strontium** ($La_{2-x}Ba_x\ CuO_{4-y}$, par exemple, x désignant la quantité de lan-thane auquel s'est substitué du baryum et y la quantité de défauts d'oxygène). Ils présentaient la propriété d'être d'excellents conducteurs dans des circonstances parti-culières : le dopage modifiait les modalités de passage des électrons dans les mailles cristallines des oxydes, en modifiant l'inter-action des électrons avec les excitations du réseau cristallin, dites **phonons.** Cette constatation confirmait le modèle théori-que d'explication avancé en 1979 par l'In-dien Benoy Chakraverty, du Centre natio-nal de la recherche scientifique à Grenoble.

■ Michel et Raveau ne recherchaient pas la supraconductivité, mais leurs travaux, qui se situent à la frange de la découverte et de l'invention, sont inséparables de la naissance des supraconducteurs à haute

température (relative). De fait, c'est en se fondant sur ces travaux qu'en 1986 les Suisses Georg Bednorz et Alex Müller, du même laboratoire de recherches I.B.M. à Zurich où était né le **microscope à effet tunnel** (voir p. 155), étudièrent les oxydes du type mis au point par Michel et Raveau, cette fois-ci du point de vue spécifique de la supraconductivité. Ils y observèrent une chute considérable de la résistance, de 23,3 k à plus de 30 k. Après vérification, c'est-à-dire après avoir constaté que les trois phénomènes ou « signatures » associés spécifiquement à la supraconductivité, dis-parition du magnétisme et anomalie de la chaleur spécifique, en plus de la baisse de la résistance, ils publièrent leurs travaux dans une revue de spécialistes, *Zeitschrift für Physik*. Bednorz et Müller se virent décerner le prix Nobel de physique 1987 (dans un temps record de quelques mois). La même année 1986, le Japonais Koichi Kitazawa, de l'université de Tokyo, l'Amé-ricain Paul Chu, de l'université de Hous-ton, puis les laboratoires américains A.T.T.-Bell à Murray Hill obtenaient des effets supraconducteurs au-dessus de 40 k. Puis on enregistrait la supraconductivité à 52 k (sous pression de 12 kilobars), et même entre 80 et 93 k, c'est-à-dire dans la portée de — 100 °C. A la fin de la décennie 80, on envisageait la possibilité d'obtenir la supraconductivité à tempéra-ture ambiante.

C'est l'un des trois inventeurs du transistor (voir p. 109), John Bardeen, qui, associé à Leon Cooper et Robert Schrieffer, a formulé en 1957 la théorie de la supraconductivité. Le cœur de cette théorie est la formation de paires d'électrons solidaires et la condensa-tion de ces paires dans un état quantique unique. C'est Chakraverty, cité plus haut, qui a complété cette théorie par celle qui suggère que la transition d'un matériau de l'état non conducteur à l'état conducteur est assurée par deux autres phénomènes : la modification des réseaux sous l'effet de la température et le rapport du couplage entre les électrons et l'excitation des réseaux cris-tallins, mesurée en phonons ou unités d'in-tensité.

industrie
& technologies industrielles

Le fait que l'essor de l'industrie moderne commence dans la seconde moitié du XIXe siècle laisserait supposer que les inventions dans ce domaine auraient dû dès lors proliférer de façon géométrique, sinon exponentielle. Il n'en est pourtant rien, et ce n'est, en effet, qu'un demi-siècle plus tard que les inventions majeures bourgeonnent. L'acier inoxydable, par exemple, ne date que de 1913, le caoutchouc butylique, de 1937...

L'industrie est lente à absorber les inventions de la chimie (voir p. 46), dont elle deviendra plus tard affreusement gloutonne.

Jusqu'alors, l'industrie est essentiellement « lourde ». Ce n'est que dans la seconde moitié du XXe siècle qu'apparaissent les inventions réellement originales, comme les alliages à mémoire, le kevlar, les ferrofluides, les textiles greffés, dont le potentiel, à la fin des années 80, était encore à peine prévisible.

En réalité, deux phénomènes capitaux expliquent cette singularité. Le premier est l'automatisation, qui a investi l'industrie lourde dès le milieu du XXe siècle et permis de réaliser les mêmes produits à des prix de plus en plus bas, ce qui a retardé d'autant l'entrée en scène de matériaux et de procédés nouveaux, donc forcément chers. Le second est la diversification, voire l'explosion, de ce qu'on appelait autrefois l'« industrie » et qui désignait essentiellement la sidérurgie, dont les territoires se sont considérablement rétrécis. On peut ainsi postuler que, dans l'industrie électronique, nouveau géant, la part de l'industrie proprement dite a quasiment fondu au bénéfice de la recherche ; une « puce », par exemple, réunit plusieurs centaines de transistors et son montage est devenu secondaire. En fait, ce n'est plus vraiment de l'industrie, mais de l'électronique et c'est pourquoi on n'y trouvera pas référence dans ce chapitre. Pareillement, l'industrie automobile, qui constitue l'un des derniers fleurons de l'industrie au sens ancien, est phagocytée par des créations qui relèvent de la chimie, comme les céramiques métalliques. Mi-chimique, mi-électronique, la voiture est à peine encore « industrielle ». Toutes les inventions qui s'y réfèrent sont étudiées dans le chapitre sur les transports.

Le terme même d'« industrie » se voit lentement dépouillé de son sens. Ainsi, on appelle actuellement « industrie des biotechnologies » un domaine où les installations n'occupent plus que quelques centaines de mètres carrés, surtout dévolus à des laboratoires, et où l'on fait travailler dans des tubes de nouveaux esclaves, les bactéries, à la production de substances comme l'insuline...

Acier inoxydable
Brearley, 1913.

L'acier dit inoxydable n'est pas absolument résistant à l'oxydation, comme son nom le laisserait supposer, mais il offre une résistance suffisante aux alkalis et aux acides courants pour justifier partiellement son nom. Il fut à la fois découvert et mis au point à Sheffield, en 1913, par l'Anglais Henry Brearley, grâce à un **alliage d'acier et de chrome,** et il connut immédiatement un grand succès. L'année suivante, la firme Krupp élaborait un acier encore plus résistant, constitué d'un alliage d'acier à 18 % de **chrome** et 8 % de **nickel.** La résistance à la corrosion dépend de la teneur en chrome. Les aciers dits **martensitiques,** obtenus par cisaillement, contiennent de 12 à 18 % de chrome et de 0,12 à 1 % de carbone ; les aciers dits **austénitiques,** à base de **fer gamma** et de **carbone,** sont réalisés selon la formule d'alliage de Krupp citée plus haut.

Agrafeuse
Gould, 1868.

Le premier système automatique d'agrafage fut inventé en 1868 par l'Anglais Charles Henry Gould à l'intention des relieurs-brocheurs. Dispensant ceux-ci de la couture des périodiques, l'agrafeuse permit d'accélérer la livraison de nombreuses publications.

Alliages à mémoire
Buehler, 1962.

Les alliages à mémoire, ainsi appelés parce que, façonnés et formés à chaud, ils se déforment à froid, mais reprennent leur forme initiale quand ils ont été réchauffés, ont été découverts dans les années 30. On explique leur transformation par la modification que subit leur **structure cristalline** selon la température, c'est-à-dire en passant de la **phase austénitique,** stable à haute température, à la **phase martensitique,** stable à basse température, cependant que le métal reste à l'état solide d'une phase à l'autre. En 1962, l'Américain W. Buehler, du Naval Ordnance Laboratory, découvrait que cette particularité était présente dans un alliage à parts égales de titane et de nickel, dit **Nitinol,** et l'appliquait à des structures expérimentales. La première application « officielle » en fut la réalisation par la N.A.S.A. d'une **antenne de satellite** qui, roulée en boule au lancement, se redressait dès qu'on y faisait passer un courant électrique.

■ Les alliages à mémoire, qui se caractérisent par des indices d'**élasticité** jusqu'à dix fois supérieurs à ceux des métaux et alliages ordinaires, permettent de réaliser, par exemple, des bagues de raccordement à force d'insertion nulle ; ils permettent également d'imaginer des composantes électroniques telles que des puces qui émettraient des messages différents selon les températures. On envisage aussi des équipements techniques tels que des robinets qui couperaient le jet dès que le liquide deviendrait trop chaud... En 1988, Pechiney réalisait des alliages à double mémoire de forme, c'est-à-dire prenant des formes différentes à trois niveaux distincts de température.

Béton armé
Hennebique, 1892.

Contrairement aux idées reçues, le béton est très ancien, puisqu'il avait été inventé par les Romains (voir ouvrage précédent). Le « secret » en fut perdu pendant le Moyen Âge, ne fut pas retrouvé à la Renaissance, mais progressivement redécouvert au XVIIIᵉ siècle, par l'Anglais John Smeaton, d'abord, qui fabriqua une sorte de « ciment romain » à base de galets argileux calcinés, puis par les Allemands Lippman et Schneckenburger, qui réalisèrent en 1859 les premiers essais de marbre artificiel.

■ L'invention du ciment armé, en 1848, devait mener en 1892 le Français Hennebique à inventer le béton armé. Il s'agit d'un béton à liant hydraulique dans lequel des **armatures métalliques** ont été insérées pendant le coulage, de manière à obtenir des blocs capables de résister à des **flexions** et des **tractions** auxquelles le béton ordinaire résisterait mal. Hennebique estimait alors que le béton armé offrait de meilleures garanties contre l'incendie. L'expérience a montré que la dilatation interne de l'armature métallique sous l'effet de la chaleur peut, en fait, entraîner des flexions et des tractions qui font exploser la gaine de béton. A cet égard particulier, le plâtre constitue encore, parmi les matériaux classiques, le meilleur retardateur des effets de l'incendie.

Carbure de tungstène (production industrielle du)
Moissan, 1907.

C'est en 1893 que le chimiste français Henri Moissan eut l'idée d'utiliser le **four électrique** pour obtenir la fusion de nombreux oxydes métalliques, de métaux tels que le chrome et le titane, ainsi que celle des carbures, hydrures, nitrures, siliciures et borures cristallisés. Ces travaux devaient s'étendre sur plusieurs années, et amorcèrent vers 1907 la production de carbure de tungstène. Celui-ci, un composé inorganique du carbone, est essentiel à la fabrication d'**aciers durs,** foreuses, scies et blindages de haute résistance ; il est produit en chauffant du tungstène en poudre en présence de noir de charbon, à des températures situées entre 1 400 et 1 600 °C. En 1927, les firmes Krupp Gesellschaft, allemande, et General Motors, américaine, appliquèrent et développèrent le procédé Moissan à la production de **carbures de tungstène au cobalt,** connus actuellement sous leurs noms industriels déposés de Widia (Krupp) et Carboloy (G.M.).

Cermets
Collectif, à partir de 1960.

On appelle cermets des **matériaux à squelette céramique** auxquels sont incorporés des métaux. Il s'agit de matériaux nouveaux, capables de résister à de très hautes températures, grâce à leurs teneurs en **carbures, borures** et **oxydes.** Ils sont agglomérés par **frittage,** c'est-à-dire cuisson à des températures inférieures à la fusion de leurs éléments (en poudre), sous de très fortes pressions. Certains sont à 70 % d'alumine et 30 % de chrome, d'autres à base de borures de chrome, de titane et de zirconium, d'autres à base de carbure de titane et de cobalt.

En plus de leurs **propriétés réfractaires,** les cermets possèdent une forte résistance à la traction mécanique et ils sont parfaitement stables chimiquement.

■ On ne peut assigner d'inventeur originel aux cermets, qui sont en fait des dérivés des céramiques au sens ordinaire de ce mot. C'est à partir des années 60 qu'on a commencé à se tourner vers les céramiques métalliques, seuls matériaux assez stables pour supporter les très fortes températures du jet des fusées ; aucun alliage connu, en effet, ne convenait à la fabrication des ailettes qui guident la direction de ce jet. On les utilise aussi pour la fabrication des rotors de turbines de moteurs à réaction et comme revêtements d'engins spatiaux tels que le *Challenger* américain, appelé à subir de très fortes températures lors de sa rentrée dans l'atmosphère. L'industrie automobile prévoit qu'à la fin du XXᵉ siècle la majorité des moteurs sera en cermets.

Ciseau laser pour textiles
Hughes Aircraft, 1980.

Largement utilisé dans l'**industrie de la confection,** le ciseau laser, capable de couper nettement de nombreuses épaisseurs de tissu, fut mis au point par la firme américaine Hughes Aircraft Corp., en 1980.

Coupe par jet fluide
Yi Hoh Pao, 1970.

Le premier outil de coupe efficace par jet de fluide sous pression fut inventé en 1970 par l'Américain d'origine chinoise Yi Hoh Pao, ancien employé de la firme aéronautique Boeing. Éjectant un liquide à 800 m/s sous une pression pouvant atteindre 4 000 bars, c'est une **buse** capable de couper un bloc de béton avec la finesse d'un couteau. L'idée d'utiliser un jet d'eau pour couper un corps solide est ancienne, puisque, dès le début du siècle, aux temps de la Ruée vers l'or, certains ingénieurs arasaient des collines en utilisant des jets d'eau sous pression. Vers 1930, des amplificateurs de pression hydraulique existaient sur le marché et auraient pu permettre de fabriquer des buses de coupe hydraulique ; la difficulté qui s'y opposait était la **vaporisation de l'eau** éjectée sous des pressions aussi élevées. Le mérite de Yi Hoh Pao fut d'incorporer à l'eau un **polymère à longue chaîne** qui prévenait la vaporisation.

Craquage catalytique du pétrole
Houdry, 1928.

On appelle craquage (en anglais **cracking**) la conversion, par l'effet de la chaleur, d'**hydrocarbures lourds,** tels que ceux qui sont directement extraits du sol, en **hydrocarbures légers,** tels que ceux qui sont utilisés comme carburants. En chimie, on dit, de manière plus précise, que le craquage consiste à scinder un hydrocarbure aliphatique saturé, en fait une paraffine, en une paraffine et une oléfine comportant des nombres moindres d'atomes de carbone. En 1928, le Français Eugène Houdry imagina d'obtenir la scission des paraffines primaires en utilisant un catalyseur qui serait constitué d'**aluminosilicates cristallisés,** en fait de l'argile. En effet, ces substances acides favorisent la rupture des liaisons carbone-carbone. Ce système permit, en opérant à des températures de 500 °C, d'obtenir un rendement pondéral de 45 à 50 % d'essences claires, à indice d'octanes situé entre 91 et 93. Son inconvénient est que ce processus entraîne la formation de coke à la surface du catalyseur, ce qui exige que l'on procède à un brûlage à l'air.

Ce type de craquage est dit **catalytique** et se différencie du craquage **thermique,** en principe réservé à des hydrocarbures plus légers.

Enregistrement optique du son
De Forest, 1920 ; Philips, 1979 ; 3 M Inc., 1981.

Le premier inventeur qui ait imaginé de transformer les ondes sonores en impulsions lumineuses d'intensité correspondante par l'intermédiaire d'une **cellule photoélectrique** sur pellicule sensible et de retranscrire les images obtenues en son par le procédé inverse fut l'Américain Lee De Forest en 1920. Il avait sans doute eu un précurseur dans ce domaine, l'Anglais William Du Bois Duddell qui, en 1901, avait réalisé un enregistrement de sons sur une surface sensible, mais le procédé De Forest était le premier qui pût être utilisé pour la transcription des sons synchronisée avec l'image sur une piste latérale, à l'usage des films de cinéma. De Forest essaya de convaincre l'industrie cinématographique de l'intérêt de son invention, mais d'abord celle-ci n'était pas au point et, ensuite, De Forest n'avait pas le sens des affaires et se fit une fois de plus gruger : quelques années plus tard, un procédé étrangement ressemblant au sien s'imposa et lança le film parlant.

■ L'enregistrement optique du son resta longtemps réservé au cinéma, mais, dès le début des années 70, de nombreux inventeurs s'efforcèrent de l'appliquer aux disques musicaux. En 1979, Philips lança le **disque compact** à lecture optique. La différence avec le procédé De Forest tenait au fait que le son n'était plus transcrit de manière **analogique,** mais qu'il était codé sous forme **numérique** et que le défilement des microcuvettes du disque se faisait au rythme d'environ 4 millions par seconde ; ce procédé, qui mit plusieurs années à s'imposer, en raison du coût élevé des appareils de lecture et des disques eux-mêmes, présentait une finesse bien supérieure à celle du microsillon.

■ En 1981, la firme américaine 3 M Inc., de Saint Paul (Minnesota), mettait au point un procédé fiable de production des **alliages de minerais rares,** capables de supporter une température de gravure laser de 150 °C seulement sans modification de la structure chimique, c'est-à-dire sans oxydation ni décomposition. Cela permettait d'utiliser le même disque pour de nouveaux enregistrements plusieurs millions de fois. Le **disque optique effaçable** était né. De plus, ces alliages, gadolinium-terbium-fer, terbium-fer-cobalt ou terbium-fer, offrent une qualité de reproduction supérieure à celle des moyens antérieurs d'enregistrement du son.

Les disques optiques effaçables sont dits **magnéto-optiques** parce que le magnétisme joue un rôle important dans leur utilisation ; en effet, pour un effacer les données, il suffit d'en inverser le champ magnétique (nord en bas).

Fibre de verre industrielle
Owens Illinois Glass Company, 1931 ; Chevrolet, 1953.

Bien qu'inventée au XVIIIe siècle (voir ouvrage précédent), la fibre de verre passa longtemps pour une curiosité sans grand avenir. On peut donc parler de réinvention à l'occasion de sa production industrielle en 1931 par la firme américaine Owens Illinois Glass Company. Le tissu de fibre de verre commençait à être utilisé sur une grande échelle pour ses propriétés **d'isolant thermique.** Il est difficile d'identifier avec précision l'ingénieur qui en vérifia les propriétés mécaniques, mais il est certain que la première firme qui utilisa la fibre de verre pour réaliser des **carrosseries** entières d'automobile fut l'américaine Chevrolet en 1953. La souplesse du nouveau matériau lui permit de fabriquer à prix relativement réduit des carrosseries dont le profil audacieux eût exigé un travail de tôlerie beaucoup plus coûteux, et dont la légèreté était incomparable. Le premier modèle ainsi construit donna naissance à la série des voitures de sport Corvette. La construction de **carénages** en fibre de verre gagna rapidement le domaine de la **marine de plaisance.**

Fibres de carbone
Courtaulds Ltd., 1964.

L'une des inventions les plus importantes dans le domaine des **fibres synthétiques** a été, à coup sûr, celle des fibres de carbone ; cette création, qui n'entre pas essentiellement dans le domaine des textiles, mais dans celui de l'industrie et notamment des industries aéronautique et automobile, a fourni en effet l'un des matériaux les plus solides de l'histoire. Il n'est pas possible de lui assigner une date précise, ni un inventeur déterminé. C'est dans les années 30 qu'on s'est avisé de la possibilité de fabriquer des fibres polymérisées constituées de **longues chaînes d'atomes de carbone,** aux liaisons extrêmement fortes. Le processus consiste à supprimer (par la chaleur) les appendices des **fibres organiques** ordinaires, par exemple les fibres cellulosiques comme la rayonne de viscose, de façon à n'avoir que des fibres d'une haute orientation spécifique moléculaire, entièrement en carbone. Cela se fait dans des conditions de température précises, par pyrolyse ; à moyenne température, on obtient des fibres de carbone ; à haute température, du **graphite,** moins résistant, mais meilleur conducteur électrique.

■ Les fibres de carbone, qui sont très stables mécaniquement et thermiquement, sont employées pour la fabrication de **matériaux composites** appelés à subir des contraintes importantes, comme ceux des rotors des compresseurs de turbines d'aviation, les revêtements des engins spatiaux et les matériaux utilisés pour les engins submersibles destinés aux grandes profondeurs. La première firme qui ait produit des fibres de carbone est, en 1964, la britannique Courtaulds Ltd., sous le nom de Graphil, après des recherches poursuivies pendant vingt-huit ans par la Royal Air Force. La firme américaine Hercules Inc. a également produit la même année des fibres de carbone.

Fibres optiques
Kapany, vers 1955.

On appelle fibres optiques (le terme est utilisé au pluriel) des **fibres de verre** transparent contenant un **cœur** et une **gaine,** le premier présentant un indice de réfraction plus élevé. Un rayon lumineux y voyage par réflexions successives. L'invention est un dérivé des fibres de verre, dont les premières furent réalisées au XIXᵉ siècle.

■ Ce fut, vers 1955, l'Indien Narinder S. Kapany, plus tard naturalisé américain, qui envisagea d'utiliser des fibres de verre enrobées d'une gaine pour conduire la lumière selon des trajectoires non rectilignes. Les premières applications furent destinées à la fabrication d'**endoscopes** pour la médecine exploratoire. Constituant des **guides d'ondes optiques,** ces fibres firent l'objet d'études qui proposaient de les utiliser pour les communications à longue distance, selon le principe suivant : à l'émission, un **modulateur** y transformait les signaux lumineux en signaux électriques et, à la réception, ces derniers étaient transformés de nouveau soit en impulsions lumineuses égales, selon le système numérique, soit en impulsions lumineuses modulées, selon le système analogique. Une difficulté technique s'y opposait : pour voyager sur de longues distances, le signal lumineux devait bénéficier d'un milieu très pur, c'est-à-dire que la fibre ne devait absorber que très peu de lumière, ce qui n'était pas encore réalisable. Cela le devint toutefois dès 1960 quand les Corning Glass Works américaines trouvèrent le moyen de fabriquer des verres très purs. Dès le milieu des années 70, la transmission des **signaux vidéo** par fibres optiques était un fait acquis.

Fluide Filisko
Filisko, 1988.

Dans un système d'**amortisseur hydraulique** ordinaire, le fluide utilisé possède une **viscosité** donnée qui limite l'utilisation de l'ensemble du système à des conditions de température déterminées. En effet, le même fluide ne peut pas avoir les mêmes propriétés à 0 °C qu'à 100 °C, par exemple. En 1988, un professeur d'ingénierie métallurgique américain de l'université du Michigan, Frank Filisko, a inventé et mis au point un fluide hydraulique dont la viscosité est modifiée par l'application d'un courant électrique très faible, en fonction des circonstances. Un **champ électrique** intense, par exemple, congèle le liquide, un champ plus faible réduit sa viscosité de moitié, etc. Le même fluide peut donc supporter des **pressions,** des **tensions** et des **frottements** de valeurs très étendues, passant de l'état de gel à celui d'hypervisco-

sité dans des délais très courts (jusqu'à 1 milliseconde). De plus, les modifications de viscosité peuvent être commandées par un micro-ordinateur.

■ Non toxique et susceptible de supporter des températures de l'ordre de 150 °C, le fluide Filisko est commode à préparer, puisqu'il suffit de verser une poudre, dont la nature est protégée par un brevet, dans n'importe quel liquide de viscosité initiale satisfaisante, par exemple de l'huile minérale. Un « quart » américain, soit 0,946 l, était commercialisé en 1988 au prix de 3 $, soit environ 18 F. Propriété de la firme Tremec Trading Co., du Michigan, le fluide Filisko peut modifier considérablement la conception de tous les systèmes hydrauliques, notamment dans la construction automobile.

Kevlar
Kwolek et Du Pont de Nemours, 1964-1973.

Fibre d'une exceptionnelle résistance, du **groupe aramide** et constituée de polyparaphénilènetérephtalamide, le Kevlar fut mis au point en 1964 par l'Américaine Stephanie Kwolek et des chercheurs de la firme américaine Du Pont de Nemours. Fourni à des offices fédéraux en 1969 sous le nom de PRD-49, il a été commercialisé sur une plus large échelle en 1973.

Label d'origine
An., Grande-Bretagne, 1887.

C'est en 1887 que le Parlement britannique, inquiet de la forte concurrence de l'industrie allemande, représentée par des Alfred Krupp et des Werner Siemens, vota le **Merchandise Marks Act,** qui spécifiait que tout produit fabriqué en Allemagne et franchissant les frontières de l'Empire britannique devrait porter la mention *Made in Germany*. Par la suite, l'imposition du label fut étendue à toutes les marchandises étrangères. Le Parlement de Londres espérait que cette mention inciterait les sujets britanniques à préférer les marchandises nationales. Le calcul se révéla erroné.

Lubrifiant non gras
Du Pont de Nemours, 1961.

Spécialisée dans la production de matériaux synthétiques, la firme américaine Du Pont de Nemours mit au point en 1961 un **composé fluoré,** non gras, thermostable, qui adhérait à son support, mais aussi imprégnait par frottement toute surface solide en contact avec lui. Non gras, ce matériau présentait l'avantage de ne pas imposer de renouvellement parce qu'il s'était chargé de poussières à l'usage. Ce fut le premier des lubrifiants solides non gras, et il ouvrit la voie à l'invention du Teflon.

Marteau piqueur pneumatique
Sommelier, 1861.

L'idée d'utiliser l'**air comprimé** pour déclencher des chocs en rafale fut conçue par le Français Germain Sommelier, en 1861. Cet instrument d'un type nouveau devait rendre des services inestimables dans le percement du tunnel du Mont-Blanc.

Mousse de latex
Murphy, Chapman et Dunlop, 1929.

Pour alléger le **caoutchouc,** qui est assez lourd sous sa forme compacte, l'ingénieur américain E.A. Murphy, des Dunlop Latex Development Laboratories, eut en 1929 l'idée de battre le latex en mousse avec un fouet culinaire, comme si c'était du blanc d'œuf... Il obtint, en effet, une mousse de latex que les bulles d'air allégeaient, mais qui, en l'état préliminaire des recherches, ne « tenait » pas jusqu'à son durcissement. C'est son collègue W.H. Chapman qui trouva le procédé permettant de polymériser la mousse au moment où elle contient le maximum de bulles d'air et, surtout, c'est lui qui eut l'idée de couler cette mousse dans des moules. Ce fut le point de départ du Dunlopillo, qui allait entraîner un bouleversement considérable dans la tapisserie industrielle (sièges d'autos et salles de spectacle) et artisanale.

Oléoduc commercial
Van Syckel, 1863.

Le premier de tous les oléoducs ou « **pipe-lines** » commerciaux semble être celui qu'installa en 1863 en Pennsylvanie l'Américain Samuel Van Syckel, entre son exploitation pétrolière et une gare ferroviaire à quelque 10 km de là.

Peinture bactéricide
Henrion et S.L.P.V., vers 1970.

Il s'agit d'une peinture contenant des substances qui neutralisent bactéries et champignons responsables de **maladies professionnelles** ; elle a été inventée dans les années 70 par le Français Lucien Henrion, fondateur de la Société lorraine de peintures et vernis. Les types de peintures utiles sont réalisés sur commande.

Peinture solaire
Los Alamos National Laboratory, 1985.

Un type de peinture capable de capter l'**énergie solaire** a été mis au point en 1985 au Los Alamos National Laboratory des États-Unis. Elle contient des particules métalliques qui retardent la dissipation de la chaleur. Son rendement est de 10 à 20 % supérieur à celui des peintures noires traditionnelles.

Plastiques à mémoire
Nippon Zeon, 1987.

On appelle plastiques à mémoire des **matériaux synthétiques** dont la forme se modifie de manière déterminée selon la température. Ainsi déformé à une température donnée, un plastique à mémoire reprend sa forme initiale à une autre température et la conserve. Le premier plastique à mémoire est un **élastomère** découvert en 1987 par la firme japonaise Nippon Zeon. A une température de 37 °C, ce matériau, monté, épouse ce qu'on peut appeler sa forme mère, puis il est refroidi. Les déformations, déchirures et altérations diverses subies ensuite sont effacées dès que le matériau est soumis de nouveau à 37 °C, température garante de son intégrité. Le phénomène s'explique par une grande **densité moléculaire,** qui permet un stockage de l'énergie des contraintes appliquées. Au-dessus de 37 °C, le plasti-que à mémoire se comporte comme un caoutchouc ; au-dessous, il se rétracte et durcit. Les applications possibles n'avaient pas fini d'être explorées à la fin des années 80. Les inventeurs imaginaient, par exemple, de fabriquer des pneus à clous incorporés ; les clous seraient invisibles au-dessus de 0 °C, mais la rétractation du matériau les ferait apparaître à partir de ce seuil. D'autres applications ont été envisagées, toujours dans l'industrie automobile, notamment pour les carrosseries. Les pièces de celles-ci les plus exposées aux chocs pourraient retrouver leur forme après un simple passage à la chaleur originelle.

L'impact d'une balle de revolver dans un plastique à mémoire disparaît au réchauffement jusqu'à n'être plus visible à l'œil nu.

Plastiques conducteurs
Shirakawa, vers 1975 ; McDiarmid et Heeger, 1977...

La mise au point des **plastiques conducteurs d'électricité,** entité chimico-physique qui eût semblé aberrante en 1950 — l'une des propriétés essentielles des plastiques étant justement leur **pouvoir isolant,** c'est-à-dire leur non-conductivité —, dérive d'une découverte accidentelle. En 1972, un chercheur du laboratoire de Hideki Shirakawa, à l'Institut de techno-logie de Tokyo, essaya de fabriquer un polymère, le **polyacétylène,** qui était connu depuis 1955 et qui se présente sous l'aspect d'une poudre noire. Il obtint une substance complètement différente, rappe-lant une feuille d'aluminium élastique. Il avait commis une erreur et ajouté une dose de **catalyseur** mille fois supérieure à celle qui était requise ; il avait bien réalisé du polyacétylène, mais sous une forme différente et inconnue jusqu'alors. L'aspect métallique de cette substance et sa conduc-tivité électrique devaient évidemment intri-guer Shirakawa, qui entreprit l'étude de ce qu'on appela alors les **métaux synthéti-ques.** L'étape suivante fut franchie en 1977 lorsque Shirakawa et les Américains Alan G. McDiarmid et Alan J. Heeger, avec lesquels il travaillait à l'université de Pennsylvanie, eurent l'idée de doper ce nouveau matériau à l'**iode.** Ils obtinrent un type de polyacétylène qui ressemblait cette fois à une feuille d'or et qui était un milliard de fois plus conducteur. Ainsi naquirent les plastiques conducteurs ; on en comptait une douzaine dix ans plus tard. Il s'agit d'atomes de carbone et d'atomes d'hydrogène organisés en chaînes de **monomères** qui, à leur tour, sont organi-sés en polymères. Le plus conducteur d'en-tre eux est le polyacétylène.

■ Pour comprendre que certains plasti-ques puissent être conducteurs, ainsi que la portée de ce phénomène, il faut savoir que cette propriété est liée à leur structure atomique. Les électrons ne peuvent se propager dans une structure qu'entre les liaisons atomiques, à la manière d'abeilles qui se glisseraient entre les mailles d'un treillage. Ce faisant, ils franchissent des niveaux d'énergie, dits **bandes,** qui ont des capacités déterminées d'absorption des électrons. Ils ne peuvent franchir que des bandes de niveaux énergétiques détermi-nés, c'est-à-dire qui ne soient ni saturées, ni vides. Ainsi, quand ils pénètrent dans une bande moyennement chargée, ils la saturent et les électrons qui arrivent ensuite éjectent les premiers, pour employer une image. Les métaux conducteurs se caracté-risent par des bandes qui sont propices aux échanges d'électrons ; les matériaux non conducteurs le sont parce qu'ils présentent des bandes soit saturées, soit vides. Les plastiques conducteurs présentent des ban-des propices à la conduction de l'énergie en raison de leur structure atomique différente des plastiques ordinaires, différence due aux dopants (l'iode dans le cas du polyacé-tylène) qui forment des îlots de relais.

■ A la fin de la décennie 80, on s'efforçait toutefois d'établir une théorie complète de la conductivité dans les plastiques conduc-teurs, qui était encore mal connue. Il est possible que l'un des facteurs d'explication soit l'orientation même des chaînes de polymères. On envisageait, une fois la théorie établie, de développer des plasti-ques **supraconducteurs** (voir p. 127), des **cellules photoélectriques** et des **batte-ries solaires** à partir de ces plastiques, qui ont la propriété particulière d'absorber la lumière ; dans le domaine médical, on envisageait des **prothèses nerveuses** (en **polypyrrole).**

Susceptibles d'être aussi bien tissés que dissous dans des liquides, les plastiques conducteurs ont ouvert de très nombreuses voies scientifiques et techniques qu'il n'était possible, dans les années 80, que d'imaginer partiellement.

Stéréolithographie
3 D Systems, 1987.

La firme américaine 3 D Systems Inc., qui a inventé et breveté ce système en 1987, lui a donné le nom, étymologiquement impropre, cité en tête de rubrique ; il s'agit en fait de **stéréoplastie** rapide. Le procédé consiste à réaliser des **prototypes** de pièces mécaniques en plastique et dans des délais de quelques minutes à quelques heures, donc considérablement plus courts que ceux qui sont d'habitude nécessaires à ces prototypes.

■ Pour ce faire, le prototype est dessiné sous toutes ses faces, selon les paramètres requis, avec l'assistance d'un ordinateur.

Ces paramètres tridimensionnels commandent ensuite les déplacements d'un faisceau **laser à ultraviolets** dirigé sur un réservoir de plastique liquide, transparent ; le plastique est instantanément polymérisé et il ne reste plus qu'à le retirer du liquide ou bien, s'il s'agit seulement d'un élément du prototype, à réaliser l'assemblage des différents éléments selon la même technique. Dans ce dernier cas, l'ensemble est recouvert d'une couche de plastique polymérisé.

Lors de sa commercialisation, ce système, dit SLA/I, ne pouvait toutefois que traiter des prototypes d'une superficie maximale de 30 cm² et sa précision était limitée par le facteur de rétraction du plastique.

Textiles greffés

U.S. Army, vers 1950 ; I.T.F., vers 1963.

On appelle textiles greffés essentiellement des textiles de **polymères** modifiés en fonction de propriétés spécifiques recherchées, bien que la « greffe » puisse se pratiquer sur des fibres naturelles. La modification de la molécule consiste, dans son principe, à casser la chaîne macromoléculaire du polymère pour insérer, entre les liaisons cassées, un **monomère instable,** le « greffon », dont une double liaison instable favorise la fixation. Cette technique confère alors au textile des propriétés extrêmement variées, décrites plus bas.

■ Il est difficile d'assigner une date et un auteur à l'origine de l'invention, celle-ci ayant apparemment eu lieu aux États-Unis, dans les années 50, mais étant depuis lors couverte par le secret militaire ; le bénéficiaire en est en effet l'armée américaine. Pour autant qu'on le sache, la technique visait à la fabrication de **vêtements infroissables** pour le personnel militaire, technique qui a, depuis lors, largement gagné les vêtements civils. Il ne semble pas que les recherches inaugurées par les Américains aient été activement poursuivies aux États-Unis. Mais, vers 1963, l'I.T.F., ou Institut textile de Lyon, les reprenait pour sa part et les faisait considérablement avancer.

■ Ces recherches ont d'abord visé les textiles d'habillement ; elles ont abouti à des procédés qui assurent des teintures stables, des fibres dotées d'une « tenue » particulière ou d'une texture spécifique, par exemple soyeuse ou laineuse, et notamment des **fibres hydrophobes,** repoussant naturellement l'humidité, et **ignifugées** (de nombreuses réglementations nationales et étrangères exigeant désormais que certains tissus, pyjamas d'enfants, revêtements de sièges d'établissements publics, d'avions, d'autos, etc., soient traités contre le feu).

■ L'I.T.F. utilise quatre procédés différents pour le greffage : par **activation chimique,** préférée pour les fibres naturelles ; par **rayonnement ionisant,** appliqué par canon à électrons ; par **ozonisation,** encore au stade expérimental en 1988, étant donné les difficultés d'utilisation de l'ozone ; et par application de **plasma froid.** Ce dernier procédé se différencie des précédents par le fait que ce ne sont pas les polymères qui sont activés, mais le monomère, qui peut alors casser le polymère pour s'y insérer.

■ Ces recherches, qui ont très sensiblement abaissé les coûts de fabrication des textiles courants, ont débouché sur des secteurs situés au-delà des utilisations ordinaires des textiles. C'est ainsi que l'on envisage de mettre au point des **filtres épurateurs,** susceptibles de capter des polluants spécifiques, mazout, produits chimiques, gaz toxiques, etc. Il est aussi possible que des pots catalytiques d'un type nouveau apparaissent dans l'industrie automobile au début de la décennie 90.

■ Dans le domaine médical, on prévoit à l'I.T.F. de produire en collaboration avec l'institut Pasteur des **textiles autostériles, bactéricides ou hémostatiques.** En U.R.S.S., des recherches parallèles avaient permis, d'ailleurs, de fabriquer dès 1985 des gazes de pansement hémostatiques. Enfin, on peut imaginer également des tissus isolants ou, au contraire, conducteurs de l'électricité, étanches aux ondes radar, voire à la radioactivité, et, dans le domaine de la mode, des tissus changeant de couleur sous l'effet de la température... Les textiles greffés, qui représentent la « deuxième génération » des tissus synthétiques, doivent être rapprochés des **cryptates** (voir p. 51).

Tissu synthétique contractile
A.I.S.T., 1988.

Il n'existait pas, fin 1988, de dénomination générique généralement admise pour un matériau à base de **gel d'alcool polyvinylique,** mis au point par l'Agency of Industrial Science and Technology du Japon, et possédant la propriété de se contracter en présence d'**acétone** et de se dilater en présence d'**eau.** Il n'existait pas non plus de prévisions précises d'applications pratiques pour un tel matériau, dont la contraction exerce une force d'environ 1 kg par cm². On envisageait, toutefois, sur ce principe, la possibilité de fabriquer ultérieurement des **prothèses à fonction musculaire.**

Tôle ondulée
Carpentier, 1853.

Le nervurage des plaques de tôle par **emboutissage** fut inventé en 1853 par le Français Pierre Carpentier. Appelé tôle ondulée, ce matériau devait permettre de résoudre commodément les problèmes de **toitures métalliques,** notamment pour les entrepôts et hangars, dans le monde entier. Il n'a guère changé depuis.

Tube Ranque
Ranque, 1928.

Le tube Ranque est une des inventions les plus singulières de la **thermodynamique**. Il contrevient, en effet, à une loi qui stipule qu'on ne peut séparer l'eau tiède en eau froide et en eau chaude et satisfait à une hypothèse célèbre, celle du « démon » du physicien anglais George Clerk Maxwell (voir p. 123), qui, justement, séparait les molécules agitées, celles qui sont chaudes, de celles qui ne le sont pas, les froides. Étudiant dès 1922 les **écoulements tourbillonnaires,** le Français Georges Ranque mettait au point en 1928 un tube à tourbillon et à pointeau, dont dérive le tube qui porte son nom (voir p. 142). Alimenté avec de l'**air comprimé,** qui vient s'y détendre, ce tube est donc le siège d'un refroidissement. Butant sur un pointeau à l'extrémité opposée à celle de l'injection, l'air chaud se sépare en deux flux, dont l'un, chaud, est éjecté, cependant que l'autre, repartant en arrière, se refroidit progressivement. Surtout utilisé en industrie, le tube Ranque resta longtemps méconnu, jusqu'à ce qu'il fût redécouvert en 1945 par l'Allemand Rudolf Hilsch, qui cita bien les travaux de Ranque, mais donna son nom à ce tube ; il est donc parfois connu sous le nom de **tube Hilsch** et parfois même sous celui de **tube Vortex** (voir dessin page suivante).

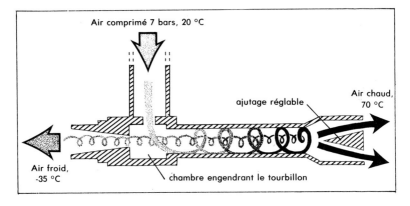

Air comprimé 7 bars, 20 °C

ajutage réglable

Air chaud, 70 °C

Air froid, -35 °C

chambre engendrant le tourbillon

Le tube Ranque est fondé sur un principe d'une désarmante simplicité : si l'on injecte de l'air comprimé dans un tube du profil représenté ci-dessus, il entraîne un tourbillon en spirale vers la droite. En progressant, ce tourbillon se réchauffe et, à la sortie, il se sépare en deux flux, l'un qui quitte le tube et l'autre qui repart en arrière, toujours en spirale, mais à l'intérieur du premier tourbillon. Au fur et à mesure qu'il refait son chemin en sens inverse, ce tourbillon secondaire se refroidit ; il sort, à gauche, à des températures variant entre − 35 et − 75 °C.

Ventilateur

Guibal, 1858 ; Ser, 1878.

Le principe du ventilateur d'aération semble dériver tout naturellement du moulin à vent qui est très ancien et des turbines (voir ouvrage précédent), qui remontent au moins au XVIIᵉ siècle. Il n'en est rien et l'une des singularités de l'histoire des techniques veut qu'au milieu du XIXᵉ siècle, où l'aération des locaux publics, salles de spectacle et ateliers faisait problème, nul n'avait conçu un appareil aussi simple qu'un appareil à **pales sur axe**, mû par la vapeur, par exemple, soit pour évacuer l'air pollué, soit pour injecter de l'air frais.
■ Parmi les lieux où s'imposait le plus cruellement un système de ventilation, il y avait les **mines.** Même peu profondes, l'air y devenait rapidement irrespirable et, dès le XVIIIᵉ siècle, on conçut et réalisa des **pompes** qui injectaient de l'air frais jusqu'à une distance d'environ 500 m. C'était évidemment mieux que rien, mais, du fait de la médiocrité de leur rendement — l'injection d'air frais ne suffisait guère,

par ailleurs, à dépolluer l'air —, on chercha une solution de remplacement ; on la trouva pendant quelque temps en plaçant des **foyers** allumés à la sortie des puits, où ils créaient des appels d'air. Mais là ne résidait cependant pas la solution au **grisou,** responsable d'innombrables et meurtrières explosions. En 1838, le Français Charles Combes avait publié la première analyse scientifique du problème, d'où il ressortait qu'il fallait d'abord évacuer l'air des mines, que la circulation d'air devait donc se faire de bas en haut et par des **cheminées étanches** en percée directe.
■ Depuis 1820, on employait pour l'aération des mines ce que l'on appelait des **ventilateurs volumigènes.** C'étaient en fait des pompes qui comprimaient l'air dans les mines pour en faciliter l'évacuation. Le rendement en laissait à désirer et, mis à part leur considérable encombrement, les ventilateurs volumigènes présen-

taient l'immense inconvénient de bloquer l'aération en cas d'arrêt.

- La solution vint enfin en 1858 quand le Français Théophile Guibal inventa un **ventilateur dynamique,** dit à palettes enveloppées, qui captait l'air des mines par une cheminée, à l'intérieur d'une chambre

étanche, puis l'éjectait à l'extérieur. Il fut immédiatement adopté par les mines du monde entier.

Vingt ans plus tard, le Français Louis Ser publiait la première **théorie analytique des ventilateurs,** qui ressortissait à la mécanique des fluides.

Il est intéressant de noter que le ventilateur à pales, qui mit si longtemps à s'imposer, fut utilisé dès 1553 pour l'aération des mines par l'Allemand Georg Bauer, plus connu sous son nom latin de Georgius Agricola. L'appareil était actionné à main d'homme. On discuta ensuite durant des siècles des raisons pour lesquelles il convenait d'aérer les locaux. Les uns arguaient que c'était en raison de la chaleur et d'autres, de l'espace. Lavoisier suggéra, en 1777, que c'était dû à l'accroissement de **gaz carbonique** dans les locaux occupés, mais l'Allemand Max Joseph von Pettenkofer démontra en 1863 que celui-ci représentait un volume trop faible, de 0,03 % à 0,05 %, pour expliquer les résultats observés, et que l'appauvrissement correspondant en **oxygène** était de 1 %, donc également insuffisant pour expliquer le besoin d'aération.

Vers 1885, le médecin français Charles

Edmond Brown-Séquard avança la théorie, qui paraît aujourd'hui bien étrange, selon laquelle les effets délétères observés dans un air confiné seraient dus à ce qu'il appelait des « **anthropotoxines** » ou **matière morbifique,** qui n'était pas sans rappeler les « **miasmes** » auxquels ses confrères avaient, jusqu'à Pasteur, attribué la propagation des maladies contagieuses. Ce n'est qu'au début du XXᵉ siècle que l'Allemand Karl Flügge, dont le souvenir est resté attaché à la définition des gouttelettes qui portent son nom, démontra que les effets néfastes du manque d'aération procèdent d'une inhibition de la déperdition naturelle de chaleur du corps humain, par radiation (les **gouttelettes de Flügge** sont celles qui, constituées de salive, sont normalement vaporisées dans l'air lorsqu'on parle, et qui charrient des germes susceptibles de contaminer l'interlocuteur).

Verre armé
Appert, 1893.

L'essor des architectures en fer, qui faisaient grand usage de **verrières,** inspira en 1893 au Français Léon Appert l'invention du verre armé, à structure métallique interne, d'un principe apparenté à celui du béton armé découvert l'année précédente.

Verre thermorésistant
Zeiss, 1884.

C'est en 1884 que l'Allemand Carl Zeiss réalisa un **verre au borosilicate,** particulièrement riche en **acide borique**, qui présentait des qualités exceptionnelles de **résistance à la chaleur**. Ces résultats menèrent à la fabrication de verres thermorésistants particuliers, tels que le **pyrex**.

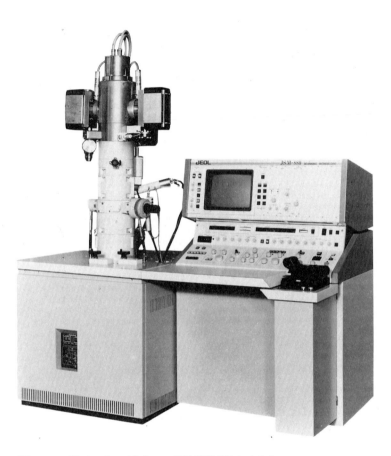

Microscope électronique à balayage JEOL (JSM 890) équipé d'un canon à émission de champ. Cet appareil est le premier à pouvoir obtenir une résolution de 0,7 nm.

instruments de mesure et d'observation

Il faudrait à coup sûr un volume entier pour recenser tous les instruments de mesure et d'observation inventés depuis 1850, en ne consacrant pourtant à chacun que quelques lignes. C'est dire que les inventions présentées dans ce chapitre sont celles que nous avons considérées comme les plus marquantes. Sans l'interféromètre, en effet, dont on compte bien une vingtaine de variantes à buts spécifiques, notre connaissance du cosmos serait fort médiocre, et la physique théorique en souffrirait beaucoup. Sans l'objectif photo, la photographie n'existerait pas, et nous épargnerons au lecteur les conséquences d'une telle lacune. Sans la radiographie, la médecine serait bien en peine, elle aussi... Et ce ne sont là que quelques exemples.

En réalité, le progrès dans ce domaine a commencé dès le XVIIe siècle, et il eût été impensable que ces instruments ne fussent pas inventés un jour ou l'autre ; ils répondaient en effet au besoin inné de percevoir ce qui se trouve au-delà des potentiels de nos sens. Pourquoi ? Pour satisfaire l'instinct irrépressible de découverte, d'abord, pour vérifier les mesures que nous faisons du monde physique depuis la haute antiquité, ensuite. Les savants, pas plus que les hommes en général, pour ne pas dire beaucoup moins, ne se sont jamais satisfaits de la parabole de Platon selon laquelle nous, humains, ne voyons du monde qu'une projection d'ombres sur le fond d'une caverne...

Peut-être les instruments de mesure et d'observation paraîtront-ils un peu arides. Et pourtant, l'aventure dont ils constituent les jalons est bien émouvante, dans sa ténacité. Les Grecs commencent par évaluer le méridien terrestre, les Français le vérifient et le précisent, puis établissent le mètre étalon et, de nos jours, on mesure l'angström...

Comment ne pas être émerveillé par cette constance dans l'inventaire de l'Univers ?

Analyseur de vibrations

Ometron, 1987.

Il existe de nombreuses techniques d'**analyse des vibrations de matériaux**, responsables du stress, donc de fractures. Appelé Vibration Pattern Imager ou « imageur de schéma de vibrations », un appareil ultrasensible a été breveté en 1987 par la firme américaine Ometron Inc., sur la base de l'**interférométrie laser**. Capable

d'enregistrer des vibrations de l'ordre de la fraction de longueur d'onde de la lumière, il est fondé sur une amplification des différences entre la source d'émission et la réflexion du faisceau laser, c'est-à-dire les **interférences optiques**, quand le laser est dirigé sur le matériau soumis à des vibrations.

Anthropométrie

Quételet, 1871 ; Bertillon, 1880...

L'anthropométrie est l'art de mesurer les différentes parties du corps humain et, éventuellement, de définir un **type** à partir de leurs rapports. On peut avancer que la lointaine origine de l'anthropométrie se trouve dans les **canons esthétiques grecs**, qui furent les premiers, en tout cas, à assigner une valeur numérique à la tête, proportionnellement au reste du corps. Mais il semble que le premier qui ait conçu l'anthropométrie en tant que discipline à part entière ait été le Belge Adolphe Quételet, mathématicien, astronome et statisticien, dans son ouvrage, *L'Anthropométrie, ou mesure des différentes facultés de l'homme*, publié en 1871. Quételet, au nom duquel il convient d'associer celui de son collègue André Michel Guerry, entendait d'ailleurs appliquer les lois de la **statistique** à l'ensemble des phénomènes biologiques, intellectuels et sociaux de l'humanité, croissance, physique et intellectuelle, comportement, mortalité.

■ L'idée devait en être reprise, en anthropologie criminelle, par l'Italien Cesare Lombroso, sous l'angle de la **phrénologie**, discipline qui postulait que certaines caractéristiques mentales, notamment la propension au crime, correspondaient à des conformations crâniennes spécifiques. La phrénologie avait été, rappelons-le, fondée au début du XIXe siècle par l'Allemand Franz Josef Gall.
Cette dérivation de l'anthropométrie doit être ici signalée, en dépit de son peu de

fondement, parce qu'elle a inspiré des théories et des travaux à une époque avancée du XXe siècle, tous plus ou moins destinés à prouver le bien-fondé des idées de Gall, notamment l'existence d'un **rapport entre la capacité crânienne et l'intelligence**. En dépit des démentis formels apportés à cette utilisation de l'anthropométrie, telles que celles de l'Américain Kasmin, en dépit aussi des falsifications avérées dont s'était rendu coupable un des défenseurs les plus célèbres de cette interprétation, l'Anglais sir Cyril Burt, cette dérivation non scientifique continue d'avoir cours dans certains milieux.

■ L'anthropométrie proprement dite se forma à partir de données fondamentales, telles que celles de la taille, du tronc, des membres, de leurs segments et de leurs extrémités, du développement transversal et antéropostérieur du tronc au niveau des épaules et du bassin, et de la grande envergure. L'une de ses premières applications fut la sélection des recrues pour le service militaire.

■ Vers 1880, le Français Alphonse Bertillon développait l'anthropométrie et notamment l'un de ses aspects, la **céphalométrie**, pour fonder l'**anthropométrie judiciaire**, qui visait à identifier les criminels. Chef du service d'identification à la Préfecture de police, Bertillon imagina d'utiliser les données anthropométriques pour le signalement des criminels, et aussi de diviser ces données en trois groupes (dits trichotomiques), tous les trois établis en fonction de la longueur de la tête, qui semblait la mesure la plus sûre. Puis il créa trois autres groupes fondés sur la largeur de la tête, chaque sous-groupe étant caractérisé par des repères tels que la longueur du médius gauche, puis de l'auriculaire gauche, etc. C'est la technique de classement dite « bertillonnage ». La découverte des empreintes digitales par Purkinje devait améliorer considérablement les méthodes de l'anthropométrie.

■ Cette invention a été d'une utilité indiscutable dans plusieurs disciplines. En **anthropologie,** elle a permis de définir les caractéristiques des groupes ethniques de la race humaine. Dès la première moitié du XXe siècle, elle avait été enrichie de très nombreux critères, tels que l'épaisseur de la coupe adipeuse, le profil des sections capillaires, puis le groupe sanguin, le groupe HLA...

En **médecine,** l'anthropométrie a permis d'établir des corrélations entre certains types et certaines maladies, notamment des maladies fonctionnelles de la nutrition et du système cardiovasculaire, corrélations qui ont modifié la rédaction des polices d'assurance en fonction de données anthropométriques.

En **ergométrie,** l'anthropométrie a entraîné la modification de nombreux éléments de fabrication en série, tels que les sièges d'autos et le mobilier de bureau.

■ Dans les années 80, l'affinement des méthodes de l'anthropométrie, associé à l'emploi de l'**image synthétique** traitée par ordinateur, a donné naissance à une technique numérisée de reconstitution de l'apparence d'un être humain disparu d'après des vestiges tels que le crâne ou le fémur. Cette nouvelle technique a profité à la fois à l'anthropologie archéologique et à l'anthropométrie judiciaire (pour l'identification de squelettes récents). Dernière acquisition de l'anthropométrie : l'utilisation des **génotypes** aux fins d'identifier des criminels.

Audiomètre
Hughes, 1879.

Un audiomètre est un appareil servant à mesurer la valeur de l'**appareil auditif humain**. Il se compose, en principe, d'un oscillateur, dont les tensions amplifiées sont communiquées à des écouteurs ou bien à un vibrateur (pour mesurer la conduction osseuse). La fréquence et l'intensité des sons pouvant être réglés, la mesure de l'acuité auditive se fait en fonction des sons émis. Le premier de ces appareils fut inventé en 1879 par l'Anglais David E. Hughes ; il consistait simplement en un ensemble de deux piles Leclanché raccordées à un microphone et à un téléphone.

Caisse enregistreuse
Burroughs, 1892.

Dérivée de la **machine à calculer** de Hollerith (voir p. 154), la caisse enregistreuse à **usage commercial,** avec **tableau d'affichage,** fut inventée en 1892 par l'Américain William Seward Burroughs, fondateur de l'American Arithmometer Company, à laquelle succéda en 1905 la Burroughs Adding Machine Company. Il avait fallu six ans à Burroughs pour mettre au point cet appareil, dont il ne put voir le succès, car il mourut en 1898.

Cellule photoélectrique photographique

Rhamstine, 1931.

L'application à la **photographie** du principe de la cellule photoélectrique, aux fins de mesurer la **luminosité** de l'objet à photographier, et d'adapter le temps de pose ainsi que l'ouverture de l'objectif à la sensibilité de la pellicule, a été imaginée par l'Américain J. Thomas Rhamstine en 1931. La cellule photoélectrique photographique a été commercialisée sous le nom d'Electrophot.

Chronobiologie

Brüning et Pittendrigh, vers 1945.

La chronobiologie est l'étude quantitative des **modifications rythmiques des phénomènes biologiques.** Elle joue un rôle grandissant en médecine, notamment dans le choix des heures d'administration des médicaments, étant donné que l'effet d'une même dose peut varier considérablement selon l'heure à laquelle elle est administrée.
■ La chronobiologie dérive de l'observation, déjà ancienne, des rythmes qui commandent les phénomènes du fonctionnement des êtres vivants, végétaux ou animaux. On peut soutenir que l'origine s'en trouve dans la table horaire des ouvertures et fermetures de corolles de fleurs de diverses espèces végétales, dressée au XVIIIe siècle par le naturaliste suédois Carl von Linné, travail que le Français H. Duhamel du Monceau reprit sur des végétaux cultivés dans l'obscurité, à température constante. On trouve, dès lors, dans les études naturalistes, dites de ce fait « biologiques », de très nombreuses observations sur les particularités rythmiques, soit quotidiennes (circadiennes), soit saisonnières, d'espèces animales et végétales, et l'on s'interroge ainsi sur les mécanismes qui font que, chez les renards, par exemple, la saison des amours commence à jour fixe et s'achève de même.
■ Les données de la chronobiologie ressortissaient jusqu'alors plutôt au domaine de la découverte, mais elles sont passées dans celui de l'invention vers le milieu du XXe siècle. C'est aux alentours de 1945, en effet, que l'Allemand Erwin Brüning et l'Américain Colin Stephenson Pittendrigh envisagent séparément l'existence d'une structure chronobiologique spécifique des espèces, qu'ils fondent sur des **composantes génétiques.**
■ Mais c'est avec les travaux des Français Alain Reinberg et F. Halberg que la chronobiologie devient vraiment une discipline d'interprétation des rythmes biologiques, applicable en médecine à la **pathologie.** On sait aujourd'hui que les systèmes cardiovasculaire, endocrinien, digestif, nerveux, etc., subissent des phases régulières, dont la majorité est **circadienne,** et dont quelques-unes sont **ultradiennes** (supérieures à deux jours et demi) et d'autres, **infradiennes** (inférieures à douze heures) ; tout dérèglement de ces phases entraîne des phénomènes pathologiques. Les recherches du spéléologue Michel Siffre au fond d'un gouffre confirment le postulat d'une **horloge interne,** dont le rythme tend à être supérieur d'environ une heure et demie à l'horloge astronomique.
■ Deux disciplines particulières se sont détachées dans les années 60 : la **chronopharmacologie,** qui a abouti vingt ans plus tard à fixer des heures d'administration précises de certains médicaments, où ceux-ci déclenchent des effets maximaux avec des doses minimales, et la **chronotoxicologie,** qui dégage les effets de toxines naturelles et artificielles selon l'heure.
Les conséquences pratiques sont immenses ; l'une d'elles a été de modifier les

organigrammes de vol des équipages de compagnies aériennes. A la fin de la décennie 80, la chronobiologie amenait également à entreprendre la révision des horaires de certains postes, contrôleurs de centrales atomiques, conducteurs de chemins de fer, eu égard à l'existence de rythmes de la vigilance intellectuelle.

De nombreuses théories, proposant des tables des rythmes psychologiques, ont vu le jour depuis les années 20. Wilhelm Fliess, médecin de Sigmund Freud, en proposa successivement plusieurs modèles à son illustre client... qui consacra un certain temps à essayer de calculer, sur cette base, le jour de sa mort ! L'existence de rythmes du système nerveux n'a toutefois pas permis, à ce jour, d'établir des tables périodiques de l'humeur. C'est néanmoins un fait que les **taux de suicides** sont, dans plusieurs pays, maximaux au printemps et minimaux en hiver.

Compteur à chambre à nuage
Anderson et Millikan, 1930.

Le compteur à chambre à nuage (**cloud chamber,** en anglais), dit également **chambre à bulles,** est destiné à la détection des **rayons gamma** en provenance de l'espace. Inventé en 1930 par les physiciens américains Carl David Anderson et Robert Millikan, il comporte une chambre renfermant de l'**hydrogène** à saturation. Le passage d'une particule y déclenche une condensation, qui apparaît sur la plaque photographique sous la forme d'une traînée de bulles correspondant à la trajectoire de la particule.

Compteur Geiger
Geiger et Müller, 1928.

Un compteur de radiations Geiger ou, plus spécifiquement Geiger-Müller, est une **chambre d'ionisation** destinée à mesurer un **rayonnement bêta**. Le principe en est simple : c'est une chambre cylindrique remplie d'argon, dans l'axe horizontal de laquelle est tendu un fil métallique très fin. Ce fil est porté à un potentiel électrique élevé. Lorsqu'une particule passe, le champ électrique entraîne ses électrons vers le fil ; là, le champ électrique intense incite les électrons à ioniser les atomes du gaz ; il y a alors avalanche et accroissement proportionnel des électrons ; ceux-ci induisent dans le fil une décharge électrique qui est amplifiée et mesurée par des circuits électroniques. Le taux d'électrons est lisible sur un cadran gradué. L'idée en avait été formulée dès 1908, mais c'est seulement vingt ans plus tard que les Allemands Hans Geiger et Erwin Wilhelm Müller, professeurs de physique à l'université de Tübingen, réalisèrent un compteur de ce type.

■ En 1958, l'Américain G. Charpak a amplifié le principe de la chambre d'ionisation à un fil pour réaliser une **chambre multifils** de 5 m de diamètre.

Dow-Jones (indice)
Dow, Jones, 1882.

Inspiré du calcul statistique, l'**indice des valeurs boursières** au jour le jour fut inventé en 1882 par les Américains Charles Henry Dow, fondateur du *Wall Street Journal*, et Edward D. Jones. Il permet d'estimer les tendances à la hausse ou à la baisse de la Bourse de New York. Il en existe des équivalents sur toutes les places boursières du monde.

Échelle sismographique Richter
Richter, 1935.

L'échelle sismographique Richter, destinée à mesurer la magnitude des **tremblements de terre,** est une échelle logarithmique, numérotée de 1 à 9, où la progression des degrés correspond à celle des effets du séisme. La magnitude 1 serait celle d'un séisme qui, à 100 km de l'épicentre, déplacerait d'un dixième de millimètre le balancier d'un sismographe d'une période de 0,8 s, avec une amplification des mouvements du sol par un facteur 2 800. L'amplitude 9 serait d'une violence exceptionnelle. Cette échelle fut inventée en 1936 par le géologue américain Charles Francis Richter et a été, depuis, universellement adoptée.

Horloge parlante
Sivan, 1895 ; Esclangon, 1932.

Combinant l'invention récente du phonographe et l'horlogerie, le fabricant suisse Sivan, de Genève, lança la première horloge parlante connue. Elle comportait des enregistrements phonographiques, dont la diffusion se déclenchait aux heures pleines. C'est au célèbre savant Ernest Esclangon, alors directeur de l'Observatoire de Paris, qu'on doit et l'idée et la réalisation de la première horloge parlante, pour le compte des P.T.T. Il s'agissait d'un enregistrement synchronisé avec une horloge.

Horloge à quartz
Marrison, 1929.

L'horloge à quartz, ancêtre des montres-bracelets à quartz actuelles, fut inventée en 1929 par l'horloger américain Warren Alvin Marrison en tenant compte des faits suivants : un cristal de quartz, lorsqu'il est déformé, témoigne d'une différence de son potentiel électrique sur certaines de ses faces et, inversement, une différence de potentiel électrique appliquée sur certaines de ses faces le déforme. Cette propriété, définie sous le nom d'**effet piézo-électrique,** permet de contrôler la **fréquence** **d'un circuit électrique** grâce à un cristal de quartz. Il y a un rapport entre la fréquence f et la période p, la première étant l'inverse de la seconde.

Les premières horloges à quartz étaient peu fiables, car elles étaient sujettes à des accélérations soudaines et à des arrêts imprévisibles. Ce n'est qu'une trentaine d'années après leur invention qu'elles purent être améliorées.

Interféromètre

Young, 1802 ; Jamin, 1856 ; Fizeau, 1862 ; Michelson, 1881 ;
Rayleigh, 1896 ; Fabry et Pérot, 1897 ; Ryle, 1960 ;
Labeyrie, 1975.

Un interféromètre est un appareil qui se sert des **interférences d'ondes** pour mesurer des objets en les comparant à une longueur d'onde connue. Il ressortit au domaine de l'optique et effectue des mesures physiques de haute précision, qu'il s'agisse de quantités physiques infinitésimales, comme la longueur d'onde elle-même, de grandes quantités, comme des distances de 100 m qu'il faut mesurer très précisément, ou de quantités infinitésimales reflétant des distances importantes, comme l'**écartement angulaire de deux étoiles**.

■ Le principe en est simple : les rayons lumineux d'une source qui sont séparés, puis qui se recombinent, par exemple si l'on place sur leur parcours un écran percé de deux fentes, puis qu'on place derrière cet écran un second écran plan, forment des **franges d'interférences**. Ces franges apparaissent comme des bandes sombres sur l'écran, alternées avec des bandes claires. Le nombre de bandes est fonction de l'écartement apparent des sources ; à la limite inférieure, si l'on fait théoriquement coïncider les deux fentes, il n'y a plus d'interférence. Mais, si l'on place sur le trajet du faisceau lumineux un objet dont la dimension est égale à la longueur de l'onde lumineuse, c'est-à-dire 1/2 000 de mm, on obtiendra le même effet que s'il y avait deux fentes (front de diffraction) mais avec une interférence. Si l'objet mesure 4/2 000 de mm, on obtiendra quatre interférences, et ainsi de suite. Chaque décalage de frange équivaut à un obstacle équivalent lui-même à une longueur d'onde.

■ Le principe des interférences optiques était connu et avait été décrit dès 1665 par les Anglais Robert Boyle, Robert Hooke et sir Isaac Newton, qui en comprît la nature ; c'est leur compatriote Thomas Young qui, en 1802, l'expliqua par la superposition des ondes lumineuses. Young ne construisit pas d'interféromètre, mais son nom est inséparable de l'instrument autant que de l'interférométrie, que sa découverte et surtout son analyse ont

contribué à fonder. Les franges d'interférences furent étudiées par de nombreux chercheurs de la première moitié du XIXᵉ siècle, notamment le Français Augustin Fresnel et l'Allemand Wilhelm Haidinger, mais le premier qui inventât un instrument les utilisant fut le Français J.-C. Jamin qui, en 1856, construisit un **réfractomètre à interférence**. Il s'agit d'un appareil à mesurer l'indice de réfraction d'un milieu par l'étude des franges d'interférences. Il se fondait en cela sur l'observation faite en 1817 par l'Anglais sir David Brewster et approfondie en 1849 par Haidinger : c'est que, lorsque la lumière est réfléchie par deux épaisses plaques de verre légèrement inclinées et parallèles, il se forme des franges égales et inclinées. Cet appareil devait mener à l'invention de l'**interféromètre de surface**, d'abord par Hippolyte Fizeau, en 1862, puis par Louis Laurent en 1883 ; l'appareil est toujours utilisé dans l'industrie optique pour la vérification des surfaces planes. En 1891, les Autrichiens Ernst Mach et L.A. Zehnder perfectionnèrent l'interféromètre Jamin et construisirent celui qui porte leur nom pour l'étude des filets d'écoulement laminaires.

■ La contribution majeure de Fizeau à l'interférométrie fut cependant son invention d'une méthode qui permet de mesurer la séparation angulaire de deux étoiles par superposition des franges d'interférences produites par chacune des deux sources lumineuses après division par un écran à fentes ; elle date de 1868 et mena à une invention majeure de l'Anglais A.A. Michelson en 1881 : l'**interféromètre stellaire**. En 1890, Michelson parvint ainsi à mesurer le diamètre des lunes de Jupiter, qui ne vaut pourtant pas plus de 1 s d'arc. Mais l'interféromètre de Michelson est surtout célèbre parce qu'il a servi à réaliser l'expérience qui a fondé la théorie de la **relativité**. De 1881 à 1887, en effet, Michelson et son compatriote E.W. Morley préparèrent une série de mesures de la vitesse relative de la Terre par rapport à son environnement cosmique, telle que pouvait la refléter la vitesse de la lumière ; réalisée en 1887, l'expérience révéla un résultat, alors jugé « nul », de 0,4 d'une frange. Cette différence, apparemment minime, devait mener en 1905 Albert Einstein à formuler sa théorie de la relativité restreinte. On peut donc dire que l'interféromètre a joué un rôle majeur dans la cosmologie et les théories physiques du XXᵉ siècle. En 1896, l'Anglais John William Rayleigh perfectionna l'interféromètre de Jamin en réalisant un réfractomètre à deux lentilles achromatiques et longue focale — actuellement utilisé sous le nom d'**interféromètre Rayleigh-Haber-Löwe** —, qui mesure l'indice de réfraction des fluides.

■ L'une des applications majeures de l'interférométrie à la fin du XIXᵉ siècle a été, d'une part, la définition du **mètre étalon** en termes de longueurs d'ondes et, d'autre part, la définition précise des longueurs d'ondes, cette dernière effectuée à l'aide de l'interféromètre des Français Charles Fabry et Alfred Pérot, mis au point en 1897 et connu sous le nom d'**interféromètre Fabry-Pérot.** Il s'agit là d'un perfectionnement important des **interféromètres à miroirs,** tels que le Mach-Zehnder, utilisant le fait que des réflexions successives d'un faisceau lumineux sur des miroirs produisent des franges d'interférences très nettes et très fines, ce qui permet d'obtenir des mesures de l'ordre de 1/600 de longueur de l'onde de lumière visible, soit encore de 1/1 200 000 de mm.

■ L'importance de sa découverte engagea Michelson à la pousser plus avant ; c'est ainsi qu'il s'associa avec son compatriote, l'astronome Francis Gladhelm Pease, pour construire un interféromètre dont les ouvertures pouvaient être espacées de 7 m et qui constituait une invention déterminante ; en effet, son pouvoir de résolution théorique atteignait 0,02 s, c'est-à-dire qu'il était cinquante fois plus puissant que le précédent. En 1920, Pease obtint ainsi le diamètre de l'étoile Bételgeuse.

■ En 1975, le chercheur français Antoine Labeyrie réalisait une autre invention majeure, qui consistait en un **interféromètre à deux télescopes** Cassegrain de 25 cm de diamètre, capables d'un écartement de 6 à 35 m ; ce nouvel appareil, qui entraînait des contraintes techniques très

fortes (il exigeait, en effet, une stabilité mécanique jusqu'alors inconnue), possédait un pouvoir de résolution de 0,003 s, c'est-à-dire qu'il pouvait mesurer une distance de 1 m à 60 000 km. L'interprétation des franges ainsi observées est confiée à un ordinateur. Cet appareil a mené à la mise en œuvre d'un interféromètre encore plus puissant, dérivé du même principe, et constitué de deux télescopes de 1,50 m à miroir primaire, distants de plusieurs centaines de mètres et capable, cette fois, d'une résolution de 0,0002 s. L'interférométrie a rendu d'immenses services à l'astronomie et permis de mesurer les diamètres de corps célestes jusqu'alors mystérieux, comme les étoiles doubles.

■ La **radio-interférométrie** est venue compléter depuis les années 60 l'interférométrie optique ; son principe est analogue, son moyen d'exploration est constitué par les ondes radio. C'est l'Anglais Martin Ryle qui, en 1960, a dirigé la mise au point de la synthèse d'ouverture de radiotélescopes (à l'observatoire radioastronomique de Cambridge), qui consiste à harmoniser les instruments, d'un nombre supérieur à deux, à leur séparation maximale dans chaque direction. La radio-interférométrie offre des mesures nettement plus fines que l'interférométrie optique. Parallèlement, l'**interférométrie laser** a permis, à partir des années 70, d'effectuer des mesures de quantités infimes.

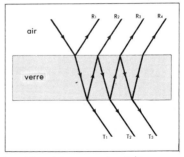

Le schéma ci-dessus représente le principe de l'**interféromètre** de surface, basé sur le fait que, lorsque la lumière passe par une plaque de verre épaisse (en l'occurrence, il s'agit de deux plaques), il se forme des franges d'interférence égales et inclinées.

Machine à calculer

Kelvin, 1879 ; Hollerith, 1880.

Au milieu du XIXᵉ siècle, on pouvait considérer que les grandes idées maîtresses de la machine à calculer, qu'on allait bien plus tard appeler « **ordinateur** », avaient été tracées par Pascal, concepteur de l'infrastructure mécanique, Leibniz, qui avait porté les capacités de la machine de Pascal, limitées au comptage, au niveau des opérations arithmétiques de multiplication, division et extraction des racines carrées, Vaucanson, inventeur des programmes sur cartes perforées, Babbage, inventeur de la machine analytique (voir ouvrage précédent) et par l'Anglais George Boole. Ce dernier avait publié en 1847 un ouvrage majeur et précurseur, *Analyse mathématique de la logique.* Il y étudiait les lois fondamentales des opérations intellectuelles du raisonnement, les exprimait dans le langage arithmétique et jetait les bases de la science de la logique. C'était là une innovation prodigieuse, d'abord parce qu'elle renouvelait intégralement les données de la logique, ensuite parce qu'elle permettait d'introduire la logique dans les machines à calculer.

■ Jusqu'alors fondée sur le maniement du **syllogisme** et de la **déduction,** c'est-à-dire limitée au seul domaine de la philosophie, la logique était absorbée par les mathématiques et y trouvait une vigueur insoupçonnée. Puisque, ainsi que Boole l'avait exposé, le raisonnement était assimilable à une forme de calcul algébrique et que les symboles et règles des mathématiques pouvaient être appliquées à la solution de problèmes logiques, il devenait concevable d'injecter dans les machines à calculer les règles de la logique et donc d'étendre considérablement le champ d'action de ces machines. Il faut toutefois préciser ici que Boole, logicien, n'assimilait pas la logique aux mathématiques : il la mettait en parallèle et en exprimait les lois sous forme mathématique, pour exprimer les figures logiques et les syllogismes. Ce faisant, Boole avait créé l'algèbre qui porte aujourd'hui son nom et inventé le **langage binaire**. Les opérations algébriques pouvaient s'effectuer désormais avec deux chiffres, 0 et 1. Pendant un demi-siècle, la leçon de Boole fascina le monde mathématique et philosophique. A l'instar de Babbage, Boole essaya de construire une machine selon ses principes et n'y parvint pas.

■ En 1879, sir William Thomson, également connu sous son titre de lord Kelvin, reprenant le projet de Boole, contourna la difficulté résidant dans la réalisation d'une machine digitale.

Celle-ci étant mise en œuvre dans sa totalité, elle posait en effet un grand nombre de problèmes techniques, tandis que le « **prédicteur de marées** » réalisé en 1879 ne développait qu'un travail proportionnel à l'opération requise, en l'occurrence une **intégrale.**

Destiné à la résolution d'**équations finies,** l'appareil de Kelvin ne consiste qu'en huit poulies sur des axes mus par des manivelles de portée ajustable, quatre poulies sur l'étage supérieur d'un cadre de bois, quatre autres sur l'étage inférieur. Deux poulies, une inférieure et une supérieure, sont mises en mouvement par une cordelette attachée à un poids et à un marqueur ; étant donné que chaque poulie décrit un mouvement circulaire d'amplitude ajustable, équivalent à la somme des deux harmoniques simples ou sinusoïdes, l'une horizontale et l'autre verticale, l'opération se déroule ainsi : la composante horizontale du mouvement circulaire tend à faire quitter à la cordelette sa position verticale, mais, si le rayon du cercle décrit par le mouvement de chaque poulie n'est qu'une fraction de la distance entre les deux poulies, l'effet de la composante horizontale est faible ; l'effet principal sur la cordelette est celui d'une composante sinusoïdale verticale. Le poids pendu à l'extrémité de la cordelette décrira donc un mouvement qui est la **somme des composantes verticales** des deux poulies.

D'une conception étonnamment simple, la machine de Kelvin était en fait, non une calculatrice, mais une **machine mathématique,** qui pouvait, par exemple, prévoir les mouvements des marées pendant un an. C'était aussi la première **machine analogique**. Elle ne fut réalisée de façon fiable qu'en 1930, au Massachusetts Institute of Technology.

■ En 1880, la machine à calculer digitale fit son entrée officielle dans les administrations, grâce à l'Américain Hermann Hollerith. Spécialiste des études statistiques, Hollerith perfectionna le principe des **cartes perforées** et réalisa une machine qui permettait d'établir des recensements de population trois fois plus vite qu'auparavant. Chaque carte pouvait, en effet, porter 16 nombres à 5 chiffres ou 8 nombres à 10 chiffres. Elle servit de point de départ à la future compagnie I.B.M.

Il convient de distinguer, d'un point de vue à la fois historique et analytique, entre la machine à calculer et l'ordinateur (voir p. 102). De façon relative, on peut dire que la machine à calculer jetait les bases de la logique que l'ordinateur allait permettre de mettre en œuvre, et qu'à l'intérieur de tout ordinateur il y a d'abord une machine à calculer.

Le cas de George Boole a souvent servi d'exemple à la thèse d'une héritabilité de l'intelligence. En effet, du mariage du logicien avec Mary Everest, la nièce du géographe en l'honneur duquel le célèbre pic de l'Himalaya fut nommé, naquirent cinq filles, dont Alicia, qui fut mathématicienne, et Lucy, qui fut la première femme professeur de chimie en Angleterre.

L'histoire de la machine à calculer comporte bien plus de noms et d'essais que cette rubrique n'en saurait contenir. Il convient ainsi de citer l'Anglais William Jevons, admirateur de Boole, qui construisit vers 1869 un **« piano logique »** sur les bases des principes de Boole. Il eût pu contribuer considérablement à la genèse des ordinateurs, s'il ne s'était noyé à 47 ans, en 1882, sans héritier spirituel. Le flambeau fut repris par lord Kelvin.

Microscope à effet tunnel
Binnig et Rohrer, I.B.M., 1982.

Perfectionnement considérable par rapport au **microscope électronique** (voir p. 157), le microscope à effet tunnel se fonde sur le phénomène suivant : deux segments de fil électrique peuvent conduire un courant électrique si leurs extrémités sont assez proches. Normalement, la solution de continuité qui sépare les deux segments interdit que les électrons qui ont parcouru le premier segment poursuivent leur parcours dans le second ; ils rebroussent donc chemin. La **mécanique ondulatoire** postule — et en l'occurrence démontre — que les particules atomiques ne peuvent pas être définies seulement en tant qu'entités indépendantes ; elles sont également des **ondes**. Si la distance entre les deux segments est supérieure à une certaine valeur, calculable, l'onde s'évanouit ; si cette distance est suffisamment réduite, l'énergie de l'onde lui permet de la franchir. Les électrons se comportent alors comme s'ils avaient percé un tunnel dans l'obstacle qui leur est opposé.

■ En 1982, les Suisses G. Binnig et H. Rohrer, du laboratoire d'I.B.M. à Zurich, ont inventé un microscope fondé sur l'exploitation de l'effet tunnel. Le principe en est simple : une aiguille métallique très fine, conductrice d'un courant, est déplacée très près de l'objet à étudier. Étant donné que l'intensité du courant transmis à l'objet est fonction de la distance (elle varie en raison exponentielle de la distance qui sépare les électrodes), elle augmentera lorsque l'aiguille passera au-dessus d'une protubérance et diminuera au-dessus d'un creux. Connaissant l'indice de ces variations, il est donc possible d'établir de façon précise les différences de niveau ou le relief de l'objet à étudier. La précision obtenue est de 0,1 Å à la verticale et de 1 Å latéralement, soit la taille approximative d'un atome ; de la sorte, il est donc possible d'obtenir une image de la surface d'un objet de l'ordre atomique et non plus seulement submicroscopique, comme ce fut le cas avec le microscope électronique. De fait, il est désormais possible de compter un à un les atomes d'une surface déterminée de germanium ou de silicium, par exemple.

■ Cet instrument se révèle d'une utilité incomparable pour l'étude des surfaces d'éléments de matériaux utilisés en électronique, tel le silicium, dont on sait que la couche libre se réorganise selon un ordre qui n'est pas celui des couches internes de ce cristal. Le microscope à effet tunnel permet également de décrire la forme et la taille d'un **virus** ou de l'**A.D.N.**

■ La réalisation de cet appareil a posé des problèmes techniques de très haut niveau, notamment en ce qui concerne la stabilité de la pointe électrode (laquelle, en **tungstène,** ne comporte qu'un seul atome à son extrémité), qui doit demeurer fixe à quelques angströms de l'objet à étudier, c'est-à-dire être totalement isolée de toutes les vibrations environnantes, y compris les vibrations du son. Le prototype consiste en un microscope à **lévitation magnétique,** donc suspendu par effet magnétique, le déplacement de l'aiguille étant commandé par le facteur de dilatation de certaines **céramiques.**

Le document ci-dessus est destiné à donner une impression de ce qu'est un microscope moderne ultrapuissant : c'est le **microscope à effet tunnel,** qui tient donc dans le creux de la main, et ne rappelle évidemment d'aucune manière l'image traditionnelle d'un microscope.

Microscope à force atomique
Binnig et Rohrer, I.B.M., 1985.

Dérivé du **microscope à effet tunnel** (voir p. 155), le microscope à force atomique est conçu sur le même principe, à cette différence près que ce n'est plus le courant électrique, c'est-à-dire les électrons, qui permet la reconnaissance de la surface à explorer ; c'est la **force d'interaction atomique**. En effet, si la pointe de l'aiguille se trouve au-dessus d'un atome, elle subit l'attraction de celui-ci car il y a alors **interaction forte** ; mais si elle se trouve entre deux atomes, l'interaction et donc l'attraction sont plus faibles. Un levier ultrasensible permet de mesurer la force de l'attraction. Inventé par G. Binnig et H. Rohrer, du laboratoire d'I.B.M. à

Zurich, ce microscope présente l'avantage sur le précédent de pouvoir rendre compte de l'état de **surfaces non conductrices,** telles que certains catalyseurs.

Les deux microscopes ouvrent la voie à des interventions industrielles qui se restreindraient désormais à un petit nombre d'atomes, voire à un seul atome.

Microscope à positrons
Université du Michigan, 1987.

Cette variante du **microscope à électrons** (voir p. 157) se fonde sur le fait que les positrons, particules symétriques de ces derniers, donc positives, réagissent avec la matière d'une façon différente des électrons et donnent donc du matériau étudié une image différente et complémentaire de celle qui est obtenue avec le microscope électronique. Inventé en 1987 par James C. Van

House et Arthur Rich, de l'université du Michigan, ce microscope utilise les positrons produits par des **isotopes** tels que le **sodium 22** ; il a inspiré aux mêmes inventeurs le **microscope à réémission de positrons,** qui utilise l'effet d'absorption et de réémission d'une fraction de ces particules.

Microscopie électronique
Abbe, 1873.

Réalisée dans le premier tiers du XXᵉ siècle, la microscopie électronique fut néanmoins fondée par une observation de l'Allemand Ernst Abbe en 1873. Cette observation contenait les germes de la microscopie électronique, parce qu'elle indiquait pour la première fois que tous les perfectionnements de la microscopie optique ne pourraient rien changer au fait que l'on ne peut distinguer deux objets séparés par une

distance inférieure à la moitié de la longueur d'onde de la lumière qui les éclaire. C'est la **loi d'Abbe.** Les rayons X, découverts en 1892, et dont la longueur d'onde est très inférieure à celle de la lumière, eussent dû fournir le moyen de dépasser les limites de la microscopie optique. Mais il n'existait pas alors d'optique susceptible de les focaliser.

Objectif photo
Goddard et Sutton, Harrison et Schnitzer, Ross, Busch, 1860-1865 ; Steinheil, Dallmeyer, 1866 ; Abbe et Schott, 1888 ; Clark, 1889 ; Rudolph et von Hoëgh, 1893.

Après 1850, l'introduction des **plaques au collodion humide** permit de prendre des photos d'intérieurs et l'on s'avisa que toutes les lentilles existantes entraînaient des distorsions gênantes. Les Anglais J.T. Goddard et T. Sutton commencèrent par y remédier en modifiant la lentille Petzval, mais ce sont, presque simultané-

ment, en 1860, les Américains C.C. Harrison et J. Schnitzer ainsi que l'Anglais Thomas Ross (suivis en 1865 par l'Allemand Ernst Busch) qui introduisirent l'amélioration majeure en inventant une **lentille biconvexe** dont les sections avaient le même rayon de sphère (**objectif Globe**). La distorsion disparaissait, mais non l'aber-

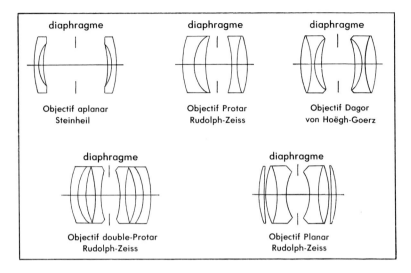

Objectifs photo.

ration sphérique, ni le halo périphérique qui l'accompagnait.

■ En 1866, l'Allemand A. Steinheil et l'Anglais J.H. Dallmeyer inventèrent séparément un type d'objectif à lentilles doubles exactement symétriques au diaphragme, ce qui n'avait pas encore été le cas, et qui présentait l'avantage d'éliminer le halo. De plus, le profil de la lentille externe « aplatissait » le champ et annulait l'aberration sphérique. On obtenait donc pour la première fois une image à peu près sans distorsion à f/7 ou f/8, avec un demi-angle de 25° (**Aplanat Steinheil** et **Rapid Rectilinear Dallmeyer**). Cet objectif connut un succès considérable, qui ne se démentit pas jusqu'aux premières années du XXe siècle.

■ Restait à perfectionner la qualité des verres eux-mêmes. Jusqu'alors, le dernier cri de la technique avait consisté dans le crown-glass pour les lentilles positives et le flint-glass pour les négatives. En 1888, les Allemands Ernst Abbe et Otto Schott mirent au point un **verre au baryum** qui avait comme le crown-glass un faible pouvoir de dispersion, mais, en revanche,

un haut indice de réfraction. Cela permettait de fabriquer des lentilles positives convergentes et non divergentes, et donc achromatiques.

■ Deux ans plus tard, l'Allemand Paul Rudolph, travaillant pour la société Zeiss, redessina l'objectif Dallmeyer sur les bases suivantes : il réalisa un double objectif dont une lentille était divergente et concave au diaphragme, l'autre convergente et convexe au diaphragme, et qui annulait complètement et l'astigmatisme et l'aberration sphérique (**Protar Zeiss**).

■ Nouveau progrès en 1893, obtenu à la fois par le même Rudolph et par von Hoëgh, de la firme Goerz : l'objectif à six lentilles, accolées trois par trois, et qui présentent des indices de réfraction croissants à partir du diaphragme (1,52, 1,57 et 1,61). Le champ est accru et la correction anastigmatique améliorée, mais seulement aux ouvertures f/6,3 et f/8 (**Triple-Protar Zeiss** et **Dagor Goerz**). Dès lors, les perfectionnements allaient s'accélérer.

■ En 1817, le mathématicien C.F. Gauss, étudiant les objectifs de télescopes, avait découvert qu'une disposition et un dessin particuliers des lentilles pouvaient prêter la même aberration sphérique à toutes les longueurs d'ondes lumineuses, éliminant de ce fait le **sphéro-chromatisme.** Appliquant cette découverte aux lentilles photographiques, l'Américain Alvan Clark déposa en 1889 un brevet démontrant qu'en variant l'espace entre deux lentilles de ce genre, de part et d'autre du diaphragme, les surfaces concaves se faisant face, on pouvait modifier à volonté la courbure de champ. Rudolph, qui avait eu la même idée, constata qu'il était cependant impossible d'éliminer ainsi le chromatisme ; il recourut à une astuce, qui consistait à utiliser, pour l'**interface adhésive** entre les lentilles (car, depuis l'objectif Steinheil, on collait les lentilles de profils différents à l'aide d'adhésifs qui variaient selon l'inventeur), un matériau à pouvoir diffuseur maximal ; il réalisa ainsi un type d'objectif qui offrait beaucoup plus de souplesse à l'utilisateur (**Planar Zeiss,** 1895).

■ Les recherches sur les objectifs allaient encore se poursuivre tout au long du XXᵉ siècle, notamment grâce à l'utilisation de terres rares dans la préparation du cristal. En 1950, le **verre au lanthane** permettait ainsi de fabriquer des objectifs comportant des marges de chromatisme minimales. La recherche de la légèreté devait mener, dans la décennie 1960, à la fabrication d'objectifs en **méthacrylate de polyméthyl** pour les lentilles à plusieurs éléments d'appareils photographiques de bas de gamme, l'élément concave étant fabriqué dans un plastique à haute dispersion comme le **styrène.**

Ordinateur holographique
Anderson, 1988.

L'une des inventions les plus singulières de l'**électronique** et de l'**optique** combinées a été théoriquement faite par l'Américain Dana Anderson, de l'université du Colorado à Boulder, et elle était en cours de réalisation en 1988. Il s'agit d'un ordinateur holographique, susceptible de créer des images en trois dimensions qui ne constituent pas des reproductions fidèles de photographies ou de films. Un **hologramme** est, dans son principe, une image reconstituée soit par **rayon laser,** soit en **lumière froide,** à partir d'un objet donné ; il présente cette particularité que, lorsque le support est divisé, ses fragments peuvent servir à reconstituer l'image entière, l'ensemble des informations résidant en n'importe quel point de l'hologramme ; toutefois, plus le fragment est petit, moins l'image est nette. L'invention d'Anderson se fonde sur cette propriété pour reconstituer un système de projection d'images à partir de deux ou de plusieurs hologrammes, qui sont traversés par un même rayon laser (amplifié), aboutissant ainsi à la production d'images composites.

■ Son système fonctionne ainsi : un rayon laser éclaire un objet et reconstitue à partir de là un premier hologramme, qui est enregistré ; puis, l'image d'un deuxième objet sert à fabriquer un autre hologramme, qui est enregistré sur le même support que le premier. Si l'on essaie de ne projeter qu'un de ces deux hologrammes en ne faisant passer le rayon laser que par un point de l'un des deux, on obtient en fait les deux, mais superposés et transformés en une image composite, analogue à celle de souvenirs qui se surimposent. L'image secondaire est, par ailleurs, plus faible.

■ L'invention d'Anderson vise, en fait, à reconstituer un modèle optique d'étude de la **mémoire** et de phénomènes tels que les associations, les oublis et les obsessions. En organisant un ordinateur susceptible d'enregistrer plusieurs dizaines d'hologrammes, qu'il ferait fonctionner au hasard, ce chercheur souhaite mettre à la disposition des neurologues un outil d'analyse qui permette de mieux comprendre certains phénomènes tels que le rêve, ainsi que l'affaiblissement ou, au contraire, le renforcement de certaines images mémorisées.

Oscillateur paramétrique optique
Divers, 1970-1985.

Un oscillateur paramétrique optique, dit aussi **O.P.O.** par abréviation, est un instrument de mesure extrêmement fin, destiné à des mesures de phénomènes physiques également très fins et au-dessous des seuils ordinaires des **lasers**. Il n'est pas attribuable à un inventeur ni à une firme en particulier, mais procède des efforts de nombreux physiciens à travers le monde, notamment aux États-Unis et en France, aux laboratoires A.T. & T-Bell et au laboratoire de spectroscopie hertzienne de l'École normale supérieure de Paris.

■ Ces efforts visaient, depuis 1970, à établir un système de mesure de mouvements minimes, tels que ceux que les **ondes gravitationnelles** pourraient communiquer à des particules ou des molécules ; ces mouvements restaient indécelables du fait de la marge de fluctuation d'un rayon laser, marge désignée sous le nom de **« bruit quantique »**. Les fluctuations en question ne sont pas dues à des défauts de construction des lasers, mais à la nature même du faisceau, dont les phases et les intensités ne peuvent être exactement déterminées — les photons ne pouvant être assignés, en mécanique quantique, à des vitesses et à des positions absolument déter-

minées. Si, dans un laser, on veut réduire le bruit quantique de phase, par exemple, il faut alors augmenter l'intensité et inversement, et il demeure toujours une marge de « parasites » résiduelle.

■ L'O.P.O. se compose pour l'essentiel d'un système d'émission de **photons** qui sont en quelque sorte coupés en deux par un cristal ; cette coupure opérée par le cristal donne naissance à deux photons jumeaux, produits au même instant. Les deux photons retraversent le cristal, où ils provoquent la génération de nouveaux photons. L'abondance de photons risquerait d'encombrer le faisceau, n'était un système de miroirs entraînant une déperdition ; en fin de compte, l'émission utile de photons est très faible, donc dépourvue de bruit quantique, mais assez forte toutefois pour osciller, spontanément, comme un laser. Cependant, comme il y a émission double de photons, il y a également création de deux faisceaux directifs intenses. Tel est, ici résumé, le principe de l'O.P.O., qui a cependant été modifié par divers laboratoires selon des méthodes complexes, dans le dessein essentiellement de réaliser des travaux d'**interférométrie optique fine**.

Oscillographe
Braun, 1897.

Un oscillographe est un appareil qui permet d'observer et d'enregistrer les variations d'une grandeur physique dans le temps.

■ Le premier de tous les oscillographes fut inventé en 1897 par l'Allemand Karl Ferdinand Braun sur les bases suivantes : dans un **tube cathodique,** la trajectoire des rayons électroniques est rectiligne. Si on place le tube dans un **champ électrique,** ces rayons subissent une déviation proportionnelle à la résistance appliquée. Braun, qui détenait depuis 1895 la chaire

de physique à l'université de Strasbourg, construisit donc un appareil comportant un tube cathodique, qui permettait d'étudier les hautes fréquences électriques.

■ Cet appareil allait aboutir à l'invention du **tube de télévision** par le relais de l'**oscilloscope** ; ce dernier n'est, en fait, qu'un oscillographe muni d'un écran. Il faut signaler que les termes d'oscillographe et d'oscilloscope sont souvent utilisés comme synonymes, en raison de l'identité de leurs principes.

Photogrammétrie

Laussedat, 1846 ; I.G.N., 1972.

La photogrammétrie est une discipline de représentation volumétrique fondée sur l'utilisation de deux photographies différentes d'un même objet linéaire ; se substituant à la topographie et à la géométrie, elle est couramment utilisée pour établir le tracé d'une ville, d'un monument public, mais aussi d'un objet trop fragile pour supporter le contact direct.

■ Elle fut découverte en 1846 par Aimé Laussedat qui, après un essai réussi sur la façade de l'Hôtel des Invalides en 1849, exécuta le **premier levé topographique** : celui du château de Vincennes en 1850. « Réinventée » et mise au point en 1972 par l'Institut géographique national, elle exige des appareils photographiques aux caractéristiques optiques et géométriques très précises, dites aussi **chambres métriques**. Étant donné que la position d'un point sur le cliché doit être repérable à 0,01 mm près, le fond de la chambre et la plaque photographique doivent être rigoureusement plans ; l'optique doit être totalement dépourvue de sphéricité et de déformations, conditions d'une très haute définition ou **orthoscopie**.

La photogrammétrie est également utilisée pour la surveillance d'ouvrages d'art, ponts et barrages, ainsi que pour celle des paraboloïdes des grands radiotélescopes, sujets à déformations (voir illustration p. 161).

Jusqu'à la découverte de la **photogrammétrie,** il fallait, pour dresser les plans d'un bâtiment déjà existant, effectuer des mesures du bâtiment même, puis les reporter sur le papier. L'entreprise était souvent malaisée. Il est désormais possible de réaliser les mêmes relevés par photographie, comme dans le cas de ce monument grec, le temple de la Victoire Aptère, sur l'Acropole, dont on trouve, page suivante, les relevés photogrammétriques exacts.

ACROPOLE D'ATHÈNES
TEMPLE DE LA VICTOIRE APTÈRE

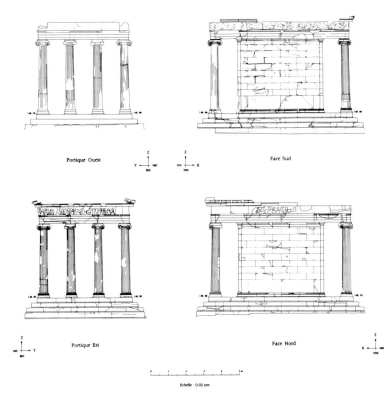

Relevés **photogrammétriques** du monument montré p. 161.

Projection cartographique « réaliste »

Van den Grinten, 1904 ; Peters, 1974 ; Robinson, 1988.

L'inconvénient de tous les systèmes de projection d'un globe terrestre sur un plan (voir ouvrage précédent) est une déformation plus ou moins considérable des proportions. Le **système orthomorphique,** dit **conforme,** l'un des plus utilisés, impose, en effet, une transformation plus ou moins importante des courbes géodésiques. Sur une projection « classique » du type Mercator, par exemple, le Groenland est seize fois plus grand que dans la réalité et semble même être plus grand que l'Amérique du Sud. En 1904, l'Américain Van den Grinten imagina un système dit aphylactique modéré, qui fut adopté par de nombreux organismes, mais qui comportait tout de même des déformations considérables, car, si les régions polaires y prenaient moins d'importance que dans la projection de Mercator, elles « bénéficiaient » encore d'accroissements anormaux ; ainsi, l'Alaska y figurait sur une surface quintuple et égale à celle du Brésil, par exemple, qui est en réalité six fois plus grand. En 1974, l'Allemand Arno Peters mit au point une méthode qui rétablissait, dans une certaine mesure, les proportions des terres émergées et des océans entre eux, mais qui en déformait énormément les contours. En 1988, l'Américain Arthur Robinson modifia encore le système Van den Grinten, de manière à obtenir à la fois des proportions et des contours corrects et « réalistes ». Il s'agit toutefois, de l'aveu même de l'inventeur de cette méthode, d'une adaptation « artistique », qui comporte elle-même de nombreuses déformations.

Comme il n'existe pas de méthode de projection d'une sphère sur un plan qui ne comporte de distorsions, il est vraisemblable que l'invention de Robinson ne sera pas la dernière en cartographie.

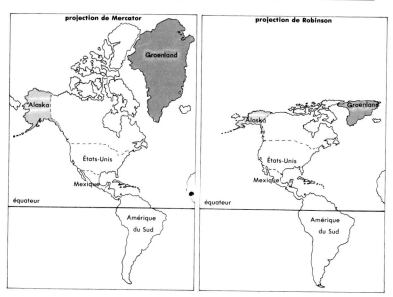

projection de Mercator

projection de Robinson

Tous les systèmes cartographiques entraînent des distorsions, inévitables, puisqu'ils consistent à projeter des images sphériques sur une surface plane. L'importance des distorsions d'une **projection de Mercator,** par exemple, est évidente, l'Alaska paraît plus grande que le Brésil, alors qu'elle est égale au Mexique, et le Groenland est considérablement plus grand que l'Amérique latine, ce qui n'est pas le cas. Dans le **système Robinson,** la projection est sensiblement plus fidèle à la réalité, bien qu'elle ne soit pas non plus d'une exactitude rigoureuse.

Prospective

Berger, 1925-1960.

On appelle prospective la méthode d'évaluation des causes techniques, scientifiques, économiques et sociales qui accélèrent l'évolution du monde et la prévision des situations qui peuvent découler de leurs combinaisons. Inventée par le philosophe français Gaston Berger, qui la conçut vers 1925 et ne cessa d'en affiner les paramètres, la prospective est parfois considérée comme une science, bien qu'elle ne corresponde pas à l'une des conditions essentielles de toute science, qui est la possibilité d'expérimentation.

■ La prospective a connu une fortune considérable dès le milieu du XXᵉ siècle, notamment dans les domaines économique et militaire. Appuyée sur la **statistique** (voir ouvrage précédent), elle constitue une discipline à part entière dans l'**élaboration des budgets et des politiques d'équipement** de toutes les administrations nationales. En effet, sans présenter une rigueur véritablement scientifique, la prospective permet de prévoir les secteurs en expansion et ceux qui sont en régression, donc d'ajuster une politique aux besoins d'une nation. A ce titre, elle est également utilisée par toutes les grandes firmes industrielles, économiques et financières. On peut considérer que les administrations françaises du Plan portent la marque profonde des idées de Berger.

■ La prospective a également donné naissance aux **scénarios militaires,** largement utilisés par les états-majors de nombreuses nations pour tenter de déterminer l'évolution d'un conflit en fonction des éléments et des événements en jeu.

■ On peut considérer que la **futurologie** est un dérivé de la prospective. Elle a toutefois marqué les limites clairement et parfois même cruellement de nombreuses analyses de futurologues en vue, telles que celle qui prévoyait un développement considérable des chemins de fer en Afrique entre 1960 et la fin du siècle.

■ En réalité, la prospective se présente, à la fin de la décennie 80, comme une méthode d'approximation des facteurs qui influencent le développement des sociétés, facteurs qui sont à la fois nécessaires et insuffisants. Deux événements majeurs ont indiqué en particulier les insuffisances de la prospective. Le premier a été le **choc pétrolier** de 1973, qui fut imprévu de tous les dossiers de prospective du monde occidental, lequel se trouva soudain confronté à une situation de crise qu'il n'avait pas les moyens de résoudre dans l'immédiat. Le second a été, dans le même domaine, l'abondance de pétrole sur les marchés mondiaux, qui déjoua les projets d'équipement intensif en centrales atomiques des pays sans ressources pétrolières, comme la France, et qui maintint le prix du kilowattheure pétrolier très au-dessous des barèmes supposés du même kilowattheure d'origine nucléaire.

■ La limite même de la prospective se trouve dans la théorie du **démon de Maxwell** (voir p. 123), qui serait capable de connaître et de contrôler tous les facteurs d'une population donnée de molécules, les molécules étant ici assimilées aux causes qui font l'objet de la prospective. Une telle connaissance est évidemment impossible.

Radar

Tesla, 1900 ; Hülsemeyer, 1904 ;
Marconi, Taylor, Young, 1922 ; Watt, 1936.

Le radar est un appareil de **détection** fondé sur la propriété de **réflexion des ondes électromagnétiques**. Dans son principe, il consiste à localiser un objet à distance et à en explorer la forme sur

l'écran d'un **oscilloscope** qui reçoit les **échos** du faisceau d'ondes réfléchi. Le radar dérive d'une observation faite en 1866 par l'Allemand Heinrich Hertz : les ondes électromagnétiques peuvent être réfléchies, réfractées et diffractées. Hertz effectua cette observation en étudiant des ondes de la longueur même de celles des radars modernes, soit une soixantaine de centimètres, mais il n'en entrevit pas d'application.

■ Ce fut en 1900 le Croate Nikola Tesla qui décrivit le premier la possibilité de repérer un objet en mouvement par les échos d'un faisceau d'**ondes radio**. La technologie était alors incapable d'assurer à ce système de détection, évidemment destiné en premier lieu aux navires, une précision qui lui prêtât un intérêt pratique. En 1904, l'Allemand Christian Hülsemeyer déposa dans plusieurs pays des brevets d'un détecteur radio de ce principe, destiné à prévenir les collisions ; ce détecteur n'atteignit pas le stade de la production industrielle. En 1922, l'Italien Guglielmo Marconi et les Américains A.H. Taylor et L.C. Young reprirent ce principe tel quel, mais en l'enrichissant d'une méthode simple de localisation : connaissant la vitesse de propagation des ondes radio, il suffisait de diviser en deux le temps écoulé entre l'émission et la réception de l'écho sur l'objet pour déterminer la distance à laquelle se trouvait celui-ci. Cette méthode allait favoriser la détection par **ondes pulsées**, dont on connaissait beaucoup mieux le moment d'émission que celui des ondes continues, employées jusqu'alors.

■ Les premiers à utiliser les ondes pulsées furent les Américains Gregory Breit et Merle A. Tuve, dans leur mesure de l'altitude de l'ionosphère, couche atmosphérique de gaz ionisés qui réfléchit les ondes radio ; dès lors, on n'employa plus que les ondes pulsées dans les recherches sur le radar (qui ne fut appelé ainsi qu'en 1940). De nombreux pays industriels menaient de telles recherches, non seulement pour renforcer la sécurité de navigation, mais aussi à des fins militaires évidentes. Ces recherches étaient difficiles et jalonnées de nombreux échecs pour une raison essentielle : le radar n'est efficace que si le faisceau initial est fortement focalisé ; sinon, l'écho répercuté par la surface de l'eau ou de la terre peut masquer l'écho, beaucoup plus faible, de la cible. La **focalisation** ne commença à devenir satisfaisante qu'en 1936, lorsque l'Anglais R.A. Watson-Watt imagina d'amplifier des impulsions à fort voltage par un **magnétron** et d'utiliser un amplificateur pour les échos, l'émission étant concentrée par un canon à électrons installé dans le tube cathodique d'émission. Ce **Radio Detector Telemeter** permit d'établir une chaîne de stations protectrices le long des côtes britanniques. Une version américaine perfectionnée, le **SCR-270**, fut réalisée aux États-Unis en 1938. Dès 1940, le radar rendit d'immenses services à la Grande-Bretagne, puis à l'en-

L'avance britannique et américaine dans les recherches sur le radar au cours de la décennie 1935-1945 fut considérablement favorisée par une excellente **centralisation des recherches,** alors que le retard de l'Allemagne dans ce domaine était à mettre au compte de la totale inculture scientifique du chancelier Hitler. En 1935, l'Allemagne était au moins à égalité avec la Grande-Bretagne : le premier radar allemand, Freya, de 125 MHz, dirigé par le Bureau des signaux maritimes sous la supervision de Rudolf Kühnold, donnait des résultats prometteurs, confirmés par le radar de 560 MHz construit en 1938 par la firme Telefunken et la Luftwaffe à Würzburg. Outre huit centres de recherche militaires, deux cents instituts allemands travaillaient au perfectionnement du radar, sous la direction, incohérente, du maréchal Göring. Mais, en 1940, Hitler interdit toute recherche en électronique, fût-elle fondamentale, sous le prétexte que l'électronique était une « science juive ». Les travaux ne reprirent qu'en 1943, lorsque les Allemands abattirent un avion britannique qui transportait un équipement de **radar à ondes courtes à haute résolution,** lequel expliquait enfin pourquoi les Alliés parvenaient à de si grands succès dans leur lutte contre les sous-marins. Mais il était trop tard et, quand Hitler se décida à rappeler les six mille savants qui servaient sous l'uniforme, afin de relancer la recherche en électronique, deux mille d'entre eux manquaient à l'appel. La même confusion desservit la recherche japonaise dans ce domaine, de même que la recherche soviétique, singularité d'autant plus frappante que ces trois États totalitaires se targuaient de triompher par l'organisation.

semble des Forces alliées en permettant à l'aviation le pilotage sans visibilité et le bombardement de précision, à la défense maritime le repérage des convois et sous-marins allemands (en 1943, grâce au radar, on put couler à peu près un sous-marin allemand par jour), et à la défense aérienne la reconnaissance des avions nationaux, équipés de **transpondeurs** qui émettaient des messages codés.

Radiomètre
Melloni, 1850 ; Langley, 1878 ; Boys, 1888 ; Angström, 1893.

Un radiomètre est un **appareil à mesurer les radiations**, mais le terme est réservé à la mesure des énergies de longueurs d'ondes calorifiques. Il ne comprend traditionnellement ni la cellule à sélénium, qui est sensible aux radiations lumineuses (et produit de l'électricité), ni la cellule photo-électrique, qui est sensible aux rayons actiniques (ceux qui exercent une action chimique sur certaines substances), parce qu'elles sont relativement insensibles aux radiations infrarouges et qu'elles ne mesurent donc pas l'énergie indépendamment des longueurs d'ondes. Le radiomètre a joué un rôle fondamental en physique, en thermodynamique, en électricité, en optique et dans de nombreuses disciplines telles que l'étude du Soleil. Le premier de tous les radiomètres, à l'exception du thermomètre, fut la **thermopile** inventée par l'Italien Macedonio Melloni en 1850. C'était un ensemble de cent couples électriques assemblés en forme de cube, chaque couple étant constitué de deux éléments, l'un en alliage d'antimoine, l'autre en alliage de bismuth, dont la sensibilité était telle qu'une différence de 1 °C entre l'élément froid et le chaud engendrait un courant de 120 microvolts par couple, l'ensemble produisant une force électromotrice de 120 millivolts. L'appareil présentait l'inconvénient d'être lent, en raison de sa grande capacité thermique.

■ En 1878, l'Anglais S.P. Langley construisit un radiomètre de son invention, qui était beaucoup plus rapide. Il consistait en deux treillis métalliques peints en noir, de résistances égales, en équilibre sur une construction du type dit : « pont de Wheastsone » ; un courant y était induit et celui qui était exposé aux radiations s'échauffait, l'autre non, et la différence de température entre les deux produisait une différence de courant qui était mesurée par un galvanomètre. Il présentait un avantage sur la thermopile, tel qu'en accroissant la déflexion du galvanomètre on pouvait enregistrer des courants électriques plus élevés. On réalisa des radiomètres de ce genre, appelés **bolomètres**, très sensibles et rapides, en utilisant des récepteurs très minces. L'inconvénient en était qu'en accroissant la déflexion du galvanomètre on provoquait aussi un échauffement autonome des écrans, causé par le courant électrique lui-même ; le zéro du galvanomètre tendait alors à se déplacer et l'appareil n'était plus fiable.

■ En 1888, le mathématicien et physicien Charles Vernon Boys inventa un **radio-micromètre** qui combinait le radiomètre avec le galvanomètre, et qui était rapide, sensible et constant. C'était un appareil délicat, consistant en un couple très léger, attaché à un anneau de fil de cuivre lui-même suspendu par un fil de quartz entre les pôles d'un aimant fort ; il pouvait détecter des radiations même faibles.

■ On commença alors à s'intéresser à la **mesure absolue** des radiations, et non plus seulement à l'estimation d'une radiation donnée à une température connue. Dans les années 1880, le Français C.S.M. Pouillet inventa un appareil dont la surface sensible était comparable aux treillis du bolomètre : c'était un disque noir de capacité thermique donnée et dont on pouvait mesurer l'échauffement dans un temps donné. Comme il présentait l'inconvénient d'être lent, et donc de ne pas tenir compte des pertes de chaleur survenues au cours de son échauffement, il fut modifié par plusieurs physiciens (G.G. Stokes, J. Violle, A. Crova) de la manière suivante : la surface sensible fut cette fois un disque de faible capacité thermique et de forte conductivité, enfermé dans un cylindre clos maintenu à température constante ; c'était le **pyrhéliomètre**, toujours utilisé pour la **mesure des radiations solaires**, mais qui n'est guère adapté à l'étude des radiations faibles.

■ La dernière étape avant la fin du XIXᵉ siècle fut franchie par le célèbre physicien suédois Anders Jonas Angström, qui inventa un pyrhéliomètre d'un type nou-

veau, comportant un capteur de **manganine**, servant de surface sensible, faisant face à un capteur de mêmes dimensions, mais qui était échauffé par un courant électrique de façon rigoureusement égale à celle de son homologue, grâce à un **rhéostat**. La quantité de courant nécessaire à l'échauffement d'un capteur indique donc, par analogie, l'énergie radiante captée.

Spectrométrie à effet Raman
Raman, 1928.

Cette technique est un instrument d'analyse extrêmement précieux des **molécules polyatomiques**, fondé sur un effet baptisé du nom de son découvreur, l'Indien C.V. Raman. En 1928, en effet, Raman découvrit une **variation de fréquence dans la diffraction de la lumière** qui frappe une molécule de gaz, de liquide ou de solide, cette variation s'effectuant par rapport à une radiation lumineuse monochromatique incidente. Cette lumière monochromatique est généralement dans l'**infrarouge**. Le phénomène s'explique par le fait que le dynamisme de la molécule sous l'effet de la radiation change sa polarisation, soit parce que la radiation la fait vibrer, soit parce qu'elle la fait tourner. Il s'agit là d'une explication générale, car le

phénomène était encore en cours d'étude à la fin de la décennie 80.

Raman eut l'idée d'appliquer sa découverte à l'analyse de quantités infimes d'une substance quelconque, dont le phénomène permettait de définir et la nature et la structure, puisqu'elle renseigne sur les fréquences vibratoires des atomes constitutifs. En effet, lors de sa diffraction, la lumière monochromatique forme des **spectres spécifiques** des substances qu'elle frappe.

La spectroscopie à effet Raman s'est avérée irremplaçable dans les analyses physiques et chimiques, ni la spectrométrie ordinaire, ni la chromatographie en phase gazeuse n'offrant une égale finesse de définition.

Stéréoscopie
Ducos du Hauron, 1893.

Le premier qui réalisa des anaglyphes fut le Français Louis Ducos du Hauron, en 1893. Le texte de l'inventeur même est parfaitement clair : « La caractéristique du procédé consiste dans le mode de formation du noir et des ombres ; ils sont produits non pas par un noir pigmentaire [...] mais par le croisement [...] de deux teintes dont l'une intercepte l'autre ; cette interception se traduisant en chaque point par un noir proportionnel à l'intensité de la teinte interceptée, il s'opère un phénomène d'antichromatisme analogue à celui qui, dans le système d'héliochromie pigmentaire

dont je suis l'inventeur, traduit le noir de la nature par des superpositions de teintes. Exemple : l'image qui correspond à la perspective de l'œil droit étant imprimée en rouge (minium ou vermillon) sur fond blanc, et l'image qui correspond à la perspective de l'œil gauche étant imprimée en bleu-violet transparent (bleu d'Orient) au-dessus de l'image rouge, si l'on interpose entre la double et confuse image ainsi constituée et l'œil droit un milieu dioptrique (vitrage ou pellicule) de couleur bleu-violet (verre bleu de cobalt) et entre cette même double image et l'œil gauche un milieu rouge (tel que vitrage rouge-rubis), voici le chassé-croisé très curieux qui s'accomplira : 1° chaque œil percevra en noir l'image dont la couleur ne correspond pas à celle du vitrage interposé ; 2° ni l'œil droit ni l'œil gauche ne percevront l'image dont la couleur correspond à celle du vitrage employé pour chacun d'eux ; en ce qui a trait à cette seconde partie du phénomène, l'explication consiste en ce que [...] pour l'œil droit le bleu s'efface tandis que le rouge se traduit en noir. Inversement, le rouge s'efface pour l'œil gauche armé de verre rouge, tandis que le bleu se traduit pour lui par du noir. »

■ Ducos du Hauron s'annonce comme le précurseur de deux découvertes. La première est celle du **croisement des fibres optiques nerveuses,** qui expliquera au XXe siècle que la vision est le produit des sensations rétiniennes superposées et contralatérales des deux yeux. La seconde est celle de l'**holographie,** qui se fondera sur le décodage par **laser** des différentes phases des ondes lumineuses sur un objet lumineux également éclairé au laser.

médecine & biologie

Le reflet qu'offrent les inventions dans les domaines de la médecine et de la biologie est bien infidèle à l'évolution de ces deux sciences. Ces inventions ne constituent, en effet, qu'un matériel, dont la portée apparaît comme secondaire au regard du bouleversement apporté dans la connaissance et dans la guérison des êtres vivants.

Jusque vers 1950, pour prendre une date repère, médecine et biologie ont obéi aux vieilles idées catégorielles, quasiment mécanistes, héritées des époques classiques. Tel organisme souffrait de tel symptôme, on lui donnait tel produit censé traiter la cause du symptôme. Le remède était sans doute indispensable, car l'un des devoirs du médecin est de prévenir la souffrance de son patient. Mais il était bien grossier ; il faisait souvent autant de mal que de bien. A partir de 1950 environ, l'interprétation d'un système vivant est passé du statique au dynamique, et l'on a commencé à comprendre que l'équilibre qui commande la vie est fondé sur une multitude d'interactions de sous-systèmes. On a alors essayé d'analyser ce qu'étaient ces sous-systèmes, et, comme en physique, on est descendu du tissu à la cellule et de la cellule à l'infiniment petit comme l'A.D.N. C'est alors (dans les années 60) que la vieille biologie d'antan, en fait du naturalisme, est devenue la biologie moléculaire et c'est pourquoi il n'y a plus d'autre biologie que celle-là.

Aussi a-t-on commencé à réaliser des inventions qui ne prenaient leur sens que dans ce contexte, comme les anticorps monoclonaux, qui imitent les produits du système immunitaire, la greffe génétique, impensable il y a seulement trente ans, et la souris transgénique, impensable il y a seulement dix ans. Inventions fondamentales et qui modifient d'ores et déjà l'avenir de la médecine, alors que leurs aspects pratiques sont à peine ébauchés.

Aussi a-t-on également commencé à fabriquer des inventions de chirurgie, comme le casque gamma et le bistouri-laser, qui réduisent l'art du scalpel du début du siècle à une sorte de boucherie désespérée et des médicaments qui sont à l'ancienne pharmacopée ce que la pénicilline est à la thériaque des apothicaires.

Dans ce domaine-là, l'invention relègue les derniers mille ans de médecine et de biologie à une préhistoire.

Analyseur de sang rapide
Diamond Sensor Systems, 1987.

De nombreuses interventions chirurgicales, telles que les **opérations à cœur ouvert,** exigent pour la sécurité du malade une connaissance extrêmement rapide des taux de divers éléments dans son sang. Pour disposer de ces données, les chirurgiens sont contraints d'effectuer des prélèvements en cours d'intervention et de les porter au laboratoire, qui effectue les analyses dans un temps plus ou moins bref. En 1987, la firme américaine Diamond Sensor Systems, d'Ann Arbor, a mis au point et breveté une unité de matériel hospitalier qui, installée dans le bloc opératoire même, effectue automatiquement ces analyses en deux minutes. Prélevant sur commande 2 cc de sang, l'appareil, dit GEM 6, fournit par imprimante l'état de six paramètres sanguins essentiels, **oxygène, gaz carbonique, pH, potassium, calcium** (les **électrolytes**) et **hématocrite** (cellules du sang).

Anémie pernicieuse (traitement de l')
Folkers et Shorb, 1947.

L'anémie dite « pernicieuse » (expression qui n'est plus employée et qui a été remplacée par celle d'**anémie de Biermer,** type d'**anémie macrocytaire,** donc essentielle) était autrefois une maladie grave, pour laquelle on ne connaissait pas de traitement spécifique. Ce sont, en 1947, les docteurs Karl August Folkers, d'origine allemande, mais travaillant aux États-Unis, et Mary Shorb, Américaine, qui utilisèrent les premiers la **vitamine B12** en injections pour la soigner. La maladie est, en effet, due à l'incapacité d'absorber cette vitamine en raison d'une carence d'un élément de la muqueuse gastrique, dit « facteur intrinsèque ».

Anticorps monoclonaux
Kohler et Milstein, 1975.

Les anticorps monoclonaux sont des substances identiques aux anticorps ordinaires, sécrétées par le **système immunitaire** contre des **antigènes,** c'est-à-dire des agents étrangers à l'organisme et donc susceptibles d'être dangereux. Ils présentent la particularité d'être produits artificiellement, par la fusion de deux types de cellules différents : d'une part, des **cellules cancéreuses,** choisies parce qu'elles possèdent la propriété de se reproduire indéfiniment, à la différence des cellules saines, qui cessent de se diviser au terme de 52 ou 53 générations, et, d'autre part, des **lymphocytes,** globules blancs qui produisent des anticorps. La fusion entre une cellule cancéreuse et un lymphocyte produit ce que l'on appelle en biologie une **chimère,** ou encore un **hybridome,** dont l'intérêt est de pouvoir être cultivé *in vitro* de façon indéfinie, ce qui n'est pas possible pour le lymphocyte ordinaire. La création d'un hybridome fut obtenue pour la première fois, en 1975, par les Britanniques George Kohler et Cesar Milstein ; l'invention fut rendue possible par le choix d'une substance qui dissolvait les membranes des deux cellules et favorisait ainsi leur fusion en une seule cellule viable. Il s'agit en fait d'une double invention, car le lymphocyte, étant prélevé sur un animal auquel on avait injecté un antigène donné, avait acquis la propriété de fabriquer l'anticorps correspondant. La culture des hybridomes permettait donc de recueillir une quantité théoriquement infinie de cet anticorps ; l'adjectif monoclonal dérive du fait qu'il s'agit d'abord d'un **clone**, mais d'un clone à propriétés uniques.

■ Le nombre des anticorps monoclonaux obtenus depuis l'invention de Kohler et Milstein atteint plusieurs dizaines. Leurs utilisations se font de deux manières. La première consiste à diagnostiquer des états organiques, grossesse, anomalies métaboliques, maladies, en incorporant les anti-corps monoclonaux dans des réactifs chimiques ; mis en présence de l'antigène dont il est spécifique, l'anticorps s'attachera à lui et trahira donc sa présence. L'autre utilisation s'annonce comme curative, l'anticorps monoclonal venant renforcer les défenses immunitaires naturelles de l'organisme. Ainsi en France, en 1987, on a eu recours à l'anticorps monoclonal anti-LFA 1 pour traiter sept enfants d'une maladie osseuse rare, due à une carence immunitaire, l'**ostéopétrose**. On envisage de traiter de la sorte des cancers et de prévenir le rejet des greffes.

Banque du sang
Yukin, 1931.

C'est en 1931 que le professeur Sergei S. Yukin, de l'institut Sklifosovsky de Moscou, a eu l'idée de maintenir une réserve de sang humain entreposé dans des conditions spéciales, aux fins de **transfusions,** dans le service des urgences de cet institut. L'expression même « **banque du sang** » a été imaginée, en 1937, par l'Américain Bernard Fantus, de Chicago.

Barbituriques
Fischer et von Behring, 1903.

L'origine des barbituriques, groupe de médicaments dérivés de l'**acide barbiturique,** dépresseurs du système nerveux central et hypnotiques, distincts des **sédatifs** et des **tranquillisants** (voir p. 193), remonte à la synthèse de cet acide, faite en 1903 par les Allemands Emil Hermann Fischer et Emil Adolf von Behring, de l'Institut d'hygiène de Marburg. Cette synthèse, elle-même dérivée d'une découverte, fut réalisée à partir du malonate d'éthyle et de l'urée, d'où le nom synonyme de **malonylurée.** L'acide barbiturique en tant que tel n'a aucun pouvoir hypnotique ; ce sont ses dérivés disubstitués sur l'atome de carbone n° 5 qui possèdent ce pouvoir. Ce sont Fischer et Behring qui entreprirent les premiers essais de dérivés de l'acide barbiturique, tels que le Barbital ou le Véronal. L'acide barbiturique avait été découvert en 1864 par leur compatriote Adolf von Bäyer, dont Fischer avait été l'élève. Brillant expérimentateur de chimie organique, domaine qu'il a marqué de son empreinte, Fischer réalisa la synthèse de l'acide barbiturique au cours de ses recherches sur les **purines,** groupe de composés hérérocycliques. Fischer et von Behring furent tous les deux couronnés par des prix Nobel, mais celui de von Behring récompensa ses travaux sur la sérothérapie par antitoxines, dont il fut l'inventeur, et celui de Fischer, l'ampleur de ses recherches en chimie organique.

Bistouri-laser

Bessis, 1962 ; Ingram, 1964 ; Herriott, Gordon, Hale
et Gromnos, 1967 ; Coscas, 1978...

La possibilité d'utiliser un laser à des fins chirurgicales avait été envisagée théoriquement dès la fin des années 50 ; elle posait toutefois des problèmes techniques délicats. C'est le Français Marcel Bessis qui, avec une équipe de biologistes, ouvrit la voie en 1962 en réalisant un laser à microrayon de 2,5 microns de diamètre, pour des coupes de biologie cellulaire. En 1964, l'Américain H. Vernon Ingram effectuait la première intervention chirurgicale en **ophtalmologie** avec un laser de type Nelas. Le bistouri-laser fut ensuite développé par les Américains D.R. Herriott, E.I. Gordon, H.A.S. Hale et W. Gromnos, de la compagnie américaine Bell Telephone, en 1967. Ce sont eux qui mirent en évidence la capacité d'un tel instrument à cautériser en même temps qu'il coupait. La première utilisation médicale d'un laser à argon fut faite en ophtalmologie par le Français Gabriel J. Coscas, en 1978.

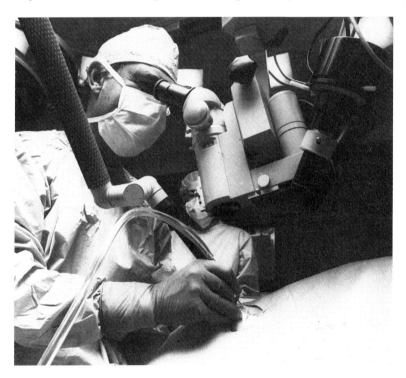

Le bistouri-laser était il y a quelques années un instrument d'avant-garde ; il s'est banalisé : la scène ci-dessus, où l'on voit un ophtalmologiste suivant sur un écran le trajet de son faisceau ultra-fin, est courante dans toutes les cliniques ophtalmologiques bien équipées.

Casque gamma
Leksell et Larsson, 1968.

Également désigné sous le nom anglais de **gamma knife** ou « **couteau gamma** », le casque gamma est un accessoire de **radiothérapie** qui, fixé sur le crâne, permet d'administrer les radiations du **cobalt 60** avec une précision de l'ordre du centième de millimètre pour le traitement des **tumeurs du cerveau**. La source de cobalt 60 est incorporée dans le casque même et produit 201 faisceaux radioactifs après repérage stéréotaxique de la tumeur. L'appareil fut inventé en 1968 par les Suédois Lars Leksell et Borje Larsson. Bien que son utilisation ait permis d'aboutir à 87 % de réussites sur 500 patients, il n'en existait en 1988 que cinq exemplaires dans le monde, en raison de son prix (entre 3 et 4 millions de dollars). Fabricant : Elekta Instruments, Suède.

Chambre de décompression
Davis et Siebe-Gorman, 1929.

On avait observé depuis plusieurs siècles que les **plongeurs sous-marins** étaient sujets, après leurs remontées, à des accidents physiologiques d'autant plus graves et fréquents que les plongées étaient plus profondes. Ces accidents, parfois fatals, s'expliquaient notamment par les brusques différences dans les taux de concentration des gaz respirés dans le sang et les tissus, qui, dans certains cas — on le sut plus tard —, déclenchaient la formation de bulles de gaz dans le système circulatoire. La solution à ce risque vint du Britannique sir Robert H. Davis, de la firme Siebe-Gorman Ltd., qui imagina de faire passer les plongeurs, à la remontée, par des **paliers de compression** dans un caisson ou chambre de décompression, où la pression était progressivement, mais lentement, abaissée.

Chirurgie cardiaque
Gross, 1948 ; Hufnagel, 1952 ; Gibbon, 1953 ; Barnard, 1967 ; Cooley, 1969...

Les interventions chirurgicales sur le cœur même se situent à la lisière du perfectionnement et de l'invention proprement dite et, de ce fait, répondent plus à la définition de l'innovation. La première de toutes les interventions sur le cœur qui aient été recensées est la réparation d'une lésion cardiaque, en 1896, par l'Allemand Ludwig Rehn ; elle fut considérée pendant de nombreuses années comme d'une audace inouïe, que ni les patients ni les chirurgiens n'étaient impatients de renouveler. Toutefois, l'avènement de l'**intubation endotrachéale de gaz anesthésique sous pression** permit, dès 1904, d'envisager au moins des interventions à l'intérieur de la cage thoracique, dans des conditions de sécurité raisonnables, et sans interrompre les fonctions respiratoires. Des chirurgiens émérites s'attaquèrent donc à des essais de réparation sur de grosses artères et l'on considère à cet égard l'année 1948 comme une date majeure : c'est alors que l'Américain Robert Gross eut l'idée de suturer une aorte ouverte avec des éléments artificiels et des tissus prélevés sur le patient lui-même (**autogreffe**) ; l'intervention fut couronnée de succès.

■ Dès 1923, on avait tenté de réparer les valvules à l'intérieur même du cœur. Faute d'une technique réellement satisfaisante, les résultats furent aléatoires. Dans les années 50, on projeta de greffer des **valvules artificielles** ; ce fut, en 1952, l'Américain C. Hufnagel qui réussit une telle implantation (la technique devait être considérablement améliorée par la suite, notamment grâce à la mise au point de matériaux compatibles avec le milieu sanguin).

■ L'année suivante, l'Américain John Gibbon réalisa la première **opération à cœur ouvert**, grâce à une machine qui, branchée d'un côté sur les gros vaisseaux et, de l'autre, sur la trachée artère, permettait d'oxygéner et de faire circuler le sang du patient durant l'intervention ; il avait mis dix-neuf ans, avec l'aide de sa femme et de ses collaborateurs, pour terminer cet appareil de **circulation extracorporelle,** et c'est indéniablement à lui que revient le titre d'inventeur. Dès lors, la chirurgie cardiaque allait progresser considérablement et permettre l'établissement de protocoles opératoires fiables. C'est grâce à cette invention qu'en 1967 le Sud-Africain Christiaan Barnard réussit (après de nombreux essais sur l'animal) la première **transplantation cardiaque** intégrale. En 1969 enfin, l'Américain Denton Cooley ouvrait un nouveau chapitre de la chirurgie cardiaque en permettant à un individu de survivre (deux jours et demi, la première fois) grâce à un **cœur artificiel,** mécanique, en attendant l'implantation d'un cœur organique.

Cocaïne
Niemann, 1859.

La première extraction de la cocaïne fut réalisée en 1859 par l'Allemand Albert Niemann, à partir des feuilles de l'**Erythroxylon coca,** arbuste connu depuis la destruction de l'Empire inca par le conquistador espagnol Pizarre, en 1532. Les plantations de coca avaient jusqu'alors appartenu aux seigneurs et aux grands prêtres incas. Les propriétés des feuilles étaient également connues depuis longtemps. La cocaïne fut utilisée comme **anesthésique** pour la première fois par l'Autrichien Carl Koller en 1884.

Cœur artificiel
Demikhov, 1937 ; Kolff, 1958 ; Jarvik, 1965-1980...

Le premier cœur entièrement artificiel qui ait fait l'objet d'une implantation chez un animal fut celui qu'avait réalisé en 1937 le chercheur soviétique Vladimir P. Demikhov pour un chien. Trois essais successifs d'implantation d'une pompe rotative dans la cavité thoracique donnèrent des résultats assez intéressants pour que Demikhov poursuivît ses recherches jusqu'en 1958, date à laquelle il semble les avoir abandonnées. La tentative suivante fut celle de l'Américain Willem Kolff, inventeur du **rein artificiel** (voir p. 188). Le veau auquel le cœur avait été implanté survit environ 90 minutes. De perfectionnement en perfectionnement, on en arriva en 1969 à 121 jours de survie, toujours chez les veaux. En décembre 1982, le même Kolff implantait un cœur artificiel à un homme, Barney Clark, qui survécut 112 jours. Ce dernier cœur avait été mis au point par l'Américain Robert Jarvik ; en aluminium et polyuréthane, c'était le septième prototype de cœur artificiel construit par ce prothésiste, d'où son nom, **Jarvik-7**. Il s'agissait d'une double pompe assumant les fonctions des deux ventricules naturels ; il n'était pas autonome, puisqu'il devait être raccordé à un équipement externe encombrant (150 kg). Jarvik avait commencé ses premiers essais en 1965. Il les poursuivait à la fin de la décennie 80. A cette même époque, les cœurs artificiels (dont le Jarvik-7 et le **Penn State,** construit par l'université de Pennsylvanie, étaient les seuls commercialisés) comportaient beaucoup trop de risques et de carences pour pouvoir être considérés comme des prothèses définitives. Outre la nécessité de raccordement, impliquant une forte entrave à la liberté de mouvement, ce type d'appareil entraîne des risques de **thrombose,** de formation de **tissus conjonctifs parasites, d'hémolyse** ou altération des globules rouges, de dysfonctionnement avec **rupture des diaphragmes** ; il n'est donc considéré que comme un appareil de transition en attendant la greffe d'un cœur biologique.

■ Les progrès effectués dans le domaine de la **miniaturisation,** c'est-à-dire de **batteries** et d'**accumulateurs** suffisamment petits et légers pour pouvoir être incorporés dans un organe artificiel, et suffisamment puissants pour durer plusieurs années, permettent d'espérer pour la fin du XXᵉ siècle des cœurs autonomes. Ces progrès ont été obtenus en France, au Japon, en Allemagne et aux États-Unis, entre autres pays. Toutefois, en l'état des connaissances à la fin des années 80, ils n'éliminaient pas les problèmes fondamentaux de **compatibilité** entre des tissus artificiels et les tissus organiques. Certaines recherches laissaient alors imaginer des cœurs artificiels dont les parois seraient recouvertes de cellules vivantes, obtenues par culture, et tapissant les parois de l'organe artificiel.

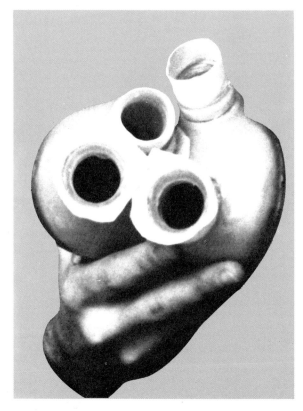

La main du Pr Robert Jarvik, Américain, tenant le plus récent prototype de son **cœur artificiel,** le Jarvik 7.

Contraceptifs
Pincus, 1950.

Les contraceptifs sont couramment perçus par l'opinion internationale comme étant une invention et, qui plus est, une invention moderne. Il n'en est rien, et nous ne les citons ici que pour mémoire.

■ L'humanité a pratiqué la contraception depuis des dates extrêmement reculées : en tant qu'instrument de contrôle des naissances, et, parallèlement à l'infanticide (qui fut pratiqué en Europe jusqu'au XIXᵉ siècle), on en trouve des témoignages aussi variés qu'anciens, par exemple dans le papyrus égyptien Petri, vers 1850 avant notre ère, et le papyrus Ebers, vers 1500 avant notre ère ; il est vraisemblable que les méthodes indiquées dans ces documents, telles que l'utilisation de **tampons vaginaux** imprégnés de substances diverses : miel, excréments de crocodile broyés en poudre, huile d'olive, jus d'oignon, suc de menthe, avaient des origines encore plus anciennes.

■ Le condom (ainsi nommé, dit-on, en l'honneur d'un Anglais, contemporain de Charles II, nommé Condom, qui en aurait perfectionné la fabrication) apparut au XVIᵉ siècle, comme accessoire de prévention des **maladies vénériennes** ; ce fut le médecin italien Gabriele Fallopio qui imagina d'utiliser des segments de boyaux animaux, préalablement « nettoyés » et noués à un bout. A partir de 1840, on les fabriqua en **caoutchouc vulcanisé,** ce qui permet d'émettre quelques réserves sur leur confort. Ils ne sont fabriqués en latex que depuis 1930.

■ En ce qui concerne la contraception intravaginale, depuis les Grecs et les Romains, un catalogue impressionnant de substances dont il fallait imprégner des tampons a été utilisé par les populations : huile, vinaigre, alun, ciguë, thé vert, zinc, sulfate de plomb, quinine, tanin, opium, acide prussique, iode, strychnine, alcool..., sans compter les recettes à base d'extraits de plantes, qui défient l'inventaire. Les diaphragmes, dérivés des tampons vaginaux, ne sont guère plus une invention moderne : dès le Xᵉ siècle, les Japonais utilisaient des disques de papier de bambou. Les **stérilets,** apparus au XIXᵉ siècle, sans nom d'inventeurs précis, méritent peut-être un peu plus l'appellation d'invention ; ils constituaient une simplification du tampon, applicable au col de l'utérus, dont la plus inattendue est indéniablement l'os scapulaire du poulet... Le premier stérilet scientifique fut créé, en fait, en 1909 par le médecin allemand R. Richter.

■ La pilule contraceptive n'est pas davantage une invention : elle procède de deux découvertes, l'une par l'Autrichien Ludwig Haberlandt, en 1921, de sécrétions humaines **anti-ovulatoires,** l'autre par les Américains Allen et Corner, en 1929, de la **progestérone.** En 1941, l'Américain Russell Marker découvrit qu'une plante utilisée comme contraceptif de temps immémorial par les Mexicains, le *Lithospermum ruderale,* contenait de la progestérone. Ce fut l'Américain Gregor Pincus qui, à la fin de la décennie 1950, donna un tour scientifique à l'utilisation de la progestérone à des fins contraceptives, en déterminant les dosages utiles. La **« pilule »** était née.

Eau à deux isotopes
Lifson, 1959.

L'eau à deux isotopes, le **deutérium** ou **eau lourde,** 2 H₂, et l'**oxygène 18,** est l'instrument le plus fin et le plus simple pour évaluer de manière plus précise la somme d'énergie nécessaire à l'activité humaine quotidienne. Inventée en 1959 par l'Américain Nathan Lifson, son utilisation dans l'étude du **métabolisme** se fonde sur le fait que celui-ci est lié à des échanges d'eau inter et intracellulaires. La connaissance des taux d'échange en fonction du maintien automatique de la température corporelle (à 37 °C) devrait, en résumé, permettre d'estimer l'énergie dépensée par un organisme. Toutefois, ces taux restaient inconnaissables, du fait qu'on ne pouvait distinguer précisément, dans l'eau du corps, ce que l'on appelle l'**eau libre** de l'**eau cellulaire,** donc établir leurs dynamiques respectives en fonction du temps, lequel constitue un facteur essentiel de l'équation de base du métabolisme. Celui-ci était donc calculé sur la base de l'oxygène consommé et du gaz carbonique excrété par un individu au strict repos, privé d'alimentation — méthode peu commode. En revanche, l'analyse des urines par **spectrométrie de masse,** effectuée sur un individu ayant absorbé des éléments non dégradables et relativement non toxiques, en quantité déterminée, pouvait permettre d'établir des taux d'échange plus précis en fonction de leur courbe temporelle d'excrétion. Ce fut l'idée de Lifson, qui ne devint applicable que dans la seconde moitié de la décennie 80, grâce

aux progrès de la spectrométrie de masse, et qui a valu à son inventeur un prix scientifique (prix Rankin) en 1987.

■ Les essais de calcul du métabolisme basal par cette méthode ont amené à réviser en baisse les estimations du taux métabolique de base ou T.M.B., dans une proportion variant entre 9 et 25 % selon les cas (âge, sexe, prédispositions génétiques, activité, etc.). Il a révélé que la suralimentation accroissait le métabolisme et offert une base d'explication aux performances de certains animaux, tels les oiseaux, qui parcourent des distances considérables sans alimentation. Il faut toutefois rappeler que l'organisme est comparable à une boîte noire, dont on ne peut assurer que les entrées et les sorties et déduire ensuite les transformations internes qui ont eu lieu. Les calculs métaboliques quels qu'ils soient comportent donc une marge aléatoire non négligeable.

Électrocardiographe
Einthoven, 1903.

Le premier électrocardiographe fut un **galvanomètre à fil** inventé par le Néerlandais Willem Einthoven pour mesurer les **différences de potentiel électrique** engendrées par les **contractions cardiaques**. Einthoven, qui forgea les termes

d'électrocardiographe et d'électrocardiogramme, passa les cinq années suivantes à réaliser les tracés de cœurs malades, afin d'établir la signification des tracés par le biais de la pathologie.

Greffe génétique
Boyer, 1977.

L'une des interventions de base de la **biologie moléculaire** est la greffe génétique ; celle-ci consiste à greffer un fragment étranger du **patrimoine génétique** d'un organisme ou **A.D.N.** (pour **acide désoxyribonucléique**) dans un autre organisme. Cette opération fut réalisée pour la première fois par l'Américain Herbert W. Boyer, qui fusionna un segment d'A.D.N. humain, synthétisé en laboratoire, à une bactérie **Escherichia coli.** Le segment en question est celui d'une hormone cérébrale, la **somatostatine,** qui règle la croissance. La bactérie se mit donc à produire de la somatostatine.

■ Cette opération avait toutefois été précédée, en 1974, de l'insertion de gènes codant la **résistance des bactéries à la pénicilline,** extrait de **plasmides** de bactéries pénicillino-résistantes, dans un plasmide d'*E. coli* qui ne présentait pas cette résistance. Par extension du langage, on peut dire que cette opération, réalisée par le groupe de recherche de l'Américain Stanley Cohen, à Stanford, Californie, constituait le stade précurseur des greffes génétiques, bien qu'elle ne s'inscrivît pas dans le territoire spécifique du patrimoine génétique bactérien ; en effet, le plasmide est un organe de la bactérie qui transmet bien des informations génétiques, mais il ne constitue pas l'essentiel de l'A.D.N. bactérien, qui se trouve dans le **noyau** (le plasmide se trouve, lui, dans le **protoplasme**). La prouesse constituée par l'invention de Boyer n'eut pas de suites industrielles immédiates, car on ignorait encore les propriétés précises de la somatostatine ;

elle ouvrait cependant la voie royale du génie génétique, car elle indiquait le processus à suivre pour obtenir une infinité de substances à partir de bactéries greffées, puis les perspectives d'intervention génétique directe sur les cellules humaines elles-mêmes.

Implant cochléaire
Von Bekesy, 1960 ; 3 M, 1973.

Un implant cochléaire est une **prothèse miniaturisée,** qui restitue — partiellement à la fin de la décennie 80 — les sons pour les sourds profonds. La prothèse est constituée de pastilles plates, implantées sous la peau, au-dessus de l'oreille, qui servent d'antennes à capter les sons extérieurs. Ces antennes sont rattachées à un récepteur qui est prolongé par un fil électrique spécial, dit électrode, glissé à l'intérieur de la **cochlée** ou limaçon. Les sons reçus de l'extérieur sont donc transformés en impulsions électriques qui vont exciter le nerf auditif relié à la cochlée et, de là, être transmises au cerveau. Dans les modèles les plus récents, mis au point en 1988 par la firme américaine 3 M et par la firme australienne Nucleus Limited, les sons étaient décomposés selon leurs **fréquences** (dans le modèle australien, la décomposition était assurée par l'utilisation d'électrodes multiples, transmettant chacune une fréquence donnée).
■ La paternité absolue de l'implant cochléaire ne peut être établie ; il semble, en effet, que ce type de prothèse découle de celles que l'on implantait dès 1952 chez les personnes atteintes d'**otosclérose** avancée,

mais chez lesquelles on procédait à une réfection avec prothèse de l'**étrier** (stapedectomie). En tout cas, il est certain que ce genre d'intervention, qui eût été irréalisable auparavant, ouvrait la voie aux premiers essais d'implants cochléaires. Le premier qui en ait publié une théorie et qui doit être cité parmi les inventeurs théoriques est l'Américain d'origine hongroise Georg von Bekesy, en 1960. Le premier implant fut toutefois fabriqué en 1973 par la firme 3 M, citée plus haut, après de nombreuses études théoriques et pratiques. L'implant cochléaire ne restitue pas l'audition normale ; il permet seulement à la personne sourde de percevoir les sons du monde externe, de les différencier en **graves** et **aigus** et, avec le secours du déchiffrage par les lèvres, de rétablir un contact auditif avec l'environnement humain.

> On considérait en 1988 que l'implant cochléaire n'en était qu'à un stade primaire et qu'il devait être possible d'affiner suffisamment la réception des sons pour aboutir un jour à une audition proche de la normale.

Lentilles de contact
Fick, 1887 ; I.G. Farben, 1936 ; Softsite C.L.L., 1985.

C'est l'ophtalmologiste allemand A.E. Fick qui, le premier, en 1887, a conçu et fabriqué des **lentilles cornéennes,** dites par la suite lentilles de contact. Ces prothèses étaient alors fabriquées en verre et peu courantes. En 1936, la firme allemande I.G. Farben reprit l'idée de Fick et fabri-

qua des lentilles en **plexiglass,** beaucoup plus légères, mais dont la fabrication, sur mesure, et le port posaient encore trop de problèmes pour que l'invention se généralisât. Un certain progrès fut obtenu par l'Anglais Norman Bier, qui, en 1956, fabriqua des lentilles de diamètre beaucoup plus petit, n'enrobant pas une trop large section sphérique du globe oculaire ; elles étaient en **méthacrylate**, et donc plus légères, plus faciles à poser et à retirer.

■ L'amélioration la plus récente est due à la firme américaine Softsite Contact Lens Laboratory, qui fabrique des lentilles de contact **souples,**

encore moins gênantes pour l'œil.

Il convient de rappeler qu'on ne dispose encore d'aucun type de lentilles de contact permettant un port continu sans fluide hydratant qui ait obtenu l'assentiment unanime des ophtalmologistes.

Lithotripteur
Eisenberger et Chaussy, 1972.

La fragmentation des calculs rénaux par **ondes ultrasoniques,** sans intervention sanglante, a été inventée par les Allemands Eisenberger et Chaussy, du département du Dr Egbert Schmidt à Munich, en 1972. La succession des ondes de choc, focalisée sur le malade en suspension dans une baignoire spéciale, réduit les calculs en sable, qui est éliminé par les urines. Le prototype du lithotripteur a fait l'objet d'une commercialisation par la firme allemande Dornier GmbH en 1980.

Médicaments galéniques
Ehrlich, vers 1950...

Il n'est guère possible d'assigner une date précise, ni un auteur, à l'invention des médicaments galéniques, qui constituent l'une des plus importantes du XXe siècle en général et de la **pharmacologie** en particulier. L'appellation « galénique » est dérivée d'un terme ordinaire de la pharmacologie classique, la préparation galénique désignant le médicament prêt à prendre, préparé d'avance par le pharmacien ; elle est impropre, mais a néanmoins connu un certain succès, de même que l'expression « médicaments missiles », peu scientifique, qui lui est souvent accolée. La définition la plus précise à ce jour serait celle de **médicaments ponctuels.**

■ Cette « troisième génération » pharmacologique (la première ayant été celle des vrais médicaments galéniques, préparés sur ordonnance, et la deuxième, celle des spécialités préparées industriellement) comprend un certain nombre de types de produits qui ont tous en commun le point suivant : ils ne modifient pas l'ensemble de l'organisme comme les précédents ; en effet, lors de leurs transits habituels, soit par le **système circulatoire,** soit par le **système digestif,** les médicaments ordinaires modifient aussi bien les tissus sains qu'ils traversent que les cellules cibles qu'ils visent. D'où les **effets secondaires, dits iatrogènes,** qui s'ensuivent et qui rendent leur administration parfois toxique, interdisant souvent, par ailleurs, les **médications croisées,** qui, soit potentialisent certains médicaments, soit au contraire les inhibent.

C'est ainsi que les tranquillisants affectent la motricité intestinale et que l'attapulgite, par exemple, réduit l'assimilation des phénotiazines. Les médicaments ponctuels, comparables à des « projectiles intelligents », traversent quant à eux les tissus sains sans les affecter et ne s'attachent qu'aux cellules cibles.

■ Il semble que ce soit l'Américain John Ehrlich, de la firme Parker Davis, qui, dans les années 50, ait le premier imaginé des médicaments qui présenteraient des affinités spécifiques pour certains tissus. Ils requéraient alors une posologie nettement inférieure à celle des médicaments classiques, dont une part plus ou moins appréciable est détruite lors des transits sanguin et digestif. Mais la pharmacologie des années 50 n'était pas encore en mesure de fabriquer de tels produits, la **chimie moléculaire** n'ayant pas atteint le degré de perfectionnement qui est aujourd'hui le sien.

■ Ce n'est qu'au début de la décennie 80 que le marché des médicaments commençant à s'essouffler (du fait de la durée limitée d'exploitation d'un brevet), que la recherche dans ce domaine reprit. Les inventions spécifiques se perdent toutefois dans les réseaux croisés des brevets plus ou moins différents, et il est donc excessivement difficile, sinon imprudent, d'attribuer les mérites de l'invention de telle ou telle forme de médicaments ponctuels à tel ou tel laboratoire. Toujours est-il qu'à la fin de la décennie en question on distinguait les quatre grands types suivants.

■ Les **transdermiques** se présentent sous la forme de **pastilles adhésives,** que l'on applique sur la peau à des points déterminés du corps.

En 1988, à titre d'exemple, la firme américaine Hercon avait mis au point des transdermiques constitués de **polymères non poreux,** disposés en « mille-feuille », susceptibles de porter jusqu'à la moitié de leur poids en molécules actives. L'intérêt de cette formule réside dans le poids des molécules, qui est inférieur à 500 daltons, ce qui n'avait jamais été disponible en pharmacologie. Au-dessus de 500 daltons, en effet, la peau constitue une barrière qui ne laisse rien diffuser. De plus, la même firme recherchait des composés chimiques susceptibles d'ouvrir la barrière dermique pour laisser diffuser des substances diverses, telles que les molécules protéiques.

Dans les transdermiques il faut également inclure la poudre imaginée et mise au point par la firme américaine Advanced Polymers, qui disparaît dès qu'elle est appliquée sur la peau. Cette « poudre » est constituée de micro-éponges infinitésimales, de 5 à 300 micromètres de diamètre, pesant 1/120 millionième de gramme chacune. Ces micro-éponges, qui ressemblent à des pièges individuels comme les **cryptates** (voir p. 51), une fois absorbées par le derme, y diffusent les substances dont elles sont chargées en modifiant le milieu dans lequel elles se trouvent.

■ Les **osmotiques** sont des molécules de petite taille qui sont injectées à travers la peau sans instrument mécanique, mais grâce à l'**électro-osmose** ; en effet, l'application d'un courant électrique faible modifie la perméabilité des tissus vivants et leur permet alors d'absorber des molécules qui ne les traverseraient pas dans des conditions ordinaires.

En 1988, la firme américaine Drug Delivery Systems Inc. a réussi à obtenir, chez l'animal, des concentrations d'insuline égales à celles des injections sous-cutanées ordinaires avec une aiguille. Ce principe a été mis en œuvre grâce à des pastilles adhésives dites Powerpatch, administrant à l'épiderme un courant électrique suffisant.

■ Les **molécules-réservoirs** obéissent à un principe qui est, en gros, comparable à celui des **médicaments-retard,** dont les molécules ne se diffusent que lentement dans un milieu donné, à cette différence près que, sous leur nouvelle forme, elles peuvent traverser certains tissus, autrefois considérés comme des barrières infranchissables.

Plusieurs firmes américaines (Alza, Elan, K.V. Pharm, Penwalt, Verex Labs) et européennes (I.N.S.E.R.M., France ; Sopar, Belgique ; Nordisk, Danemark) mettaient au point en 1988 des microcapsules-réservoirs de 250 nanomètres de diamètres, en polymère biodégradable, inoffensif, capables de traverser la muqueuse intestinale sans être dissoutes ; la libération du produit — en l'occurrence de l'insuline en ce qui concerne la formule de l'I.N.S.E.R.M. — ne se fait alors qu'au niveau de la sous-muqueuse. Il s'agit déjà là d'une méthode intégralement nouvelle de traitement du diabète. Entrent dans le groupe des molécules-réservoirs les **micropompes osmotiques,** du modèle Oros, dont le principe a été breveté par Alza. Il s'agit bien de pompes microscopiques, qui fonctionnent par **osmose,** c'est-à-dire par absorption du liquide intestinal, et qui diffusent dans l'intestin des médicaments (hormones, anti-inflammatoires, antitenseurs, vitamines, etc.) en continu. Leur intérêt est de supprimer les baisses de concentration entre deux administrations orales ou injectables d'un médicament, donc de réduire le nombre de ces administrations et de rendre certains traitements beaucoup plus commodes.

■ Enfin, les **galéniques par aérosol** mettent à profit les hautes capacités d'absorption de la **muqueuse nasale** et les progrès réalisés dans la microminiaturisation des molécules pour diffuser dans le sang des produits aussi divers que des hormones, de l'insuline, des anti-inflammatoires...

■ Une des perspectives les plus prometteuses de la pharmacologie ponctuelle était, à la fin de la décennie 80, l'élaboration de micromolécules en **polymères** susceptibles de passer la barrière méningée, également réputée infranchissable. Diffusées dans la circulation sanguine, elles pourraient donc atteindre le cerveau pour y libérer des substances aussi diverses que des tranquillisants et des anticancéreux.

■ Des micromolécules de graisse, les **liposomes,** constituaient également, à la même période, une voie de recherches très actives. Les premières études, bien que largement concluantes, avaient toutefois révélé des problèmes immunologiques : les liposomes sont plus facilement reconnaissables par le système immunitaire, donc « avalés » par les macrophages avant d'avoir libéré leur contenu.

■ Une autre perspective, en cours d'exploration, était l'administration directe de **gènes correcteurs** de certains défauts métaboliques, d'une portée encore plus considérable que les produits précédents.

L'un des domaines paramédicaux qui avaient, dès la fin des années 80, adopté les microparticules était la **cosmétologie**. Toute une gamme de produits nouveaux était en cours de préparation, dont des crèmes susceptibles de libérer effectivement dans le derme des substances qui, en dépit des assurances publicitaires, ne pouvaient jusque-là franchir la barrière dermique, constituée de quelque vingt couches de cellules. De ce fait, la cosmétologie se rapprochait donc de la médecine proprement dite, avec ses contraintes.

Mésothérapie
Pistor, 1952.

La mésothérapie, que l'on peut définir comme une **intradermothérapie,** est une discipline d'administration des médicaments par injection dans le **mésoderme,** couche intermédiaire de la peau, à l'aide d'une aiguille courte, ou d'un appareil comportant plusieurs aiguilles, également courtes, dit **multi-injecteur.**

■ Inventée en 1952 par le médecin français Michel Pistor, la mésothérapie s'est imposée pour deux raisons essentielles, la première étant la **diminution des doses** de médicament injectées, la seconde, une **action localisée** plus prononcée que celle qui est obtenue avec des administrations médicamenteuses par la voie générale (intraveineuse ou orale). Par exemple, en mésothérapie, l'otite se traite par injection dans les régions très proches de l'oreille.

■ Utilisée de façon élective pour le traitement des douleurs, la mésothérapie est associée par certains praticiens à un traitement à base de **Procaïne** ou de **Lidocaïne,** injectées ensemble avec d'autres produits.

Les effets, généraux et locaux, de la Procaïne par injection dans le mésoderme ont été constatés par de nombreux praticiens, au premier rang desquels se situe René Leriche (1929), mais ne sont pas tous élucidés. Il semble, en particulier, que la Procaïne retarde l'action des médicaments injectés et donc en prolonge l'effet, en plus de son **action vasodilatatrice, antihistaminique et euphorisante.**

Œil électronique
Brindley, 1968 ; Dobelle, vers 1972.

L'une des idées de **prothèses** les plus audacieuses est due au Britannique Giles Brindley, de l'université de Cambridge, où il la mit au point en 1968 ; c'est une prothèse électronique d'œil humain, destinée aux aveugles. Brindley et ses collaborateurs étaient partis du fait que, lorsqu'on excite électriquement, à l'aide d'électrodes, le **cortex visuel** chez des aveugles, ceux-ci voient des taches lumineuses ou **phosphènes**. En activant plusieurs électrodes à la fois, Brindley déclenchait chez ses sujets des combinaisons prévisibles de phosphènes, à peu près correspondantes à l'ordre des électrodes excités. Il en vint donc à imaginer un système de lunettes dans lequel les images exciteraient des cellules photoélectriques qui, à leur tour, exciteraient des électrodes correspondantes fixées sur le crâne du malvoyant.

■ Vers 1972, l'Américain William H. Dobelle, de l'université de l'Utah, reprit les idées et les recherches de Brindley, dans le dessein de construire un système complet de reproduction des images par « points-phosphènes », comparable à celui de la télévision, mais que, vu sa nature élémentaire, on devrait plutôt comparer à un tableau d'affichage de journal lumineux ou de stade sportif. Dans la revue *Electronics* du 24 janvier 1974, Dobelle publiait le schéma de son invention, dont il estimait alors le prix à quelque 5 000 dollars, soit environ 25 000 francs de l'époque. Il s'agissait d'une fausse paire de lunettes (voir dessin) comprenant une **caméra de télévision miniaturisée,** qui serait connectée au cortex visuel par une batterie d'électrodes applicables à l'aide d'une plaque de téflon. En 1980, Dobelle, utilisant des batteries de 64 électrodes, obtint des résultats très appréciables chez six patients : ceux-ci purent identifier des formes géométriques simples et même quelques lettres de l'alphabet. La démonstration en fut faite devant le collège des médecins et chirurgiens de l'université Columbia de New York. A ce jour, l'invention de Dobelle n'a pas fait l'objet de recherches commerciales.

■ Selon l'Américain Richard Normann, de l'université de l'Utah, la cause de cette carence serait, en fin de compte, le faible pouvoir de résolution de l'appareil. Normann, qui a poursuivi les recherches, estime nécessaire l'**implantation intracrânienne** des électrodes (à la différence de la méthode de Dobelle, qui n'appliquait les électrodes que sur le cuir chevelu). Pour Normann, les électrodes devraient être implantées de telle sorte qu'elles excitent directement le cortex

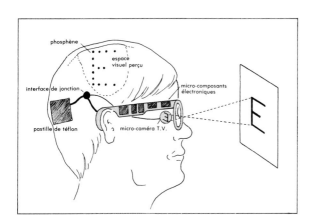

Dans l'œil électronique, constitué de lunettes équipées de deux caméras vidéo miniature, les signaux optiques sont transmis au cerveau par un circuit connecté à un implant électronique : le cerveau perçoit des messages sans doute flous, mais qui devraient permettre à un non-voyant de s'orienter avec une fiabilité raisonnable.

visuel, pénétrant à 1,5 mm sous la surface du cerveau —, ce qui permettrait de n'utiliser que des intensités électriques d'un dixième à un centième de celle de l'appareil de Dobelle. Cette implantation éviterait par ailleurs la dissémination imprévisible des phosphènes, inhérente aux électrodes superficielles.

■ A la fin de la décennie 80, une autre équipe, celle de Terry Hambrecht, des National Institutes of Health de Bethesda, menait également des recherches sur un type de prothèse implantable, fondé sur l'utilisation de vingt électrodes seulement au lieu des soixante-quatre préconisées par Normann.

■ Le passage de cette invention au stade pratique pose évidemment des problèmes considérables, étant donné qu'il s'agit là d'une prothèse impliquant le recours à la **microchirurgie neurologique,** avec des ouvertures permanentes dans la boîte crânienne, ce qui présente des risques d'infection évidents. Sans doute l'invention fera-t-elle un pas décisif lorsqu'on aura mis au point des électrodes excitables par **champ électromagnétique.**

Peau artificielle

Tanner, Bell, Neveu, Yannas, Green, Thivolet, vers 1980.

On ne peut attribuer de préséance, de paternité absolue, ni de date précise à l'invention de la peau artificielle, qui constitue l'une des plus marquantes du domaine des **prothèses** modernes. L'invention ou plutôt les inventions de peau artificielle, car il y en a plusieurs variantes, s'inscrivent dans la lignée des recherches sur le traitement des **grands brûlés** et sont essentiellement tributaires de la mise au point de matériaux nouveaux, compatibles avec l'organisme humain parce que ne déclenchant pas de réactions de rejet. Elles sont également tributaires des techniques de **cultures de tissus vivants,** apparues à la fin des années 60. Dès 1964, en effet, l'Américain John Tanner traitait des prélèvements de peau naturelle, pris sur le sujet à soigner, en les faisant passer entre deux rouleaux, de façon à les étirer et à leur conférer une certaine homogénéité mécanique. Par la suite, on réalisa (John Burke) des cultures de cellules vivantes en plaques greffables sur les brûlures. Cette méthode, perfectionnée par l'Américain Bell et le Français Neveu, consistait, très brièvement, à insérer des **fibroblastes** dans un tissu de soutien à base de **collagène** ; à cette méthode succéda celle qui préconisait de remplacer le collagène (en fait du collagène de bœuf) par un tissu synthétique, un **polymère** poreux dérivé de ce collagène, combiné avec d'autres substances (le sulfate-6 de chondroïtine, un polysaccharide extrait du cartilage de requin) également compatibles avec l'organisme humain. Un des pionniers dans ce domaine est l'Américain d'origine grecque Ioannis Yannas, qui réussit en 1981 à greffer ce tissu sur de grands brûlés en obtenant des résultats notables. Ce tissu, appelé **peau de stade I,** offre la possibilité de protéger les plaies contre l'infection et de permettre aux cellules mères de la peau, les fibroblastes du tissu conjonctif sous-jacent, de migrer à la surface et de pénétrer dans la peau artificielle. Entre-temps, le polymère avait été dégradé par le système immunitaire du patient et, sur ce terrain préalablement à demi reconstitué, il devenait possible de procéder aux autogreffes d'épiderme superficiel, qui « prenaient » considérablement mieux qu'auparavant. A la fin des années 80, on envisageait de fabriquer une peau dite de stade II, déjà ensemencée de cellules épidermiques (Howard Green, Harvard ; Jacques Thivolet, faculté de médecine de Lyon).

La peau artificielle a ouvert la voie à des recherches sur d'autres tissus susceptibles de servir de prothèses, par exemple dans le pancréas. Le Canadien Anthony Sun étudiait ainsi, dans les années 80, un **pancréas artificiel** ensemencé de **cellules bêta,** qui fabriquent de l'**insuline.**

Phénotype (et génotype)
Johannsen, 1902.

L'invention d'un concept étant un outil qui permet de clarifier l'analyse et de guider la recherche, il faut signaler celle du concept de phénotype, c'est-à-dire d'**expression visible des gènes** d'un organisme vivant, qui fut faite par le Danois Wilhelm Johannsen, en 1902. Botaniste et généticien, Johannsen inventa par la même occasion le concept opposé de génotype, qui peut s'exprimer ou pas, et dont l'expression n'est pas forcément visible. De la sorte, Johannsen fondait l'idée maîtresse en biologie qu'un même génotype peut avoir des expressions différentes selon le milieu, sans que son capital héréditaire fût différent.

Polymère biodégradable
C.C.A. Biochem, 1988.

Destiné aux usages chirurgicaux, le **Polyactide** mis au point par la firme néerlandaise C.C.A. Biochem, de Gorinchem, est de l'**acide lactique polymérisé**, l'acide lactique étant un produit naturel issu de la fermentation du glucose déclenchée par des micro-organismes. Conditionné sous forme de **fils de suture**, de **plaquettes osseuses** ou de **peau artificielle**, il se dégrade progressivement sous l'effet du métabolisme humain. On envisageait en 1988 de s'en servir comme enveloppe de **médicaments-retard**.

Pommade à l'oxyde jaune de mercure
Pagenstecher, 1862.

L'utilisation des propriétés antiseptiques d'un dérivé mercuriel, l'oxyde jaune de mercure, dans une pommade pour soins ophtalmologiques a été inaugurée en 1862 par l'Allemand Alexander Pagenstecher. La pommade s'appela d'abord, pour cette raison, onguent de Pagenstecher.

Poumon d'acier
Drinker, 1927.

On appelle poumon d'acier ou **respirateur** un appareil utile en **réanimation,** dans lequel le torse d'un malade est placé et qui, en assurant une **compression** et une **décompression** extérieures à l'organisme, entraîne des mouvements de la cage thoracique qui correspondent à ceux de la respiration. Inventé en 1927 par l'Américain Philip Drinker, de l'université Harvard, il a été fabriqué par la firme américaine Warren E. Collins Inc. et a rendu de nombreux services dans les cas où les malades risquaient de souffrir d'une défaillance de leur système respiratoire, par exemple à la suite d'une paralysie.

Psychanalyse
Breuer et Freud, 1890...

La psychanalyse se présente comme une **technique de traitement des troubles mentaux** par le seul biais du **discours,** sans recours à des interventions organiques, chimiques, physiques ou autres. Elle dérive de l'observation particulière faite par les Viennois Joseph Breuer et Sigmund Freud sur des patients sous **hypnose** : ceux-ci exprimaient sans retenue les idées et les sentiments qu'ils réprimaient dans leur état conscient. Ces séances amenaient une certaine amélioration des troubles psychologiques.

■ Breuer et Freud en dérivèrent une technique qui consistait à inciter les patients à se laisser aller à des **associations libres d'idées,** sans lien discursif, de manière à retrouver un état analogue à celui de l'hypnose, où la conscience est en sommeil. En général, les patients n'éprouvaient pas de difficulté à se plier à cette discipline, mais ce fut Freud qui nota que certains d'entre eux réprimaient l'évocation de souvenirs pénibles, ou bien évitaient de les faire accéder à la conscience, c'est-à-dire au niveau du discours. Comme la plupart des souvenirs réprimés se rapportaient à des expériences sexuelles déplaisantes, Freud en conclut que l'**anxiété** dont souffraient ces patients était causée par l'**inhibition** de l'instinct sexuel ou **libido.** A partir de là, Freud et ses disciples étendirent la notion d'anxiété à des phénomènes tels que l'agressivité et les phobies, et ils élaborèrent une interprétation de la personnalité.

■ Selon Freud, la personnalité pouvait être représentée par une structure à trois niveaux. Au niveau le plus profond se situait le **çà,** réservoir d'impulsions dérivées de déterminations génétiques et de l'élan vital, ainsi que de souvenirs ; au-dessus se situait le **Moi,** opérant dans la conscience et assumant les fonctions de cognition, de perception et réalisant les actes volontaires ; au-dessus encore se plaçait le **Surmoi,** réservoir des idéaux instillés au cours de l'éducation par la famille et la société. C'étaient les conflits entre ces structures qui déclenchaient des comportements anormaux, dont l'anxiété.

■ Freud introduisait également une notion nouvelle, qui était celle du **transfert** de l'amour ou de la haine que le patient portait à ses parents vers le praticien, c'est-à-dire le psychanalyste, qui le traitait.

■ L'œuvre de Freud est le mieux connue du grand public par les concepts d'**inconscient,** domaine infraconscient où s'accumulent les pulsions et les souvenirs et correspondant plus ou moins exactement au çà, et de **« complexe d'Œdipe »,** c'est-à-dire d'attachement à connotation sexuelle de tout sujet, dans son enfance, pour le géniteur du sexe opposé, en référence à la légende d'Œdipe, qui épousa sa mère Jocaste sans le savoir.

■ La psychanalyse a été une discipline où de nombreux courants d'interprétation, souvent divergents de la doctrine originelle de Freud, ont créé des écoles. C'est ainsi que l'accent mis par le Suisse Carl Jung sur le rôle de l'**inconscient collectif** a mené à une école dite jungienne, et que l'accent mis par l'Allemand Alfred Adler sur le rôle des **pressions sociales** a également mené à une psychanalyse adlérienne. En France, entre les années 30 et 80, Jacques Lacan a créé sa propre école et instauré des concepts tels que celui du **stade du miroir,** qui postule que le succès de la formation d'une personnalité dépend du passage d'un stade infantile, où le sujet, qui d'abord ne fait pas de distinction entre son Moi et le monde extérieur, qu'il considère comme un miroir, apprend à se différencier et donc structure son Moi. C'est aussi Lacan qui a postulé que « l'inconscient est structuré comme un langage » et que la dynamique de l'inconscient ne peut s'organiser que sur un axe, celui du désir de l'Autre.

■ Entre 1920 et 1960, la psychanalyse s'est imposée dans le monde occidental — mais pas en Europe de l'Est ni en Asie — comme une discipline psychologique à part entière, associée ou non à la psychiatrie et susceptible, dans certains pays, d'être pratiquée sans diplôme médical. Son influence culturelle a été considérable. A partir des années 60, il semble toutefois que son essor se soit stabilisé et qu'il ait même décru aux États-Unis, où la psychanalyse avait trouvé, durant la Seconde Guerre mondiale, une terre d'élection.

■ Il s'agit bien d'une invention, dont le mérite a été de circonscrire le domaine de l'inconscient, jusqu'alors méconnu, négligé ou peu étudié par les psychologues classiques. Son tort a été de s'isoler systématiquement des fondements physiologiques du système nerveux, ce qui a permis des irruptions regrettables de l'occulte dans la théorie freudienne et des bévues extravagantes, comme la volonté d'assigner au nez un rôle sexuel, selon les théories de Wilhelm Fliess, médecin familier de Freud.

De manière générale, la psychanalyse n'a donc pas bénéficié des immenses progrès de la **neurophysiologie**, qui lui eût permis d'asseoir ses postulats avec plus de sécurité. La découverte de la division du système nerveux central en un **paléo-cortex,** structure primitive développée depuis la selle turcique des reptiliens, au cours de l'évolution des espèces, et qui est bien le siège des cinq pulsions primaires (faim, soif, peur, instinct génésique et agressivité), et en un **néo-cortex,** d'évolution plus récente, lieu physiologique d'intégration rationnelle des perceptions et des actes volontaires, permettait ainsi d'aller bien au-delà des distinctions de Freud, qui n'étaient fondées que sur une phénoménologie, et non sur une connaissance structurelle des neurones générateurs des phénomènes nerveux et intellectuels. Les recherches sur le **rêve,** à l'interprétation duquel Freud et les psychanalystes attachaient un si grand prix, ont par ailleurs révélé que la stimula-

tion des souvenirs dans le rêve s'effectue de manière semi-aléatoire, et non pas selon la logique associative stricte supposée par les psychanalystes. Enfin, il convient de relever des incertitudes dans la théorie freudienne, telles que la difficulté d'établir une frontière plausible entre inconscient et subconscient, et des interprétations souvent abusives.

■ L'accent excessif mis sur la sexualité explique que le freudisme, non plus qu'aucune autre psychanalyse, n'ait jamais eu prise sur les cultures asiatiques, où la sexualité ne revêt aucunement le caractère tabou qui est le sien dans les cultures judéo-chrétiennes. L'**anthropologie** et l'**ethnologie** ont par ailleurs amené à remettre en question le postulat du complexe d'Œdipe, inconnu dans les structures sociales primitives, comme l'ont indiqué en particulier les travaux de Bronislaw Malinowski. Ce complexe présumé n'est pas fondamental, mais culturel, et géographiquement restreint.

■ Certaines interprétations excessives du freudisme, enfin, ont amené à considérer à tort que la douleur de l'anxiété est toujours un mal, ce qui a fait de la France, par exemple, le plus gros consommateur de **tranquillisants** au monde, alors que c'est une réaction souvent bénéfique. Par ailleurs, le succès du freudisme « populaire » dans les années 60 a porté certains milieux à considérer que toute entrave à la sexualité étant génératrice d'anxiété et donc un mal, il convenait de pratiquer une sexualité débridée, preuve de santé. De tels excès ont abouti à l'opposé des résultats thérapeutiques naïvement escomptés, c'est-à-dire qu'ils ont conduit à une **désinsertion sociale** de caractère souvent aigu.

Radiographie
Röntgen, 1895.

La première **image radioscopique** date du 22 décembre 1895 ; c'est celle de la main de l'épouse de l'Allemand Wilhelm Konrad Röntgen, découvreur des rayons X. On sait actuellement que ce type d'images est obtenu grâce à la différence de densité des **rayons X** qui atteignent la

plaque photographique, ces rayons traversant plus facilement les tissus mous que les tissus durs, tels que les os. La portée de l'invention de Röntgen — celle de l'image radiologique, non celle des rayons X — fut comprise universellement dans les jours qui suivirent la publication de la communication de l'auteur, et la radiographie fut utilisée de manière extensive lors de la Première Guerre mondiale pour la localisation des corps étrangers dans les tissus des blessés et pour la définition des fractures. Il semble qu'on ait commencé à employer des produits de contraste tels que le **sulfate de baryum** dès 1897 ou 1898 pour l'étude des organes creux, comme l'estomac.

Le premier **diagnostic radiographique** d'une tuberculose pulmonaire fut réalisé en 1896 par le Français Antoine Béclère.

La première unité mobile de radiologie fut montée par Marie Curie lors de la guerre de 1914-1918 pour l'étude immédiate des blessures des soldats ramenés à l'arrière des lignes de combat. Mme Curie servait d'opératrice dans l'une de ces unités véhiculées par automobile.

Rein artificiel
Abel, Rowntree, Turner, 1913 ; Kolff, 1945.

Le premier appareil appelé rein artificiel jamais construit fut celui qu'inventèrent les Américains John J. Abel, L.G. Rowntree et B.B. Turner en 1913 ; c'était un ensemble de tubes poreux plongés dans une solution colloïdale. L'objet en était essentiellement de démontrer le **rôle détoxificateur du rein** ; en effet, du sang de chien qui transitait par ces filtres était débarrassé de ses toxines. Mais ce ne fut longtemps qu'un appareil d'expérimentation. Avant de l'utiliser sur l'être humain, il fallait trouver des filtres qui pussent cette fois filtrer des toxines naturelles et une substance anticoagulante efficace, qui permît au sang de transiter hors du corps sans ce coaguler. La **cellophane** se trouva être un support de filtre fiable et l'**héparine,** un anticoagulant également fiable. Se fondant sur ces découvertes, le Néerlandais Willem Kolff réalisa en 1945 le premier rein artificiel susceptible d'être utilisé sur un être humain souffrant d'insuffisance rénale pour purifier son sang. Ce premier appareil était très encombrant. Au cours des années, on réussit à en réduire la taille de telle sorte que des patients pussent disposer d'unités mobiles peu encombrantes et réaliser la **dialyse** à domicile.

Sang artificiel
Clark et Gollan, 1966 ; Sloviter, 1967 ; Naito, 1979...

Les recherches d'un substitut du sang qui assume au moins une des fonctions de ce tissu, le **transport d'oxygène,** semblent remonter à 1933 ; elles ne furent pas concluantes. C'est seulement en 1966 que les Américains Clark et Gollan parvinrent à maintenir en vie pendant quelques heures des souris immergées dans un liquide qui noyait les poumons et qui eût donc dû entraîner leur mort ; ce liquide était une émulsion de **fluorocarbone** ou **fluorocarbure** dans de l'eau. Les molécules de fluorocarbone ont la propriété de lier des quantités importantes d'oxygène, à la condition que celui-ci soit abondant dans le milieu extérieur ; dans le cas des souris, l'oxygène était extrait de l'eau. Il y avait là une ébauche d'invention, celle d'un substitut sanguin. En 1967, l'Américain Henry A. Sloviter mit cette expérience à profit en injectant à des lapins une émulsion de fluorocarbone, de **liquide physiologique** et d'**albumine,** se fondant pour établir ce mélange sur le fait que le fluorocarbone seul ne se mélange pas au sang ; il constata que la survie des animaux était liée à la proportion de l'émulsion injectée par rapport au volume sanguin total : au-delà d'un tiers, les animaux mouraient, du fait que le liquide de substitution ne suffisait pas à assurer les transports d'oxygène et de gaz carbonique. Deux ans plus tard, l'Américain Robert Geyer améliorait la formule de l'émulsion et obtenait la survie complète d'un rat après une transfusion totale du sang artificiel. Le premier essai sur l'homme fut opéré en 1979 par le Japonais Ryochi Naito, qui s'injecta

200 ml de **Fluosol DA,** sang artificiel, d'apparence laiteuse, qu'il avait mis au point. Plusieurs autres formules apparentées et plus compatibles avec la physiologie humaine ont été depuis lors proposées. En tout état de cause, le sang artificiel n'est utilisé que comme relais d'une transfusion de sang véritable, dans certains cas d'urgence, comme dans les premiers soins aux **grands brûlés,** car, ne captant pas assez d'oxygène au niveau des poumons et n'en libérant pas assez au niveau des tissus, il exige une assistance respiratoire.

Scanner
Hounsfield, 1973.

Le scanner, dit aussi **scanographe, tomodensitomètre** ou **tomographe informatisé,** est un dérivé important de la **radiographie.** Il fut inventé en 1973 par le Britannique Gordon H. Hounsfield. Son principe consiste à radiographier une partie anatomique non plus dans sa totalité, mais par tranches d'épaisseur déterminée, puis à reconstituer l'image par ordinateur, d'après la **densité de rayons X** absorbée par chaque point de la tranche anatomique, cette densité étant mesurée en pixels, par unité de volume ou **voxel.** Connaissant les densités normales d'absorption pour les os, les tissus mous, les liquides, on peut donc déceler toute anomalie de densité et en déterminer la nature, kyste liquidien, lipome graisseux, épanchement sanguin, dépôt de calcium ou tumeur. Ce principe est évidemment d'un intérêt considérable pour les **diagnostics,** beaucoup plus fins qu'avec la radiographie classique.

■ L'originalité du scanner consiste dans le système de réception du faisceau de rayons X, qui est très étroit (ou collimaté), consistant en un **scintillateur** et en un **photomultiplicateur.** Avantage supplémentaire, le scanner expose le corps à une moindre quantité de rayons X, et cela d'autant plus que sont utilisés des films ultrasensibles, dont l'impression est parallèle à l'apparition de l'image sur écran à tube cathodique.
■ D'abord lente et donc malcommode, en raison des temps d'immobilisation nécessaire (de 20 à 80 s par tranche), la scanographie est devenue beaucoup plus rapide grâce à la multiplication des **détecteurs.**
■ Le choix du terme scanner, littéralement « balayeur » en anglais, est dû au fait que la source de rayons X effectue un **balayage** par rotation sur un angle déterminé.

Sérothérapie
Von Behring et Kitazaki, 1890.

A la fin du XVIIIe siècle, l'**immunisation par vaccination** commençait à être pratiquée (contre la variole) sur une grande échelle. Un siècle plus tard, le principe en était acquis : affrontant un germe sous une

forme atténuée, le système immunitaire de l'organisme produisait des **anticorps** qui demeuraient dans l'organisme pendant un délai variable et le protégeaient même contre le germe non atténué. En 1890, l'Allemand Adolf von Behring eut l'idée d'administrer directement à une personne infectée le **sérum** extrait du sang d'une autre personne infectée, qui avait donc déjà sécrété des anticorps. Cette idée, qu'il perfectionna avec le Japonais Shibasaburo Kitazaki, fut d'abord mise en pratique avec le sérum antitétanique. Elle fondait la sérothérapie, qui a été depuis étendue à bien d'autres infections. La sérothérapie n'a pas l'effet durable de la **vaccination**, mais elle présente l'avantage de pouvoir être appliquée aussi bien à titre curatif que préventif, contre la diphtérie, le tétanos, pour neutraliser des toxines comme celles du botulisme, ou pour atténuer certaines infections susceptibles d'entraîner des complications, comme la rougeole.

Souris transgénique
Leder et Stewart, Weissmann et Mosier, 1988.

En mars 1988, les biologistes américains Philip Leder et Timothy Stewart ont demandé et obtenu un brevet pour la création de souris dont le **capital génétique** avait été modifié. La modification a consisté en l'insertion d'un **oncogène,** c'est-à-dire d'un gène qui rend l'organisme susceptible de développer un cancer, le gène c-myc, à des fins d'études sur les éléments cancérigènes de l'environnement. Soumises à des cancérigènes virtuels, ces souris devraient permettre de révéler plus facilement la toxicité de ces substances. La délivrance du brevet d'invention a suscité un débat au sein de la communauté scientifique, parce qu'elle implique la **propriété industrielle d'un être vivant,** concept extrêmement difficile à intégrer dans la jurisprudence autant que dans l'éthique scientifique, et, accessoirement, parce que de nombreux organismes dont le capital avait été modifié, dits organismes transgéniques, avaient été créés dans les années précédentes et dans de nombreux pays, sans donner lieu à des brevets. On a ainsi créé des **bactéries transgéniques,** capables de fabriquer de l'insuline, par exemple, ou encore des vaches transgéniques, capables de produire un lait à taux différent de matières grasses. C'est à plusieurs centaines que se chiffrait en 1988 le nombre d'organismes transgéniques. L'existence d'un brevet pour les souris spécifiques de Leder et Stewart a pour conséquence que personne n'aura le droit d'en créer d'équivalentes et que ces animaux seront la propriété exclusive de leurs inventeurs.

■ En septembre 1988, la souris transgénique faisait l'objet d'une deuxième invention, fondamentalement différente. Dans le cadre des recherches d'un **traitement du Sida,** notamment par **vaccination,** les biologistes se heurtaient à deux difficultés. La première était la raréfaction croissante des singes de laboratoire, en raison d'une réglementation de plus en plus contraignante. Le singe était, en effet, le seul animal susceptible de fournir un modèle approximatif, certes, mais tout de même utile pour l'étude des réactions immunitaires humaines. La seconde touchait à ce modèle même, étant donné que le singe n'a pas exactement le même système immunitaire que l'homme. Or, dans un domaine aussi précis que l'étude d'un vaccin, il est quasiment impossible d'envisager de le commercialiser sans connaître ses effets réels sur l'être humain, lequel ne peut évidemment pas servir à l'expérimentation.

■ C'est alors que les Américains Weissmann et Mosier eurent l'idée d'utiliser les caractéristiques exceptionnelles d'une certaine lignée de souris ; il s'agissait des **souris S.C.I.D.** (pour Severe Immuno-Combined Deficiency), qui naissent privées de toute défense immunitaire, en raison d'une carence génétique héréditaire. Ces souris doivent vivre dans des bulles complètement aseptiques, sans quoi elles meurent. Weissmann et Mosier greffèrent donc sur ces souris des fragments de **tissus fœtaux humains,** prélevés dans le foie, la moelle osseuse, la rate, les ganglions lymphatiques et le thymus, organes principaux qui assurent la production des lymphocytes et des autres cellules chargées de l'immunité. Le fait que les souris S.C.I.D. fussent privées de défenses immunitaires expliquait qu'elles toléraient parfaitement les greffes. Ensuite, au fur et à mesure de leur développement, les greffons fœtaux produisaient des anticorps, c'est-à-dire dotaient l'animal de défenses immunitaires et, c'est là le point le plus intéressant, le dotaient d'un système identique à celui de l'homme. C'étaient donc des sujets d'expérience équivalents à des êtres humains, au moins du point de vue de l'immunité, qui était celui qui intéressait les biologistes au premier chef. Les souris remplaçaient ainsi les singes et, dans le courant de l'hiver 1988-1989, les travaux sur les vaccins anti-Sida devaient commencer.

■ Cette invention dépasse de très loin le domaine du Sida, car elle permet d'expérimenter bien d'autres vaccins et, en particulier, des **traitements anticancéreux.** L'accueil qui lui a réservé la communauté scientifique a donc été enthousiaste. Toutefois, l'utilisation de tissus fœtaux posait des **problèmes éthiques** qui semblaient ne pouvoir être résolus que par la modification des conventions américaines sur l'utilisation de tels tissus.

Stimulateur cardiaque

Hyman, 1930 ; Callaghan et Hopps, 1952 ; Greatbach, 1956.

Pratiquée très épisodiquement dès le XIXᵉ siècle (voir ouvrage précédent), la **stimulation électrique de cœurs arrêtés** reste pendant longtemps totalement empirique, pour deux raisons : la première est l'ignorance du type de courant (continu ou alternatif) et des intensités qu'il faut appliquer, et la seconde, l'ignorance des centres, circuits ou tissus qu'il convient de stimuler. Si l'on sait bien depuis que l'Irlandais Robert Adams et l'Anglais William Stokes l'ont découvert, en 1854, qu'il existe un faisceau de contractions entre ventricules et oreillettes, on ne connaît pas la nature des contractions automatiques du muscle cardiaque, le **myocarde,** ni la structure qui est responsable ; cette structure ne sera mise en évidence qu'en 1906, lorsque le Japonais Sunao Tawara décrira un nœud dans le tissu du myocarde, entre ventricules et oreillettes, qui s'appellera dès lors **nœud de Tawara.** L'année suivante, les Britanniques Arthur Keith et Martin Flack découvrent un autre nœud, qui véhicule et règle les contractions du myocarde entier, et qui s'appellera **nœud de Keith et Flack.** On peut donc imaginer que c'est là qu'il faut intervenir, en principe ; en 1903, l'invention de l'**électrocardiographe** (voir p. 178) indique la réponse à la première question : la nature des contractions cardiaques est électrique. L'évidence est longue à s'imposer, car l'inventeur, Einthoven, ne recevra le prix Nobel, pourtant largement mérité, que vingt et un ans plus tard. Mais l'acquis est considérable : c'est bien le courant électrique qu'il convient d'appliquer pour faire repartir un cœur défaillant.

■ Le mode d'application de ce courant semble avoir été trouvé en 1898 par le vétérinaire français Auguste Chauveau ; ce serait l'introduction dans le cœur, par un vaisseau sanguin, artériel ou veineux, d'une sonde dont l'extrémité stimulerait le myocarde ; c'est ce que l'on appelle un **cathéter.** Mais le procédé est périlleux. En 1929, l'Américain Gould propose de le remplacer par l'introduction directe dans le cœur d'une **aiguille-électrode** à travers le thorax. En 1930, un autre Américain, Alfred Hyman, songe que l'aiguille-électrode induit, par le traumatisme provoqué, une différence de potentiel qui équivaut à une décharge électrique et qu'il serait donc plus « simple » d'appliquer directement un courant électrique modulé dans le nœud de Keith et Flack. La simplicité n'est qu'apparente, car le premier stimulateur cardiaque jamais construit, celui de Hyman, appelé **Hymanotor,** pèse plus de 7 kg... et son générateur se relance à la manivelle. L'Hymanotor sauve néanmoins des dizaines de vies. En 1952, les Canadiens John Callaghan et Jack Hopps en reviennent à l'idée du cathéter : l'électrode est introduite par voie veineuse ; la source d'électricité est une **pile** attachée au corps.

L'idée est lente à s'imposer, en raison de la courte durée des piles ; mais, enfin, elle est admise quand l'Américain Carl Lillehei réalise, en 1957, des **piles longue durée au mercure** et réduit les dimensions du stimulateur, qui se porte à la ceinture.

■ Cependant, en 1956, profitant de la mise au point des premiers **transistors à silicone** (voir p. 110), et servi par une providentielle erreur de manipulation, l'Américain Wilson Greatbach fabrique le premier stimulateur cardiaque — dit en anglais **pacemaker** — réellement miniaturisé et surtout implantable. La première implantation eut lieu le 8 novembre 1958 au Karolinska Institut à Stockholm, sur un homme appelé Arne Linsson. On a depuis proposé des stimulateurs équipés de **générateurs au plutonium 238,** mais ce sont les **piles au lithium** qui dominaient le marché dans les années 80.

Les stimulateurs récents enregistrent l'électrocardiogramme des patients et règlent dessus leur fonctionnement.

Le premier stimulateur implanté souffrit de défaillance au bout de quelques heures et fut remplacé sur-le-champ. Son bénéficiaire, Linsson, avait reçu en 1987 son vingt-troisième stimulateur, à l'âge de 72 ans.

Tampon hygiénique
Hass, 1930.

Afin de pallier les inconvénients des serviettes périodiques, peu commodes, l'Américain Earl Hass inventa en 1930 le tampon, dont le succès fut tel qu'il fit en un an la prospérité de la firme fondée par Hass, la Tampax Co. La formule en a été modifiée depuis lors à plusieurs reprises, en raison des problèmes secondaires d'infection par **prolifération anaérobie de certains germes.**

Test bactérien
Gram, 1884.

Le dernier quart du XIX⁰ siècle coïncida avec un développement rapide de la **microbiologie**. En 1875, déjà, l'Allemand Carl Weigert, utilisant une technique connue depuis 1865 pour colorer les coupes de tissu, aux fins d'examen microscopique, avait découvert que les bactéries mortes absorbaient spécifiquement une teinture appelée **picrocarmine**. C'était là une méthode extrêmement utile pour souligner les structures cellulaires des coupes, ce qui en rendait l'étude plus commode. On chercha et trouva alors d'autres teintures, telles que le bleu de méthylène, la fuchsine, le violet cristal. En 1884, le Danois Hans Christian Gram fit dans ce domaine à la fois une découverte et une invention. La découverte était que, traitées d'une manière précise, certaines bactéries absorbaient les teintures, les autres pas. C'est ainsi qu'il inventa un test de microbiologie, encore utilisé de nos jours, et qui est le classement des bactéries en **gram-négatif** et **gram-positif,** fondé sur l'absorption du violet cristal. Ce test a été étendu à l'identification d'autres micro-organismes. On sait ainsi que les **levures** sont gram-positives et les **rickettsies,** gram-négatives.

Thermographie

Haxthausen, 1932 ; Lawson, 1957 ; Leroy, 1980.

La thermographie est une technique d'examen du corps humain et, en général, de tous objets possédant un **pouvoir d'émission dans l'infrarouge** en raison de leur chaleur propre. Les différences de densité, enregistrées photographiquement, renseignent sur les flux thermiques invisibles en lumière blanche.

■ On peut considérer que le « père » de la thermographie fut, en 1800, le célèbre astronome anglais sir William Herschel, qui, le premier, étudia les effets caloriques des rayons infrarouges. Dès 1932, le Danois O. Haxthausen pensa à appliquer le principe du rayonnement infrarouge du corps humain à ce qu'il appelait la **photographie subcutanée**. On doit donc le citer comme l'inventeur de cette technique médicale, que le faible avancement de l'époque en matière de films sensibles ne permit pas de généraliser ; toutefois, les travaux qui se poursuivaient dans le domaine furent utilisés pendant la Seconde Guerre mondiale en **photographie aérienne,** pour repérer les usines camouflées, indécelables à la lumière blanche, mais dont le rayonnement infrarouge témoignait qu'elles étaient bien en activité, aussi bien que les concentrations de véhicules militaires. Cette technique devait aboutir à une discipline d'études agricoles et

géologiques par reconnaissance aérienne, connue, non sous le nom de thermographie, mais de **photographie en infrarouge.** La différence entre la thermographie et la photographie-infrarouge est que cette dernière ne « photographie pas la chaleur » pour ainsi dire, mais la réflexion ou l'absorption d'un rayonnement infrarouge. Ainsi la peinture verte pour le camouflage d'un camion ou d'une usine absorbent l'infrarouge, alors que le vert des feuillages la réfléchit. Le vert du camion ou de l'usine apparaîtra donc en bleu ou en jaune sur la photo, alors que les feuillages, eux, seront rouges. Après la guerre, l'amélioration de la qualité des films photographiques permit de reprendre le principe de Haxthausen et d'obtenir des clichés utiles du corps humain ; le premier qui mit cette technique au point fut l'Américain John Llewellyn Lawson, en 1957.

■ La thermographie est particulièrement utile dans la recherche de **tumeurs du sein**. En 1980, le Français Yves Leroy créait une technique dérivée, sensiblement plus fine, la **thermographie à ondes courtes.**

La thermographie est couramment utilisée pour la surveillance thermique de certaines installations industrielles et le contrôle de l'isolation des bâtiments.

Tranquillisants

Laborit, 1952 ; Sternbach et Randall, 1960.

Le premier de tous les tranquillisants connus est la **chlorpromazine,** dérivée de la **phénotiazine,** un **neuroleptique** selon sa définition spécifique, découvert et mis au point en 1952 par le Français Henri Laborit. Il fut utilisé d'abord par Jean Delay et Jean Deniker cette année-là pour calmer des malades mentaux en crise, en vertu de ses deux effets : l'un, anti-hallucinatoire et sédatif, dû à l'antagonisme de la substance à l'égard de la **dopamine** du cerveau ; l'autre, plus particulièrement sédatif, dû à l'antagonisme à l'égard de la **noradrénaline.** Commercialisé sous le

nom de Largactil, il donna naissance à de nombreuses molécules dérivées. Ce tranquillisant fut suivi par le Librium et le Valium, mis au point par le pharmacologiste américain Lowe Randall sur la base des observations faites par l'Américain Leo Sternbach, des effets sédatifs d'une autre classe chimique, les **benzodiazépines**. Celles-ci, des **psychotropes** selon leur définition spécifique, ont des effets différents de la chlorpromazine, sédation, anxiolyse, relaxation musculaire et action anticonvulsive.

Ultrasonographie obstétricale

Donald, 1979.

Le premier qui ait eu l'idée d'appliquer l'ultrasonographie à l'examen des **fœtus** et qui l'ait fait est le Britannique Ian Donald, professeur d'obstétrique à l'université de Glasgow. Cette technique s'est avérée d'un immense intérêt, parce qu'elle mettait fin à la **radiographie** obstétricale, dont les risques pour le fœtus étaient dénoncés de plus en plus vivement depuis la fin des années 60, mais qui avait pourtant constitué le seul moyen d'observer le fœtus, et notamment sa position, avant la naissance.

Certaines réserves se sont fait jour, dans le courant de la décennie 80, sur l'inocuité de l'ultrasonographie obstétricale. Des vérifications ont permis de déterminer qu'on n'a pas enregistré de conséquences néfastes sur les enfants qui avaient subi de tels examens alors qu'ils étaient à l'état fœtal. A la fin des années 80, on estimait que les trois examens de rigueur dans la surveillance d'une grossesse ne présentaient pas de risques.

transports

C'est indéniablement dans le domaine des transports que la période écoulée depuis 1850 se distingue de la manière la plus éclatante. Le saut de puce de l'« avion » de Clément Ader a, en effet, inauguré un développement foudroyant qui modifie, non seulement le domaine même des transports, mais également celui de la culture mondiale. Désormais capable de franchir en quelques heures des distances autrefois considérées comme immenses, l'humanité change le regard qu'elle portait sur elle-même. L'astronautique, sœur de l'aviation, va changer même le regard que l'humanité porte sur l'univers. Par le biais de l'aviation, le tourisme revêt les proportions d'une industrie aux dimensions économiques majeures, mais par celui de l'astronautique, qui lui ouvre ou lui entrouvre les portes de l'infini, l'humanité prend paradoxalement le sentiment de sa finitude.

Autre avènement d'importance mondiale, celui de l'automobile, dont le destin se modifie pourtant avec une rapidité déconcertante depuis qu'elle est devenue accessible à la majorité des habitants des pays industriels. Considérée à l'origine comme instrument de libération, la voiture apparaît, à partir des années 60, comme un produit de consommation éminemment périssable, puis comme une servitude financière, avant de commencer à être décrite, par certains, comme un danger de première grandeur pour la santé de l'humanité. Du strict point de vue économique, de nombreux États s'avisaient également, à la fin de la décennie 80, du coût croissant des accidents de la route.

Bien qu'infiniment plus restreints, le bathyscaphe et ses dérivés, les sous-marins d'exploration, méritent une mention particulière dans l'histoire des transports, car ils contribuent à la reconnaissance d'un des derniers domaines inviolés, celui des grandes profondeurs marines. L'exploration sous-marine aura, en effet, favorisé la connaissance du globe plus qu'aucun autre moyen de déplacement.

Enfin, ce n'est pas sans quelque amusement, sans doute, que l'observateur découvrira que, vers la fin du XXᵉ siècle, la vitesse dans les territoires urbains était revenue à peu près à ce qu'elle était au XVIIᵉ siècle dans le monde entier : quelque 15 km/h...

Aérobie
Adler, 1985.

L'objet lancé capable du plus long vol plané (100 m) a été mis au point en 1985 par l'Américain Alan Adler, inventeur professionnel. Il s'agit d'un double disque dont le profil de coupe a été établi à l'aide d'un ordinateur.

Aéroglisseur
Dornier, 1929 ; Cockerell, 1953-1959.

L'idée d'un véhicule maritime qui circulerait sur **coussin d'air** fut d'abord conçue dans les années 1870 par l'ingénieur anglais sir John Thornycroft, qui formula l'hypothèse que la résistance à l'avancement pourrait être considérablement réduite si la coque avait une forme concave et emprisonnait une masse d'air qui ferait à la fois office d'**amortisseur** et de **glisseur**. Thornycroft déposa un brevet de cette invention en 1877, mais ne parvint jamais à construire un bateau qui en démontrât la fiabilité. Plusieurs ingénieurs s'y essayèrent par la suite, mais le premier essai de sustentation sur coussin d'air qui fût concluant, bien que l'engin utilisé ne fût pas spécifique, fut celui que réalisa l'hydravion DO X de la firme allemande Dornier, en 1929. En effet, cet appareil accrut notablement ses performances lors d'une traversée de l'Atlantique en volant au ras des flots (technique qu'utilisèrent par la suite les avions de reconnaissance des Forces alliées pendant la Seconde Guerre mondiale).

■ Le Britannique Christopher Cockerell compta parmi les nombreux ingénieurs qui reprirent le principe imaginé par Thornycroft, mais avec l'intention de réaliser cette fois un engin spécifique. Ses études, entreprises à partir de 1953, portèrent sur la réalisation d'un véhicule amphibie, à coque renversée, dont la sustentation serait assurée par un flux d'air, de haut en bas, créé par une hélice horizontale. Cockerell trouva par la suite que les performances étaient sensiblement améliorées pour une même puissance motrice si l'air était pompé, non dans la totalité de la cavité de la coque, mais seulement en rideau, tout autour de la coque, qui était circulaire.

Au principe dit de la **chambre ouverte** succédait donc celui dit du **jet périphérique**. Le brevet de cette invention fut déposé le 12 décembre 1955 et, l'année suivante, Cockerell fondait la Hovercraft Ltd.

■ Le premier de tous les aéroglisseurs fut lancé sous le sigle SR.N 1 en novembre 1959, avec la collaboration du ministère britannique des Armées et dans le plus grand secret. Il pesait 4 t et pouvait emporter quatre hommes à 25 nœuds à l'heure. Cockerell s'étant heurté au même problème que Thornycroft, c'est-à-dire la difficulté de maintenir un coussin d'air sous pression, l'air tendant à fuir vers l'extérieur en dépit du mouvement centripète qui lui était imparti, il avait doté son engin de **jupes** souples en épais tissu caoutchouté, qui maintenaient l'air prisonnier sous la coque. Par la suite, on s'avisa que les jupes permettaient d'en revenir au principe dit de la chambre ouverte. Le perfectionnement des jupes, qui furent réalisées dans un plastique spécial, permit de doubler la vitesse de ce type d'aéroglisseur, et de porter le poids de l'engin à 7 t. L'hélice était actionnée par une **turbine à gaz**.

■ Les aéroglisseurs suscitèrent des espoirs qui dépassaient dans une certaine mesure leurs capacités. On a, en effet, imaginé qu'ils pourraient constituer des véhicules tout terrain, susceptibles même de circuler au-dessus des routes ; or, l'imprécision de leur système directionnel excluait jusqu'à la fin des années 80 qu'on en fît un usage analogue à celui des véhicules motorisés terrestres. L'utilisation des turbines à gaz dans des engins maritimes ou amphibies comporte par ailleurs un inconvénient sérieux : la vaporisation d'eau de mer dans les conduits, qui entraîne une corrosion rapide. Le recours à des **moteurs Diesel** à la place des turbines y a remédié, mais au prix d'un alourdissement considérable de l'engin. En dépit de ces inconvénients et de quelques autres, les recherches visant à améliorer le rendement, la rentabilité et l'entretien des aéroglisseurs se poursuivent activement.

C'est sur des boîtes de conserves que Cockerell fit ses premiers essais de sustentation sur coussin d'air. Brillant théoricien, il avait si bien approfondi la théorie de la propulsion sur coussin d'air que, plus d'un quart de siècle après le lancement du premier aéroglisseur, on n'avait pas fini d'analyser toutes ses idées.

Antivol d'auto
Neimann, 1934.

Le premier système antivol de voiture fut inventé en 1934 par l'Allemand Abram Neimann ; il bloquait l'arbre de direction.

Astronautique
Tsiolkovski, 1883-1929 ; Esnault-Pelterie, 1912 ; Goddard, 1916 ; Oberth, 1929.

L'astronautique dérive de la science des **fusées,** qui la précéda de plusieurs siècles (voir ouvrage précédent). De l'utilisation de fusées capables de s'élever à plusieurs centaines de mètres aux expéditions au-delà des régions terrestres, il n'y avait qu'un pas à franchir pour l'imagination, qui le fut effectivement, pour la première fois apparemment en 1883, par le Russe Konstantin Tsiolkovski, dans un traité où il énonçait les principes mathématiques et physiques des moteurs à fusée et mentionnait la possibilité rationnelle de voyages dans l'espace et notamment le principe de la fusée à étages pour atteindre la vitesse de libération. Le développement de l'astronautique n'allait plus dépendre que de calculs mécaniques établissant la **vitesse de libération** d'un projectile censé échapper à l'attraction terrestre et des progrès techniques en matière de moteurs, de carburants et de structures. Il convient à ce propos de rendre hommage à l'Allemand Hermann Ganswindt qui, dès 1881, c'est-à-dire deux ans avant que Tsiolkovski publiât son traité, avait reconnu l'importance fondamentale de la vitesse de libération (11,3 km/s) et proposé d'en doter une fusée qui échapperait à l'attraction terrestre ;

Ganswindt jouirait donc d'une antériorité théorique sur Tsiolkovski, mais elle lui est généralement contestée eu égard à l'importance et à la durée des travaux du Russe.

■ Le même but de conquête de l'espace anima dès 1912 le Français Robert Esnault-Pelterie, qui, d'ailleurs, forgea le mot « astronautique », et, dès 1916, l'Américain Robert Goddard. Mais ils négligèrent l'un et l'autre à leurs débuts les conclusions pourtant magistrales de Tsiolkovski. Ce dernier, qui avait abordé le problème à une époque où la **poussée des gaz d'éjection** n'était fournie que par des **combustibles solides,** essentiellement de la **poudre noire,** avait justement déduit que celle-ci ne fournissait qu'une poussée initiale et que le rapport charge/poids de la fusée établissait des limites telles qu'ou bien on pouvait envoyer une grosse fusée à courte distance, ou bien une petite fusée à longue distance. Les **combustibles liquides,** eux, répartissaient la poussée de façon plus uniforme (voir ouvrage précédent, *Fusées*). La guerre de 1914-1918 ne laissait guère de champ aux projets d'astronautique et les fusées à combustibles solides suffisaient en principe aux nécessités du bombardement. Leur principale application fut la bombe-fusée inventée par Yves Le Prieur en 1916 (voir p. 34) ; lancée d'avion, elle était destinée aux dirigeables allemands. Esnault-Pelterie essaya, mais en vain, de réaliser des fusées en tant que propulseurs auxiliaires pour avions.

■ La paix revenue, il fut davantage possible de s'intéresser à l'astronautique. En mars 1926, Goddard lança à Worcester, Massachusetts, la première fusée non militaire du XXᵉ siècle, qui ouvrait sans doute l'ère spatiale en dépit de ses modestes performances. Propulsée par un **moteur à compresseur et turbine** fonctionnant à l'**oxygène liquide** et à l'**essence**, de dimensions fort réduites — une cinquantaine de centimètres —, elle atteignit une altitude d'une soixantaine de mètres. Trois ans plus tard, Esnault-Pelterie et le banquier André Hirch fondaient un prix d'astronautique. Les sociétés d'astronautique proliférèrent. En 1929 aussi, l'Allemand Hermann Oberth, qui fut le maître de Wernher von Braun, concepteur de la bombe-fusée V 2 et maître d'œuvre du programme interplanétaire américain, clarifiait encore plus les concepts encore flous de l'astronautique dans son ouvrage majeur, *Le Chemin du voyage spatial (Wege sur Raumschiffahrt)*, et proposait le premier l'idée de **réservoirs multiples** de carburants, qui allait aboutir aux **fusées à étages** multiples.

Goddard fut le premier, dès 1916, à suggérer l'utilisation de véhicules spatiaux circumlunaires à des fins d'observation photographique. Il fut également le premier à proposer l'idée de propulsion interplanétaire par **éjection d'ions**, qu'Oberth allait reprendre en 1929, ajoutant la possibilité de **propulsion électrostatique**. En 1953, l'Allemand Eugen Sänger émettait à son tour l'idée de **propulsion photonique**, c'est-à-dire par émission de photons ultrarapides dans l'espace. En 1988, ces trois modes de propulsion astronautique en étaient encore à l'état de projets.

Automobile
Daimler et Maybach, 1889 ; Panhard et Levassor, 1891.

La paternité absolue de la première voiture automobile au sens actuel, c'est-à-dire utilisant l'**essence** comme carburant, est incertaine. Le précurseur direct semble bien en être le **quadricycle** construit en 1889 par les Allemands Carl Benz et Wilhelm Maybach, sur la base du **tricycle** propulsé par un **moteur monocylindre à deux temps**, réalisé par Carl Benz en 1883. Le moteur du tricycle tournait à 250 tr/mn ; celui du quadricycle, à 900 tr/mn. Si ce sont bien là les deux premiers véhicules mus par un moteur à combustion interne et à essence, la première voiture qui comportait un châssis — tubulaire — avec moteur à l'avant fut celle que construisirent en 1891 les Français René Panhard et Émile Levassor, d'après le quadricycle

L'Américain George B. Selden ayant déposé dès 1879 un brevet de voiture automobile à essence, une longue procédure s'engagea avec la firme Daimler-Maybach au sujet de l'antériorité de l'invention. Toutefois, Selden ne construisit jamais de voiture et son nom n'est retenu par l'histoire que de façon incidente, comme l'auteur d'une « astuce » qui frisait l'escroquerie : il prétendait percevoir des droits sur tout véhicule automobile construit n'importe où dans le monde et, de fait, y réussit jusqu'en 1903 ! La révolte contre les prétentions de Selden, jusqu'alors soutenu par la justice américaine, commença en France où les constructeurs Panhard et Levassor, puis Jeanteaud, auxquels se joignit rapidement Henry Ford, examinèrent tous les brevets antérieurs à celui de Selden et lui intentèrent des procès qui le ruinèrent définitivement. En fait, son brevet n'avait été déposé que le 5 novembre 1895, sous le numéro 549 160. C'est sans doute l'un des exemples les plus éclatants des abus que le système des brevets peut autoriser.

Daimler-Maybach, dont ils détenaient la licence. La firme Panhard-Levassor fut également la première qui construisît des voitures en série.

Mention doit être faite, et pour satisfaire certains historiens, de la voiture construite en 1886 par la firme danoise Hammel, qui est toujours en état de marche.

■ On peut considérer que, si l'auto bénéficia par la suite de très nombreuses inventions accessoires, ainsi que de perfectionnements continus, comme le **châssis tubulaire,** la **carrosserie tout acier** ou la **construction monocoque,** l'invention originelle demeura fondamentalement inchangée.

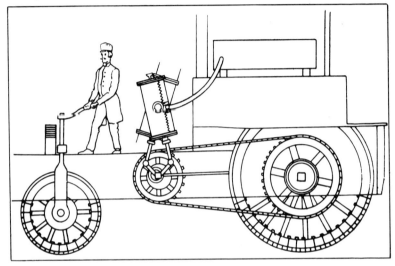

Cet engin extravagant est le **véhicule à vapeur à deux cylindres oscillants** imaginé par Charles Dietz en 1835. Dietz appartenait à une famille d'ingénieurs et réussit à construire des véhicules de ce genre, à mi-chemin entre la locomotive et l'auto.

Avertisseur automodulé
Sparks et Weatherington Co., 1929.

Le premier avertisseur automobile deux ou trois tons, destiné à « personnaliser » un véhicule, fut inventé en 1929 par la firme d'accessoires automobiles américaine Sparks & Weatherington.

Avion
Ader, 1890 ; Leduc, 1939.

D'interminables arguties président depuis le début du XXᵉ siècle à la reconnaissance de l'inventeur qui réalisa le premier vol propulsé par **énergie mécanique.** L'anté-

riorité revient pourtant sans conteste au Français Clément Ader (1841-1925), qui, le 9 octobre 1890, parvint à faire décoller un appareil plus lourd que l'air, aux ailes en forme de chauve-souris, dont l'hélice était actionnée par un moteur à vapeur. Ader couvrit une distance qui, selon les témoignages, varie entre 50 et 60 m. C'est Ader qui inventa le mot « avion ». Son appareil s'appelait *Éole.*

■ Ader construisit ensuite un appareil plus perfectionné, l'*Avion III,* également mû par un moteur à vapeur, dont les performances semblent avoir été moins concluantes. Un rapport officiel, mystérieusement tenu secret jusqu'en 1910, déclare que l'aérostat ne vola pas, alors qu'Ader affirme qu'il parcourut une distance de 300 m. Toujours est-il que l'étape suivante, c'est-à-dire la propulsion d'un plus lourd que l'air mû, cette fois-ci, par un moteur à explosion, fut franchie par les Américains Orville et Wilbur Wright, qui parcoururent 284 m à quelques mètres d'altitude.

■ En fait, les frères Wright bénéficiaient de l'expérience de leurs prédécesseurs et, en particulier, de celle de l'Allemand Otto Lilienthal sur des **planeurs** (qui l'amena à conclure que le bord d'attaque de l'aile devait être relevé), du Français Robert Esnault-Pelterie qui, la même année 1903, équipa ses planeurs d'ailerons de queue manœuvrés par des cordes, de Gabriel Voisin, qui construisit le premier des planeurs à ailes compartimentées, plus rigides, du Franco-Américain Octave Chanute, qui fut le premier à construire des planeurs à deux ou trois plans de sustentation, dits plus tard **biplans** et **triplans,** et de l'Américain Samuel Pierpoint Langler, qui fut le premier à équiper des planeurs de moteurs à explosion, sans parvenir à des résultats concluants.

■ Ces précurseurs connurent tous l'échec, certains tragiquement, tels Lilienthal et Chanute, pour des raisons multiples, où dominait la déformation dans l'air des structures excessivement légères et élastiques qu'ils avaient construites, et auxquelles contribuait sans doute le manque de stabilité causé par une méconnaissance du fonctionnement des ailerons de profondeur. Les frères Wright adoptèrent le planeur de Chanute dans sa version biplan, et le gouvernail de profondeur d'Esnault-Pelterie, qu'ils installèrent à l'avant. Plusieurs vols planés d'une cinquantaine de mètres précédèrent leur vol inaugural. Les successeurs des frères Wright furent nom-

breux : Alberto Santos-Dumont, Léon Levasseur, Louis Blériot, Glenn Curtiss, Charles et Gabriel Voisin, Samuel Cody, Alliott Vernon Roe, Igo Etrich...

■ L'aviation était née et allait passer par les étapes des **carlingues métalliques** après celles, en bois et toile, des'avions multimoteurs, puis de l'**aérodynamisation,** qui, couplée avec l'accroissement de puissance des moteurs, allait permettre les premiers **vols au long cours** et enfin la création des lignes commerciales.

■ Toujours est-il que les avions étaient organiquement liés, dans leur conception et dans leurs performances, au moteur à explosion. L'étape suivante, qui se prolonge actuellement, fut celle de l'aviation à réaction. L'accroissement considérable de la vitesse qu'elle autorisait allait rapidement entraîner une révision des profils aérodynamiques, puis de la conception même des cellules et, enfin, des matériaux. Cette évolution technique allait encore s'accélérer avec les progrès de l'**électronique** et, notamment, avec la possibilité d'installer des **circuits de contrôle** du comportement de l'avion en l'air. Ses conséquences commerciales furent immenses, puisqu'en divisant pratiquement par deux le temps nécessaire pour franchir une distance donnée, l'aviation à réaction permettait d'étendre les réseaux de communication jusqu'à des régions qui n'étaient pas desservies, comme la plupart des îles de l'Océanie, ou qui ne l'étaient qu'à intervalles espacés, comme l'Asie, l'Afrique et l'Amérique du Sud.

■ Le précurseur de cette deuxième ère de l'aviation est très largement et injustement méconnu ; c'est le Français René Leduc, qui fut le premier à saisir pleinement le potentiel qu'offrait le moteur à réaction. L'aviation à réaction avait été, certes, brièvement esquissée en 1928, lorsque les Allemands Alexander Lippisch, constructeur de planeurs, Fritz von Opel, ingénieur, et August Sander, fabricant de fusées, avaient équipé un planeur de la série Storch d'un moteur-fusée, baptisé *Ente* (« Canard »). Cette tentative resta sans suite, du fait que le moteur ne fonctionnait pas plus d'un quart d'heure. Leduc, pour sa part, reprenant la théorie énoncée en 1910 par le Français René Lorin, sur la possibilité de propulser un plus lourd que l'air par thermoréaction, inventa un type de moteur à réaction d'une simplicité extrême, le statoréacteur, qui ne comprenait aucune pièce tournante : l'air entrant dans la bouche de la tuyère y subissait une compression par effet aérodynamique, puis était dirigé vers une chambre de combustion garnie d'injecteurs de comburant ; cette dernière chambre, rétrécie à l'arrière, fournissait par sa forme un surcroît de compression aux gaz chauds dont l'éjection assurait la propulsion. Mis à l'étude en 1936, le prototype de l'avion à tuyère fut prêt en 1939. La guerre en interrompit le développement.

■ En Italie, Secondo Campini réalisa un avion à turboréacteur, où l'air admis était comprimé par un compresseur à trois étapes avant de passer dans la chambre de combustion ; à la sortie, la poussée des gaz était augmentée par une chambre de postcombustion. En 1941, le Caproni-Campini CC 2 parcourut la distance Milan-Rome à la vitesse record de 500 km/h. Mystérieusement, cette expérience resta sans suite, du moins dans le domaine de la construction aéronautique militaire, le seul qui fût actif pendant ces années-là, et cela en dépit des résultats prodigieux atteints en Allemagne par deux appareils révolutionnaires : d'abord, par le biréacteur Messerchmitt

ME-163 A, à type d'aile volante, qui fut le premier avion à réaction fiable de l'histoire de l'aviation — et qui avait été inventé et réalisé par le même Alexandre Lippisch cité plus haut —, ensuite et surtout par le Me-163 VI Komet, qui, le 13 août 1941, piloté par Hans Dittmar, fut le premier de l'histoire de l'aviation à friser la vitesse du son à 1 003 km/h (Mach 0,84). Le *Komet*, appareil sans empennage ni train d'atterrissage, ne sortit qu'à un petit nombre d'exemplaires, en raison des problèmes techniques que posait sa construction, et notamment des risques de fuites des deux réservoirs d'oxygène liquide.

Ader eut de nombreux précurseurs, dont Félix du Temple (1857), l'Anglais Thomas Moy (1875), le Russe Alexandre Mozhaisky (1884), le Français M.A. Goupil (1884), et un successeur immédiat, l'Anglais Horatio Philips (1893), qui tous essayèrent de faire voler des **plus lourds que l'air**. Seul Mozhaisky, qui lança son appareil du haut d'une rampe de ski et parvint à en assurer la sustentation pendant quelques secondes, réussit un « décollage », ce qui a incité ses compatriotes à revendiquer, quelque peu abusivement, la paternité du premier vol mécanique.

Avion à hydrogène

Hans von Ohain, 1935 ; N.A.S.A., 1956-1959...

Un avion dont la propulsion serait assurée, non pas par la combustion d'un hydrocarbure, en l'occurrence du kérosène, mais par celle de l'hydrogène s'enflammant au contact de l'oxygène, a été mis à l'étude dès 1935 par l'Allemand Hans von Ohain, ainsi que par plusieurs ingénieurs des firmes allemandes Messerschmitt et Heinkel. Cette étude devait aboutir au Messerschmitt Me-163 VI Komet, mis en service pendant la Seconde Guerre mondiale (voir *Avion*). L'idée en fut reprise en 1956 par la National Aeronautics and Space Administration (N.A.S.A.) américaine, qui modifia un bombardier B 57 à deux réacteurs, en l'équipant de réservoirs d'hydrogène liquide en bouts d'ailes. En 1958, un Curtiss-Wright J 65 réussit une série de

vols d'essais au cours desquels il utilisa alternativement de l'hydrogène liquide et un carburant conventionnel.

■ Les recherches dans ce sens furent abandonnées en 1959, d'abord en raison du coût élevé de l'hydrogène liquide, qui est près du triple de celui du kérosène, et des risques d'explosions, qui sont également plus élevés que ceux des carburants conventionnels, notamment lors du réchauffement de l'hydrogène, entreposé à — 252,5 °C, puis progressivement réchauffé ; à ce stade-là, le gaz s'enflamme immédiatement au contact de l'air, et les conduits qui l'acheminent vers la chambre de combustion doivent donc posséder des caractéristiques exceptionnelles de stabilité thermique, chimique et mécanique. Néanmoins, en 1987, le Soviétique Aleksei Tupolev, célèbre fondateur de la firme aéronautique qui porte son nom, modifia un appareil conventionnel, le Tu-154, pour en faire un avion à hydrogène, le Tu-155, qui réussit son vol d'essai le 15 avril 1988. Parallèlement, les Américains préparaient la mise en service d'un appareil à hydrogène, le National Aerospace, surnommé Orient-Express, en raison de sa capacité à relier Washington à Tokyo en deux heures. L'appareil devrait être lancé en 1994.

L'un des avantages théoriques de l'avion à hydrogène est sa **pollution nulle,** puisqu'au lieu d'une traînée de vapeur de kérosène il ne laisse qu'une traînée de vapeur chaude.

Avion à micro-ondes
Centre canadien de recherches en communications, 1987.

Un prototype d'avion sans moteur autonome a été mis à l'essai avec succès au Canada en 1987. Équipé d'une voilure de 4 m d'envergure, soit un huitième de l'envergure de l'appareil projeté, il était doté d'un moteur électrique alimenté par un faisceau de micro-ondes de forte intensité, diffusées par une antenne parabolique terrestre. Les micro-ondes sont captées par des récepteurs placés sous la voilure et sous une antenne parabolique ; ces récepteurs sont des **diodes.** L'appareil est destiné à assurer une surveillance localisée, routière et écologique, par photographie, dans un rayon de quelque 300 km, et à servir de **relais de radiodiffusion** en remplacement des réseaux terrestres. Conçu en 1982, et réalisé par le Centre canadien de recherches en communications, cet avion sans pilote pourrait voler indéfiniment et compléter à moindres frais les réseaux de satellites. La mise au point de l'appareil grandeur réelle était estimée, en 1987, à environ 130 millions de francs.

Avion à piles solaires
McReady, 1980.

Doté d'un moteur alimenté par **piles photovoltaïques,** elles-mêmes alimentées donc par l'**énergie solaire** le *Gossamer Penguin* (« Pingouin de tulle »), construit par le savant et aviateur américain Paul McReady, effectua un vol de 3,028 km à une altitude de 4 m, pendant quatorze minutes, à la base militaire Edwards, dans le désert Mojave, en 1980. Il était piloté par Janice Brown. L'année suivante, une autre version, le « Solar Challenger », équipé de 16 000 cellules photovoltaïques, fit un vol de 368 km, à une altitude de 11 000 pieds, en cinq heures trente minutes. Ce vol, qui unissait la France à la Grande-Bretagne, comportait une traversée de la Manche.

Avion à propulsion musculaire ou aérocycle
Nieuport, 1921 ; McReady, 1979.

Il est certain qu'en tant que concept théorique l'avion à propulsion musculaire est très ancien et qu'il remonte au moins à Léonard de Vinci, au XVe siècle, si ce n'est au mythe d'Icare. Mais il est tout aussi certain que les données techniques qui pouvaient permettre à un plus lourd que l'air de décoller et d'avancer par la seule force musculaire n'ont commencé à être étudiées qu'au XXe siècle. Le pionnier en la matière fut le Français Édouard Nieuport, qui, en 1921, mit à profit ses connaissances de coureur cycliste et de constructeur d'avions pour fabriquer une bicyclette volante, ou aérocycle. Baptisé *Aviette*, l'appareil, « piloté » par Gabriel Poulain, s'éleva de 1,50 m et parcourut une distance de 10,54 m au champ de courses de Longchamp, remportant ainsi le prix Peugeot. Plusieurs versions de l'aérocycle se succédèrent au cours des décennies suivantes, mais ne parvinrent pas à imposer cet appareil comme moyen de transport utile. C'est l'ingénieur américain Paul McReady qui, reprenant le problème de la construction et y incorporant de nouveaux matériaux ultralégers, réussit le premier à démontrer que l'aérocycle pouvait présenter une certaine fiabilité.

■ En 1979, un aérocycle construit en **fibres de carbone** et **voile synthétique,** le *Gossamer Albatros,* piloté par Bryan Allen, traversa la Manche ; c'est-à-dire qu'il franchit 22 miles statutaires en 2 h 49 mn. L'hélice, comme dans l'*Aviette* de Nieuport, était actionnée par des pédales, par le biais d'un jeu de **démultiplicateurs**. Il semblait, à la fin des années 80, que le manque de stabilité de l'aérocycle, les aléas de l'effort à fournir et de sa durée, enfin le coût de l'appareil le plaçaient en situation d'infériorité par rapport à des appareils de vol amateur tels que l'**U.L.M.** et le **Deltaplane**.

Bathyscaphe
Piccard, 1905.

Le premier engin clos, étanche, capable de descendre à de grandes profondeurs sous-marines avec des hommes à son bord, fut conçu en 1905 par Auguste Piccard, Suisse naturalisé américain. Muni d'un flotteur rempli d'essence légère, équipé d'accumulateurs électriques actionnant des hélices verticales et horizontales, il a donné naissance à une génération d'engins de plus en plus perfectionnés, dont le prototype le plus récent est le *Saga* français, lancé en 1987.

■ Il avait eu pour prédécesseurs les **soucoupes plongeantes** — jusqu'à 3 000 m — *Alvin* (États-Unis), *Cyana* (France) et *Pisces* (Canada), et les **submersibles d'exploration** *Nautile* (France), *Trieste* (États-Unis), ainsi que les versions récentes du bathyscaphe de Piccard — jusqu'à 6 000 m.

Boîte de vitesses automatique
Föttinger, 1910.

C'est en 1910 que l'Allemand Hermann Föttinger inventa le **variateur de vitesse continu,** réalisé par un convertisseur de couple ou par un système spécial de transmission par courroie ; monté entre l'arbre moteur et l'arbre de transmission, il permet de supprimer l'**embrayage**. Dès lors, la boîte de vitesses ne fonctionne plus que de trois manières, en marche réduite ou allure de ville, en marche de croisière et en marche arrière.
C'est ce dispositif qui, plusieurs années plus tard, allait donner naissance à la boîte de vitesses automatique.

Bouteille pour plongeur
Cousteau et Gagnan, 1943.

La première de toutes les bouteilles comportant un gaz susceptible d'assurer une certaine autonomie à un plongeur sous-marin fut inventée et réalisée en 1943 par Jacques-Yves Cousteau et Émile Gagnan. Le gaz était de l'**air comprimé**. L'originalité de l'invention, à laquelle Gagnan apporta ses compétences d'ingénieur spécialisé dans la fabrication des valves de contrôle, était le **détendeur,** qui fournissait le gaz au plongeur par l'embout buccal, à une pression correspondant à celle de la profondeur où il se trouvait. L'air comprimé devait, par la suite, être remplacé par de l'**azote,** qui fut abandonné en raison des inconvénients physiologiques qu'il comportait. Le mélange actuel est l'**hélyox,** mélange hélium-hydrogène-oxygène. C'est cette invention qui a permis de faire progresser la conquête des profondeurs sous-marines, qui n'étaient jusqu'alors accessibles qu'aux scaphandriers.

Carrosserie tout métal
Napier, 1902.

Au début de l'industrie automobile, les constructeurs n'utilisaient le métal en carrosserie que dans certaines parties, celles qui toléraient le moins les distorsions, notamment le châssis et les portes, ainsi que les montants des portes. Le plancher et le toit étaient le plus souvent en bois, soit que l'armature fût en bois recouvert de toile imperméabilisée, soit que le toit fût réalisé entièrement en bois.
■ Le premier constructeur qui eut l'idée de réaliser une **carrosserie tout métal** fut, en 1902, la firme Napier, avec sa Napier 9. Une rigidité insuffisante et la difficulté de réparer les parties accidentées entraînèrent un retard dans l'adoption du tout métal, qui ne s'imposa que dans les années 1925.

Chemin de fer électrique
Cazal, 1864 ; Siemens, 1878.

L'électrification des voies ferrées est singulière en ce qu'elle suit de peu l'avènement des voies ferrées elles-mêmes, mais qu'elle met près d'un siècle à triompher, du fait de la rivalité prolongée entre le charbon et l'énergie électrique. Dès le départ, elle présente toutefois des avantages certains, qui l'imposèrent d'ailleurs dans le trafic urbain. A la fin du XVIIIᵉ siècle et au début du XIXᵉ, en effet, les tramways à chevaux, les équipages particuliers et les chariots commerciaux créent dans toutes les grandes villes du monde des embouteillages intolérables. L'avènement des locomotives aggrave la situation en y ajoutant une pollution aérienne insoutenable, qui conduira les édiles de New York, Londres et Paris à envisager des **voies ferrées souterraines** (voir ouvrage précédent). La solution réside visiblement dans l'énergie électrique qui permet à la fois de supprimer les fumées des locomotives et d'installer des voies ferrées souterraines viables (les premières motrices souterraines devaient décharger leurs fumées dans l'eau des chaudières, pour ne pas rendre l'air des tunnels suffocant). En 1864, le Français Cazal transmit pour la première fois l'énergie d'un moteur magnéto-électrique à un essieu de locomotive, ne faisant d'ailleurs en cela que suivre l'exemple du Russe B.S. Jacobi qui avait transmis la même énergie à un arbre d'hélice en 1834. Mais le premier qui construisît un moteur électrique susceptible d'entraîner une motrice fut l'Allemand Werner von Siemens, en 1878. Il s'agissait encore d'une petite motrice, qui tirait son énergie d'un **courant continu** passant dans un **troisième rail** placé entre les deux rails traditionnels. C'est sur ce principe que, dès 1895, on entreprit en France l'électrification du réseau ferroviaire, à commencer par le trajet entre la gare d'Orsay et celle d'Austerlitz, à Paris. Il fallut attendre, au début du XXᵉ siècle, l'accroissement de puissance des locomotives électriques pour concurrencer la vapeur.

Compteur de vitesse automobile
Thorpe & Salter, 1902.

C'est la firme londonienne Thorpe & Salter qui commercialisa en 1902 le premier compteur de vitesse, couplé sur l'axe antérieur du véhicule. Il était gradué de 0 à 35 miles par heure.

Conditionnement de l'air automobile
Wilkinson, 1902.

Les conduites intérieures devenant rapidement étouffantes, l'été, dans de nombreux États américains, le constructeur américain d'autos Franklin demanda à son ingénieur, J. Wilkinson, de mettre au point un système de conditionnement d'air qui pût être installé dans le véhicule même. Ce qui fut fait en 1902 ; il s'agissait, en fait, d'un système de **refroidissement par eau** analogue à celui d'un radiateur classique, avec des conduits d'air spéciaux dans l'habitacle.

Deltaplane
Wanner, Rogallo, 1948.

Le Deltaplane, dérivé du **vol à voile** (voir p. 218), fut inventé par l'Américain Francis Melvin Rogallo (d'où le nom d'**Aile Rogallo** qui fut d'abord celui de l'engin), en 1948. C'était une aile triangulaire en fil métallique tissé et enduit d'une pellicule de silicones, qui permettait de pratiquer le vol libre. L'invention aurait été faite quelque dix mois plus tôt par un autre Américain, Wanner.

Feux de signalisation
Knight, 1868 ; Benesch, 1914.

Les premiers feux de signalisation connus étaient destinés aux piétons qui devaient traverser des artères où circulaient des tramways ; ils consistaient en fait en un **sémaphore** qui soulevait alternativement une **lampe à gaz** à vitre rouge et une autre à vitre verte ; on n'en connaît qu'un exemplaire installé, qui fut celui qui réglait le trafic devant la Chambre des Communes, à Londres, et qui ne resta en place que quelques mois, car l'une des lampes explosa, tuant l'agent préposé. J.P. Knight, l'ingénieur de la signalisation des chemins de fer anglais, qui en fut l'inventeur, ne revint pas à la charge. Les feux de signalisation ne s'imposèrent qu'après que l'Américain Alfred Benesch en eut mis au point l'**automatisation** en 1914. La première ville à en être équipée fut Cleveland, dans l'Ohio, en 1914. Ce n'est qu'en 1918 que le **système tricolore** actuel fut mis au point, anonymement, en Grande-Bretagne, incorporant un feu orange d'avertissement.

Frein à disques pour voitures
Lanchester, 1902.

Depuis ses origines, l'automobile était équipée de **freins à mâchoires,** mécaniques ou hydrauliques. Ces freins présentaient l'inconvénient de perdre une fraction de leur efficacité après une série de freinages, et c'est pour y pallier qu'en 1902 le Britannique Frederick W. Lanchester imagina des freins à disques ; ceux-ci possé-

daient un excellent **indice de dissipation de la chaleur,** qui réduisait considérablement les déformations, inconvénient des freins à mâchoires.
Néanmoins, ils étaient coûteux, et ce n'est qu'au cours des années 70 que les exigences de sécurité les firent appliquer à la construction en série.

Guidage auto automatique
Philips, Sagem, Renault et Télédiffusion de France, 1985.

Les quatre firmes ci-dessus ont réalisé séparément en 1985 des systèmes à peu près semblables, destinés à renseigner en permanence le conducteur sur l'état de son véhicule, de l'usure et de la pression des pneus à l'établissement du meilleur itiné-

raire à suivre pour parvenir à une destination donnée, compte tenu de la distance et de l'état des routes. Ces dernières informations sont fournies par radio. Les trois systèmes, Carin, Minerve, Atlas, ont été fondus en un seul en 1987, dit **Carminat.**

Hélice à pas variable
Hele-Shaw et Beacham, 1924.

Présentée en 1924 par ses inventeurs, les Britanniques H.S. Hele-Shaw et T.E. Beacham, l'hélice à pas variable, l'une des inventions les plus remarquables du domaine de l'aviation, n'intéressa que médiocrement le ministère de l'Air britannique, qui en commanda une douzaine,

puis ne poursuivit pas ses essais. Ce type d'hélice, qui permet d'obtenir un rendement maximal, en termes de vitesse, pour un nombre de tours fixe, et de varier les vitesses à l'atterrissage et au décollage, ne commença à être reconnu à sa juste valeur qu'en 1937...

Hélicoptère
Frères Bréguet, 1907 ; Cornu, 1907 ; La Cierva, 1923 ; Focke, 1936 ; Sikorski, 1944.

On appelle hélicoptère un plus lourd que l'air dont à la fois la sustentation et la propulsion sont assurées par une **hélice à axe vertical.** Le principe même en est ancien (voir ouvrage précédent), mais, à l'exception de celui que l'Italien Enrico Forlanini parvint à faire décoller à 15 m pendant presque une minute en 1877,

grâce à un minuscule moteur à vapeur qui actionnait deux hélices coaxiales, c'est-à-dire montées sur le même axe, et contra-rotatives, le XIXᵉ siècle s'acheva sans que l'exploit fût renouvelé. C'est en 1907 que, s'inspirant des travaux du Français Charles Renard sur les hélices et se servant d'un moteur à explosion, les frères Louis et

L'hélicoptère véritable du Russe naturalisé américain Igor Sikorsky. Il atteignait déjà une vitesse de 70 km/h, décollait sur place mais avait besoin d'une trentaine de mètres pour atterrir. Ce fut le dernier des monoplaces Sikorsky : le modèle suivant pouvait emporter cinq passagers à la vitesse de 160 km/h.

Jacques Bréguet effectuèrent le premier vol piloté sur un hélicoptère à quatre rotors comportant 32 plans de sustentation. Un peu moins compliqué, puisqu'il ne possédait que deux rotors, l'hélicoptère de Paul Cornu, construit la même année, ne permit pas de résoudre les problèmes de direction rencontrés par l'appareil des Bréguet. Les premiers succès des frères Wright avec l'avion tendirent à décourager les recherches en matière d'hélicoptères. Entre 1908 et 1912, toutefois, le Russe Igor Sikorski parvint à améliorer le **déplacement latéral** et, en 1919, le Français Étienne Oehmichen acheva un **hélicostat** prometteur, puis, entre 1919 et 1923, l'Italien Pateras Pescara, les Allemands Emil et Henry Berliner, aux États-Unis, et le Français Georges de Bothezat, également aux États-Unis, réalisèrent des appareils qui, sans bénéficier d'aucune invention fondamentale, étaient assez perfectionnés pour assu-

rer des vols de près d'une heure à faible ou moyenne altitude, avec un à trois passagers. Ces appareils, toutefois, accusaient des vibrations considérables et leur fiabilité était médiocre.

■ Le véritable perfectionnement qui s'imposait fut apporté de manière incidente par l'Espagnol Juan de La Cierva. S'écartant du principe fondamental de l'hélicoptère, qui est donc d'assurer la propulsion et la sustentation à l'aide de la même hélice, La Cierva mit au point cette même année 1923 un **autogire,** avion sans ailes qui décollait grâce à une hélice d'avion ordinaire ; au fur et à mesure que l'appareil prenait de la vitesse, une hélice horizontale à **pales libres** se mettait en mouvement et assurait un plan de sustentation qui permettait à l'appareil de décoller. L'autogire n'a pas connu de grande descendance, même si le principe des pales libres a été repris dans certains appareils expérimentaux des années 50, tels que le Fairey Rotodyne, mais il introduisait une nouveauté technique de premier ordre : les pales du rotor étaient, non pas fixes sur l'arbre, mais articulées, ce qui éliminait les vibrations causées par des pales rigides. De plus, les pales étant elles-mêmes flexibles, elles s'adaptaient beaucoup mieux à la distribution du poids et aux changements de cycles causés par l'accroissement de vitesse. Il devenait donc possible d'aller plus vite.

■ Nouveau progrès en 1936 : l'Allemand Heinrich Karl Focke inventa un dispositif qui modifiait l'**angle d'incidence des pales,** permettant de voler aussi bien en arrière qu'en avant. Mais, paradoxalement, personne alors ne perçut l'intérêt de ce perfectionnement essentiel aux hélicoptères modernes. Ce n'est que dans les années 40 que les caractères spécifiques de l'hélicoptère commencèrent à se dessiner : cet appareil n'est pas un concurrent de l'avion ; sa capacité à faire du sur-place, fût-ce à quelques centimètres au-dessus du sol, d'aller en arrière et de se poser sur des espaces extrêmement restreints en fait aussi bien une sorte de « véhicule tout terrain », idéal pour la lutte contre le feu en des lieux inaccessibles, pour le secours en montagne, la surveillance routière, certaines opérations de reconnaissance, le survol de régions inaccessibles à basse altitude, le transport de blessés ou de charges dans des lieux escarpés ou difficiles, etc.

■ C'est en 1944 seulement que Sikorski, déjà cité et installé aux États-Unis, tenant compte de tous les progrès accomplis, construisit le premier hélicoptère moderne : équipé d'une cabine close contenant le poste de pilotage, le VS 36 A était doté d'une queue en treillis à l'extrémité de laquelle une hélice perpendiculaire à l'axe du rotor faisait office d'**hélice anticouple,** empêchant le fuselage de tourner sur lui-même ; les pales du rotor étaient non seulement à **pas variable,** ce qui permettait d'accroître la vitesse indépendamment de l'axe, mais aussi à incidence variable, ce qui permettait de les incliner en avant ou en arrière, d'après l'invention de Focke.

*Deux principaux dérivés de l'hélicoptère se détachent dans la décennie 80 : les **avions à décollage vertical** ou **V.T.O.L.,** fondés sur le principe d'une modification de l'angle d'incidence des hélices, très marqué, et les **plates-formes volantes,** du type américain Hiller, qui sont des hélicoptères à hélices carénées pour le transport à l'air libre d'un individu, à faible altitude et sur de brèves distances.*

Hydroptère
Forlanini, 1900.

Un hydroptère est un bateau muni d'ailes au-dessous de la coque, à l'avant et à l'arrière ; ces ailes sont fixées par des longerons verticaux. A l'arrêt, l'hydroptère ressemble à un bateau ordinaire, ses ailes étant immergées ; au fur et à mesure que le bateau accélère, l'**effet de sustentation** créé par les ailes soulève la coque hors de l'eau. La vitesse augmente du fait que la seule résistance à l'avancement est celle des longerons, dont le bord d'attaque est profilé. Le premier engin annonçant l'hydroptère fut peut-être celui que construisit en 1897 le comte de Lambert ; il se serait agi d'un **catamaran** dont les deux éléments étaient reliés par quatre ailes rigides, mais le point reste douteux, car on ne sait pas si les **« hydroplans »** utilisaient effectivement le principe de sustentation par accélération de l'hydroptère proprement dit. Le premier appareil de ce genre dont les caractéristiques ne prêtent pas à confusion fut celui que construisit l'Italien Enrico Forlanini en 1900 (le principe en avait été établi par lui dès 1898) ; il atteignit en 1905 la vitesse remarquable pour l'époque de 80 km/h. Dès lors, les hydroptères bénéficièrent de l'intérêt des ingénieurs et mécaniciens, et, en 1918, le Britannique Alexander Graham Bell, l'inventeur du téléphone, et son compatriote Casey Baldwin battirent le record à

100 km/h sur un hydroptère équipé de deux moteurs de 350 ch. Plusieurs hydroptères sont utilisés dans le monde pour des liaisons maritimes régulières et courtes. On en connaît différents types, à effet de profondeur, à faible tirant d'eau, à patins immergés, à patins en échelle...

■ L'effet dit de **cavitation,** qui est la formation de bulles d'air causées par la turbulence de l'eau, fixe des limites à la vitesse des hydroptères, qui se situe vers 80 km/h (50 nœuds). En effet, les bulles, en crevant ou, plus exactement, en explosant, corrodent très rapidement les surfaces de sustentation, et les cavités d'air qui se forment sous les ailes du fait de la grande vitesse se remplissent d'eau et provoquent un abaissement de la sustentation.

L'hydroglisseur de Lambert, construit en 1897 et équipé d'un moteur Renault de 280 ch.

Lévitation magnétique
Bachelet, 1912.

On appelle lévitation magnétique la sustentation en l'air, sans point de contact, d'un objet par effet de répulsion entre **champs magnétiques** de pôles semblables. Le principe est suffisamment viable pour que des trains à grande vitesse et lévitation magnétique fussent, en 1988, en cours de réalisation en Allemagne, au Japon et aux États-Unis. Par exemple, un train dont le plancher est de champ + circule à quelques millimètres de distance d'un rail de champ également + ; l'élimination du frottement permet d'atteindre des vitesses de l'ordre de 400 km/h.

■ Or, le principe en question a été inventé en 1912 par le Français Émile Bachelet, à la lumière des travaux sur la **supraconductivité.** En effet, celle-ci permettant d'induire des courants électriques de tensions considérables dans certains composés métalliques, il devient possible d'engendrer des champs magnétiques également puissants.

Moteur à explosion
Lenoir, 1860 ; Beau de Rochas, 1862.

Aspiration, compression, inflammation et détente, refoulement, ces quatre parties du **cycle à quatre temps** ont inauguré l'ère automobile contemporaine ; elles définissent le moteur à explosion. Pour en comprendre l'invention, il faut remonter au principe de la **machine à poudre à** Huygens (voir ouvrage précédent). Il pourrait sembler, à première vue, que c'était là le principe du moteur à explosion qu'avait conçu Huygens ; mais, en fait, c'était la pression atmosphérique qui poussait le cylindre vers le bas, et c'est pourquoi on appela une telle machine « **moteur atmosphérique** ». On ne se rapproche du moteur à explosion proprement dit qu'avec l'invention de Philippe Lebon, qui imagine le premier d'introduire dans le cylindre un mélange air-gaz qui est comprimé, condensé, et auquel une étincelle électrique met feu, provoquant ainsi une décompression qui pousse le cylindre. Philippe Lebon, mystérieusement assassiné trois ans après son invention, ne pourra pas en étudier la réalisation ni le perfectionnement ; il a entre-temps inventé l'**allumage électrique** et la **compression**. Plusieurs inventeurs essaieront de construire après lui un moteur à gaz et allumage interne : les Anglais William Cecil (1820) et W.I. Wright (1830), l'Italien Luigi Cristoforis (1823), un autre Anglais, Samuel Brown, qui est le seul à avoir fait aboutir ses recherches, et les Italiens Eugenio Barsanti et Felice Matteucci (1854). Mais ce qui précède directement le moteur à combustion interne, c'est la **machine à vapeur à cylindre horizontal** réalisée en 1860 par Étienne Lenoir. Ce moteur monocylindrique à double effet connut un certain succès commercial, et Lenoir en équipa même un véhicule, sorte de char à banc qui parvint plusieurs fois à relier Paris à Joinville-le-Pont, à la vitesse de 6 km/h.

■ Si Lenoir est donc bien le réalisateur du premier moteur à explosion et donc à combustion interne, il faut souligner que son invention ne saurait être tenue que pour le premier volet de la conception de ce moteur ; le second volet fut l'œuvre d'Alphonse Beau de Rochas, véritable théo-

ricien du cycle à quatre temps, sans lequel le moteur à explosion n'aurait offert qu'un rendement médiocre. La différence entre le moteur Lenoir et celui qu'imagina Beau de Rochas est que ce dernier faisait quatre courses dans le cylindre au lieu de deux. Mais Beau de Rochas ne mena pas à bien son invention, en raison des problèmes d'allumage du mélange air-gaz proposé.

■ En 1873, l'Anglais George Brayton préconisait de placer le demi-cycle aspiration-compression en dehors du cylindre, ce qui avait pour avantage de maintenir une pression constante pendant toute la phase d'admission et d'allumage, l'aspiration et la compression se faisant dans un réservoir isolé, accessoire anticipant à la fois le carburateur et le compresseur. Brayton n'eut pas plus de succès, toujours à cause de l'allumage, mais il eut en revanche deux grands mérites : son cycle allait servir de base aux recherches sur les **turbomoteurs** et, surtout, Brayton avait été le premier à proposer de remplacer le mélange air-gaz par du combustible liquide.

■ La recherche technologique allait pouvoir progresser et, de fait, elle progressa vite. En 1878, l'Allemand Nikolaus August Otto présenta à l'Exposition universelle de Paris un moteur monocylindre à combustion interne, qui fonctionnait de façon satisfaisante et dont le cycle était quasiment le même que celui inventé par Beau de Rochas : 1° aspiration du mélange pendant une course entière du piston ; 2° compression au retour du piston ; 3° allumage au point de compression maximale ou point mort, puis explosion ; 4° expulsion des gaz brûlés dans une autre course du piston. La bielle du piston était rattachée à un volant qui contrôlait les soupapes d'admission du mélange et d'expulsion des gaz brûlés. Le moteur Otto connut tout de suite un grand succès : plus de 35 000 exemplaires en furent fournis en peu d'années.
Il s'agissait de gros moteurs fixes, pouvant développer des puissances allant jusqu'à 600 ch. Et il ne s'agissait encore que de moteurs à gaz, donc exigeant une chaudière à proximité pour l'alimentation en gaz à partir de charbon ou de pétrole.

■ Le moteur à explosion et à essence restait à naître. Il naquit progressivement, d'abord parce que l'on se méfiait des carburants liquides, ensuite parce que les usines qui produisaient du gaz pour les nouveaux moteurs commençaient à emmagasiner de grandes quantités de sous-produits, comme le gazole et l'essence. Un an après qu'Otto eut imposé son moteur, l'Anglais Dugald Clerk démontra qu'il était possible de réduire à deux les quatre temps du cycle Beau de Rochas : un pour l'aspiration, la compression et l'allumage, un autre pour l'expansion et l'expulsion des gaz brûlés. En 1880, l'Allemand Carl Benz expérimenta sur ces bases, mais sans succès, un moteur léger ; c'était toujours l'allumage qui faisait problème. Puis le pas décisif fut franchi avec l'invention d'un autre Allemand, Werner von Siemens, qui avait mis au point, en 1884, un **allumage électrique à basse tension.** Il y avait dès lors beaucoup moins de risques d'explosion. En 1878, l'Italien Murnigatti avait démontré la possibilité d'obtenir une vitesse de rotation élevée (600 tr/mn) avec un moteur Otto léger, à deux cylindres ; l'application à la traction automobile n'allait plus tarder beaucoup. De fait, c'est un moteur à essence de type Murnigatti que l'Allemand Gottlieb Daimler monta pour la première fois sur un engin à roues, une motocyclette en bois, équipée de l'accessoire nouveau qu'était le **carburateur** pour le mélange de l'essence et de l'air.

Le brevet Otto fut révoqué en 1886, quand Beau de Rochas put établir l'antériorité de son invention et la quasi-identité du cycle Beau de Rochas et du cycle Otto.

Moteur Wankel
Wankel, 1951-1954.

Le moteur Wankel est un **moteur rotatif à rotor trilobé,** dans lequel un piston rotatif fixe, denté, tourne au fur et à mesure de l'évolution circulaire du rotor. Chaque fois qu'une face du rotor passe devant l'orifice d'admission, un mélange de carburant passe dans la chambre du cylindre. Ce mouvement du rotor comprime ce mélange, qui s'enflamme une fois par cycle. La détente du gaz enflammé exerce une poussée qui fait ensuite tourner le rotor. Plusieurs ingénieurs avaient auparavant imaginé, en théorie seulement, un moteur de ce type ; sa première réalisation fut le fait de l'Allemand Felix Wankel, qui travailla de 1951 à 1954 sur ce projet, en collaboration avec la firme N.S.U. Motorenwerk A.G., de Neckarsulm.

Mis au banc d'essai en 1957, le moteur Wankel fut monté en série sur des voitures à partir de 1967, par la firme japonaise Mazda. Compact, léger, de 10 % environ plus économique que le moteur à explosion classique, il ne s'est toutefois pas imposé à l'ensemble de l'industrie automobile (mis à l'essai sur une petite série en 1969 par Citroën, il fut abandonné en raison de problèmes persistants d'**étanchéité** du rotor, ainsi que d'une consommation effective bien supérieure aux calculs théoriques). Le moteur Wankel, dont l'avantage pratique ultime est qu'il est beaucoup plus compact que le moteur à explosion classique, représente en fait l'un de ces culs-de-sac qui abondent dans l'histoire des inventions. Aurait-il été inventé au début de l'histoire de l'auto qu'il eut sans doute été développé avec succès. Mais il apparut à un stade où le moteur à explosion avait été tellement perfectionné, et il eut fallu des investissements disproportionnés par rapport à son intérêt réel, qu'il ne put emporter l'adhésion des constructeurs. On peut même imaginer que le perfectionnement des piles solaires amène un jour l'abandon définitif du moteur à explosion aussi bien que du moteur Wankel, pour les raisons écologiques qui s'imposent en cette fin du XXᵉ siècle.

Ci-contre, **le moteur rotatif Wankel,** qui inspira un grand enthousiasme aux constructeurs dans les années 1960, mais qui tomba en défaveur en raison de problèmes rebelles d'étanchéité.

Parebrise en verre laminé

Corning, Saint-Gobain, 1929.

Les accidents automobiles attirèrent l'attention des constructeurs des années 20 sur les dangers des bris de **parebrise** pour le visage. Les grands fabricants de verre recherchèrent alors un type de verre qui ne volerait pas en éclats sous le choc. La firme américaine Corning Glass découvrit que le verre qui était rapidement refroidi après chauffage présentait sur ses deux faces une couche beaucoup plus dure que le verre ordinaire. De plus, un tel verre se prêtait davantage au **profilage,** étant donné que le mode de chauffage lui conférait une ductilité beaucoup plus grande que le verre ordinaire. Sous l'effet d'un choc, il se fragmentait en petits éclats et non plus en grands éclats coupants. C'était ce que l'on appelait le **verre renforcé** ; il

n'obtint pas aux États-Unis l'autorisation de mise sur le marché, en raison même de sa dureté, qui est supérieure à celle des os du crâne. L'on se tourna donc vers un autre type de verre, constitué au départ d'une feuille de **celluloïd** entre deux couches de verre, dit **verre laminé ou feuilleté.** Beaucoup moins dur, ce type de verre fabriqué en France par Saint-Gobain dès 1929 présentait également beaucoup moins de risques pour l'automobiliste. Quelques années après sa commercialisation, il tomba toutefois en défaveur, car le celluloïd s'altérait sous certains climats et devenait opaque. Le verre laminé ne revint en faveur que lorsqu'on remplaça le celluloïd par un dérivé du **vinyl,** considérablement moins altérable.

Pressurisation des avions
Boeing, 1938.

L'accroissement de la **pression atmosphérique** dans les avions, destinée à compenser la baisse de cette pression aux hautes altitudes, est plus une innovation qu'une invention à proprement dire, mais ses conséquences sur le devenir de l'aviation ont été si grandes qu'elle mérite mention. Le premier avion pressurisé, grâce à un compresseur, fut le Boeing 307 Stratoliner, construit par la firme américaine Boeing en 1938, et qui entra en service en 1940. Antérieurement, les passagers, essentiellement des équipages, des avions qui s'élevaient au-dessus de 3 000 m étaient dotés de **masques à oxygène**. La pressurisation, qui établit à l'intérieur de la carlingue une pression équivalente à celle qui règne à 2 500 m d'altitude, a permis aux avions commerciaux de voler à des altitudes de 10 000 à 12 000 m et d'être donc beaucoup moins affectés par les turbulences des altitudes inférieures.

Ravitaillement en vol
U.S. Army Air Corps, 1929.

Le premier ravitaillement en vol d'un avion par un autre fut réalisé en 1929 par l'U.S. Army Air Corps, l'actuelle U.S. Air Force, quand un Douglas C1 transmit du carburant à un trimoteur Fokker à l'aide d'un tuyau. Deux avions de ravitaillement devaient fournir de la sorte, en plusieurs fois, 5 000 gallons de carburant au Fokker, engagé par ailleurs dans une épreuve d'endurance qui consistait à le tenir en vol pendant sept jours.

Rétroviseur
Cockerill, 1896.

L'avènement de l'auto créa le besoin de vérifier sans se retourner que, lorsqu'on était au volant, on n'était pas suivi par un autre véhicule à l'allure plus rapide. C'est ce qui amena le chirurgien militaire anglais John William Cockerill à inventer un miroir au-dessus du parebrise, qui, convenablement orienté, fournirait l'information en question.

Rickshaw
Scobie, 1869.

L'une des inventions les plus inattendues dans le domaine des transports est la voiture à deux roues et à traction humaine, dite rickshaw, extrêmement répandue en Asie. Elle aurait été inventée en 1869 par le pasteur missionnaire américain Jonathan Scobie, pour véhiculer son épouse invalide dans les rues de Yokohama, au Japon, de façon à ce qu'elle pût emprunter des ruelles et stationner facilement.

Scooter
Auto-Ped, 1915.

L'ancêtre de tous les scooters ou **patinettes carénées et motorisées** à deux ou trois roues fut fabriqué en 1915 par la firme américaine Auto-Ped Co. La formule ne connut pas de succès et ce n'est qu'après la Seconde Guerre mondiale que l'industrie italienne parvint à imposer cette formule de transport, sur la base du deux-roues.

Siège éjectable
Junkers, 1938.

L'idée d'un siège éjectable a circulé parmi les milieux aéronautiques internationaux dès le début des années 30. Cependant, la paternité en est difficile à établir, et la distance entre l'idée et la réalisation, difficile à estimer. Aussi semble-t-il que l'invention complète doive être attribuée à la firme aéronautique allemande Junkers, qui, en 1938, mit à l'essai des sièges éjectables sur véhicules terrestres, l'éjection étant assurée par un **canon à air comprimé**. Le premier avion à en être équipé fut le Junkers Ju-88, en 1939, mais le siège éjectable ne fut vraiment adopté par la Luftwaffe qu'à partir de 1941.

Téléférique
An., États-Unis, ou Ritter, 1866.

Il est difficile d'assigner un nom et une date à l'invention du téléférique, et il est même possible que ce ne soit qu'une adaptation aérienne du système de halage des wagonnets de mines, transposé en altitude. Il semble que ce soit presque simultanément que le téléférique soit apparu aux États-Unis et en Europe. Aux États-Unis, l'invention est anonyme et consiste dans le halage de wagonnets aériens, employés justement pour le transport de déblais et de charbon dans les mines ; les wagons étaient suspendus à des câbles halés depuis une cabine. En Europe, l'Allemand W. Ritter mit en service en 1866 un téléférique élaboré, à quatre câbles d'une portée de 101 m, dont le halage s'effectuait par treuil. La cabine pouvait transporter deux passagers et le véhicule était destiné à superviser des turbines hydrauliques sur le Rhin.

Traction avant
Grégoire, Fenaille, Nugue, 1926.

L'idée d'une auto à roues avant motrices, destinée à assurer une meilleure **tenue de route**, naquit dans l'esprit de Jean A. Grégoire et de Pierre Fenaille en 1926, et fut rendue possible grâce aux travaux du polytechnicien Nugue. Contrairement à certaines assertions, la première voiture à traction avant et **joint universel**, dit également **joint homocinétique** et **joint de cardan,** dérivé de l'antique invention du **cardan** (voir ouvrage précédent), fut la Tracta de Grégoire. Elle roula au début de l'été 1926, et remporta un succès aux Vingt-Quatre Heures du Mans en 1927. Le principe de la traction avant fut successivement adopté, en 1929, par les firmes allemandes D.K.W. et Adler, et par l'Américain Cord, puis par la firme française Rosengart, par les constructeurs belges Astra et Juwel, ainsi que par le constructeur français Donnet en 1931. Il faut également citer le prototype des frères Bucciali, construit cette même année 1931. Ce n'est qu'en 1934 que la traction avant aborda la grande série avec la célèbre 7 A d'André Citroën.

Train d'atterrissage rétractable
Wiencziers, 1911.

Inventé en 1911 par la firme aéronautique allemande Wiencziers, le train d'atterrissage rétractable équipa les monoplans de ce constructeur dès cette année-là, mais mit quelque trente ans à s'imposer. Ce furent les **vitesses** croissantes et les considérations **aérodynamiques** qui le générèrent.

Trains chenillés
Holt, 1904.

L'invention des **véhicules terrestres blindés** remonte au moins au XIVe siècle (voir ouvrage précédent). Elle ne s'imposa pas dans les siècles ultérieurs, du fait même du poids de ces véhicules, qui les rendait notoirement inaptes à la propulsion sur des terrains accidentés ou des surfaces escarpées. Dès le XVIIIe siècle, toutefois, il devint évident que le problème des blindés, aussi bien que de tous véhicules pesants, résidait dans le **point de charge** : si ces véhicules étaient posés sur des roues, tout leur poids portait sur les points de contact de celles-ci avec le sol. Dès 1770, l'Irlandais R.D. Edgeworth eut donc l'idée de répartir la charge en utilisant des **roues à jantes segmentées,** dont les segments seraient reliés entre eux ; c'était l'ébauche du train chenillé qu'améliorèrent successivement l'Anglais Boydell en 1854, puis l'Italien C. Bonagente en 1893. Le problème ne fut rationnellement et pratiquement résolu que par le train chenillé entraîné par des **roues motrices** qu'inventa en 1904 l'Américain Benjamin Holt et que compléta peu après son compatriote C.L. Best. Le premier train chenillé fut destiné à un **tracteur à moteur à explosion.**

Turboréacteur
Whittle, 1928-1930 ; Vickers, 1940 ; Rolls-Royce, 1945 ; Wibaut, 1953.

On appelle turboréacteur un **moteur à réaction** dans lequel l'air admis à l'avant est poussé dans une **chambre de combustion** où un carburant est injecté ; la combustion engendre des gaz dont la poussée est supérieure à celle de l'admission d'air et dont l'éjection assure la propulsion, généralement d'un avion. Car le turboréacteur a été essentiellement utilisé dans l'aviation. La théorie en fut publiée en 1928 par le Britannique Frank Whittle, qui déposa un brevet en 1930. En 1935, l'Allemand Hans von Ohain déposa à son tour un brevet pour un principe de propulsion similaire, et ce fut en Allemagne d'abord qu'eut lieu le vol du premier avion à turboréacteur, un Heinkel He-178, en 1939. Les recherches furent alors vigoureusement accélérées en Grande-Bretagne et aux États-Unis. En 1941, les Britanniques mirent à l'essai le Gloster Whittle E-28, également équipé d'un turboréacteur ; il mena à la réalisation, en 1944, d'un appareil beaucoup plus performant, le Gloster Meteor. La Luftwaffe répliqua d'ailleurs par la mise en service du Messerschmitt Me-262. La vitesse et la fiabilité de ce type de moteur devaient lui assurer la prépondérance dans l'aviation civile et militaire jusqu'à nos jours : c'est un turboréacteur Olympus qui équipe le Concorde, par exemple.

■ En 1940, la firme anglaise Vickers inventait le **turboréacteur à double flux,**

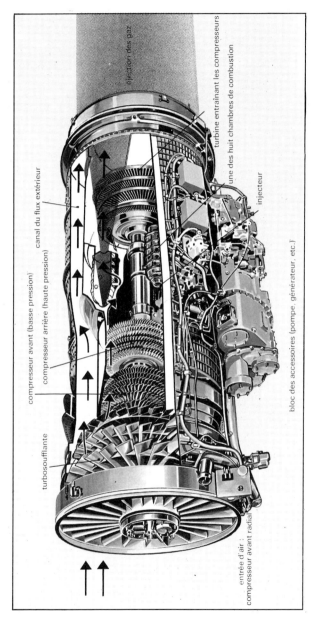

éjection des gaz

turbine entraînant les compresseurs

une des huit chambres de combustion

injecteur

canal du flux extérieur

compresseur avant (basse pression)

compresseur arrière (haute pression)

bloc des accessoires (pompe, générateur, etc.)

turbosoufflante

entrée d'air :
compresseur avant radial

Turbine à gaz à double flux. Pratt et Whitney comportant deux compresseurs, dont l'un dirige une partie de son flux vers la tuyère terminale. Les compresseurs ont pour rôle de comprimer l'air injecté à très haute pression, afin d'augmenter la libération d'énergie.

qui envoie dans la tuyère terminale de l'air qui a simplement subi une compression. Moins bruyant et plus économique que le précédent, il a équipé les Boeing 707, 720 et 727, ainsi que la Caravelle et le DC-8. En 1953, le Français Michel Wibaut inventa le **turboréacteur de sustentation**, à tuyères orientables, qui opère une transition entre le vol vertical et le vol horizontal, et qui a permis de développer les avions de combat à décollage et atterrissage verticaux.

■ Mentionnons également le **turboréacteur à post-combustion**, inventé en 1945 par Rolls-Royce, qui comporte une seconde chambre de combustion en arrière de la première et qui peut donc assurer une poussée supplémentaire. De consommation élevée, il n'est utilisé que pendant des périodes brèves, par exemple au décollage pour les avions civils, ou bien pour obtenir des vitesses très élevées pour les avions de combat (voir aussi *Avion*).

Vol à voile
Le Bris, 1856 ; Mouillard, 1865, Lilienthal, 1896...

Le vol à voile dérive de l'observation du vol des oiseaux, qui remonte au moins à Léonard de Vinci, c'est-à-dire au début du XVIᵉ siècle. Il est possible que les Chinois aient tenté le vol par sustentation, sur **cerf-volant** (voir à *Parachute*, dans l'ouvrage précédent), mais ce n'était pas un vol plané libre proprement dit.

■ Le premier qui ait essayé le vol à voile semble bien être le Français Jean-Marie Le Bris, qui, en 1856, parvint à décoller sur un **planeur** de sa fabrication à partir d'une plage bretonne. En 1865, c'est son compatriote Louis Mouillard qui effectua des essais de vol à Alger et réussit un vol d'une quarantaine de mètres à courte distance du sol. Auteur d'ouvrages tels que *L'Empire de l'air, Essais d'ornithologie appliquée à l'aviation* et *Le Vol sans battements*, Mouillard semble être le véritable précurseur du vol plané sur longue distance. Plusieurs travaux suivirent, associés à des essais de vol ; le plus célèbre est indéniablement celui de l'Allemand Otto Lilienthal, qui essaya un décollage sur des ailes articulées, en 1896, et trouva la mort en s'écrasant au sol.

Ce n'est cependant qu'à partir de 1920 que le vol à voile connut son essor, notamment en Allemagne. En 1939, on comptait dans ce pays 200 000 pilotes de planeurs brevetés ; cet enthousiasme avait des motivations d'ordre militaire : c'est avec des planeurs qu'en 1940 les Allemands prirent le fort d'Eben-Emael, sur le canal Albert, puis effectuèrent leurs débarquements en Crète. Ils se servirent des planeurs à des fins militaires jusqu'en 1945.

Le lancement du vol à voile en tant que sport fut, en 1922, le fait du Français Pierre Massenet.

vie quotidienne

Les inventions qui auront modifié notre vie quotidienne depuis 1850 défient apparemment l'inventaire. Aussi sera-t-on, sans doute, surpris du petit nombre d'entre elles que nous avons retenues dans ce chapitre. C'est qu'en éliminant des inventions à courte vie, communément désignées en français sous le nom de « bidules » et, en anglais, sous celui de « gadgets », et qui n'ont pas sensiblement changé notre mode de vie, il en reste finalement assez peu, au premier rang desquelles nous citons, dans l'ordre alphabétique : l'ampoule électrique, prodige de la ténacité pour lequel nous ne serons jamais assez reconnaissants à Edison ; la carte de crédit, qui a fini par modifier les données économiques de tous les pays industriels ; les détergents, invention à valeur de civilisation assez ambiguë, puisqu'ils menacent de polluer dangereusement nos sources d'eau potable ; le lave-vaisselle automatique, le papier hygiénique et la poubelle, qui ont immensément amélioré les niveaux d'hygiène contemporains, sans parler des toilettes, dont l'invention mérite de figurer dans une histoire du rocambolesque, et le stylo à bille, instrument dont le succès correspond, paradoxalement, au déclin de l'art épistolaire.

Les autres inventions qui conditionnent la vie quotidienne actuelle sont, soit antérieures à 1850, comme le téléphone, la machine à écrire et l'ascenseur, soit relatives à d'autres domaines, comme la télévision, la radio, l'auto et les textiles synthétiques.

Mais il faut attirer l'attention du lecteur sur ces facteurs invisibles du progrès qu'ont été la production de masse et la miniaturisation, qui permettent de nos jours de porter sur soi une calculatrice électronique dont l'épaisseur est bien moindre que celle d'un portefeuille, aussi plat fût-il, et qui, voici une quarantaine d'années, aurait dû être remorquée par un camion... Ces facteurs comptent au moins autant que le produit fini lui-même, et l'observation vaut pour bien d'autres inventions énumérées dans le volume qui s'achève. Sans miniaturisation de l'électronique, nous ne disposerions sans doute pas d'avions de ligne aussi fiables que ceux qui nous emmènent en vacances, et, sans le perfectionnement de la production de masse, le casque-radio favori des jeunes générations coûterait très probablement beaucoup plus cher.

Aérosol (bombe)

Rotheim, 1926 ; Kahn, 1939 ; Goodhue et Sullivan, 1941.

Un aérosol est constitué par la suspension dans un gaz de fines gouteletes de liquide ou de solide, d'un diamètre variant de 1 à 50 millièmes de millimètre. Le premier qui imagina la diffusion d'un liquide sous cette forme fut le Norvégien Erik Rotheim, qui s'inspira apparemment des **vaporisateurs** de parfum ordinaires, dans lesquels l'injection d'air sous pression provoque la diffusion d'un aérosol par une ouverture de petit calibre. Cette invention demeura en sommeil jusqu'en 1939, date à laquelle l'Américain Julius S. Kahn préconisa d'injecter des gaz sous pression dans un conteneur jetable. La première application fut celle que réalisèrent ses compatriotes L.D. Goodhue et W.N. Sullivan, qui commercialisèrent en 1941 les premiers aérosols jetables d'insecticides.

Les gaz utilisés pour la fabrication des bombes aérosols, les **fluorocarbones,** sont soupçonnés de contribuer à la destruction de la couche d'**ozone stratosphérique,** qui filtre les rayons ultraviolets. Une convention internationale prévoit la suppression de ces gaz dans les aérosols pour 1992.

Ampoule électrique

Staite, 1845 et 1850 ; Draper, 1846 ; Shepherd, 1850 ; Farmer, 1858 ; Swan, 1865-1870 ; Lodyguine, 1868 ; Edison, 1878-1879.

L'ampoule électrique est née progressivement de la **lampe à arc,** à partir de l'observation qu'avait faite le Français Jobart en 1838 de l'illumination d'une baguette de carbone scellée sous vide sous l'action du courant électrique.

■ En 1845, l'Américain W.E. Staite avait fait breveter en Angleterre une **lampe à incandescence** de ce type. L'année suivante, l'Anglais J.W. Draper réalisait une **lampe à filament de platine.** En 1850, Staite en fit une autre, de même que l'Anglais E.C. Shepherd. En 1858, l'Américain Moses G. Farmer inventa les lampes à platine et **régulation automatique,** grâce auxquelles il éclaira une pièce de sa maison, pendant plusieurs mois de suite. En 1868, le Russe Lodyguine éclaira l'arsenal de Saint-Pétersbourg à l'aide de deux cents lampes de son invention. Depuis 1865, l'Anglais Joseph Swan étudiait lui-même divers modèles de lampes électriques.

Bien d'autres recherches à travers le monde menaient des recherches sur l'application de l'électricité à l'éclairage ; parmi eux il faut citer un autre Russe, Paul Nicolaïevitch Jablochkoff, qui réalisa des lampes à arc sous globe assez efficaces, puisqu'elles permirent d'éclairer la ligne de chemin de fer Moscou-Koursk et plusieurs édifices publics et privés en même temps que des rues de Saint-Pétersbourg.

Tous ces précurseurs se heurtaient au même problème, qui était scientifique et technologique : scientifique, parce que l'on ne savait pas quel effet le courant électrique avait réellement sur le carbone, et technologique, parce qu'il était difficile de réaliser à la fois un fil de carbone assez fin et non cassant et de le placer sous vide. Telle était la raison pour laquelle, quand Edison aborda le problème en 1877, l'éclairage électrique ne parvenait pas à concurrencer l'éclairage au gaz ; si les lampes à arc éclairaient certains quartiers d'Europe, tels que l'avenue de l'Opéra à Paris et les quais de la Tamise, les ampoules les plus grandes ne duraient environ que deux heures.

■ Edison n'avait guère plus de connaissances que ses prédécesseurs, mais davantage de ténacité : il essaya successivement plusieurs dizaines de matériaux pour réaliser son filament et s'efforça inlassablement de parfaire le **vide** à l'intérieur de l'ampoule. Au cours de l'automne 1878, il crut avoir trouvé la solution avec un filament de platine, idée qui ne faisait que répéter l'essai de Farmer ; il déposa un brevet en ce sens ; mais le filament de platine n'était pas plus durable que les autres. Edison testa d'autres métaux ; fin janvier 1879, après encore de très nombreux essais, il abandonna le principe des filaments métalliques.

■ Le problème résidait surtout dans le vide de l'ampoule et dans le scellement de celle-ci ; il commença a être résolu lorsque, durant l'automne 1879, Edison disposa enfin de **pompes (de Sprengel)**, assez puissantes pour lui permettre d'obtenir un vide d'un millionième d'atmosphère. Les 21 et 22 octobre 1879, reprenant ses essais avec une lampe dont le filament de carbone avait été logé — non sans peine — dans une rainure de fil de nickel, et où il avait fait le vide indispensable, il obtint pour la première fois une lampe qui dura quarante heures ; c'était encore peu, mais il était sur la bonne voie et, quinze jours plus tard, il déposait une demande de brevet.

D'innombrables essais de forme d'ampoule, de disposition et d'épaisseur du filament devaient encore avoir lieu avant qu'Edison parvînt à réaliser une ampoule qui présentât une durée de vie satisfaisante. Ce n'est que fin 1880 qu'il fabriqua une ampoule de seize bougies qui tint 1 589 heures. Il poursuivit néanmoins ses essais sur d'autres matériaux susceptibles de fournir un meilleur fil de carbone, des poils de noix de coco aux fils de canne à pêche, cependant que l'usine de production de lampes qu'il avait fondée commençait à fonctionner. Fin 1882, elle produisait 100 000 lampes par an et, en 1892, 4 millions de lampes. En dépit d'une forte opposition des milieux scientifiques à l'invention d'Edison, on commençait, en effet, à installer un peu partout des réseaux de distribution de courant électrique.

L'invention d'Edison, qui attira un public considérable à Menlo Park, car il avait aussi un sens aigu de la publicité et des affaires, déclencha une formidable vague d'hostilité des milieux scientifiques. La respectable revue *Nature* ridiculisa ses propos et les chiffres qu'il avait avancés sur le coût de l'éclairage électrique, contestant entre autres le prix de 1 shilling environ par ampoule qu'avait indiqué Edison. Néanmoins, l'un des tout premiers citoyens américains à éclairer son domicile de New York grâce aux lampes Edison et au **circuit de distribution de courant** fondé par Edison encore fut le célèbre banquier John Pierpont Morgan. Ce qui n'empêcha pas le propre associé d'Edison, Edward Johnson, d'être encore sceptique à l'égard de l'aventure et de suggérer de « balancer le bazar »...

Aspirateur
McGaffey, 1871 ; Booth, 1901.

Le principe de l'aspirateur domestique fut ébauché en 1871 par l'Américain Ives W. McGaffey ; il s'agissait d'une pompe actionnant une hélice inversée qui était à son tour actionnée par un **moteur à vapeur**. L'usage en était évidemment industriel. Le stade suivant fut franchi par le Britannique Hubert Cecil Booth, qui installa un **moteur électrique** dans un wagon à traction animale. Un long tuyau permettait d'aspirer les poussières dans les locaux. Ce système se louait à l'heure. Ce n'est qu'en 1907 que les Américains J. Murray Spangler, gardien de nuit de grands magasins, et William H. Hoover, fabricant de harnais, commercialisèrent le premier aspirateur autonome, de dimensions réduites, actionné par un petit moteur électrique.

Balai mécanique
Bissell, 1876.

L'aspirateur domestique n'ayant pas encore atteint à son époque le stade d'appareil ménager, l'Américain Melville Bissell imagina, en 1876, un balai qui éliminerait les poussières sans les agiter dans l'air. L'origine de l'invention est pittoresque :

travaillant dans une entreprise d'emballage de porcelaine, Bissell était, en effet (et sans doute à juste titre), persuadé que c'était la poussière flottante de la paille qui lui causait les migraines tenaces dont il souffrait.

Blue-jean
Davis, 1870 ; Strauss, 1872.

Si l'on accepte la définition du pantalon connu sous le nom de « blue-jean » comme constitué de **coutil** bleu avec les poches tenues par des rivets de métal, celui-ci est né de la collaboration de deux émigrés

américains, Jacob W.Davis, de Californie, qui inventa le **rivetage**, et Levi-Strauss, fabricant de vêtements avec qui il déposa le brevet.

L'Oxford English Dictionary fait remonter le terme « **jeans** » au mot « **Genoese** », qui désigne un tissu de coton croisé fabriqué à Gênes ; l'étymologie est possible, mais n'exclut pas le fait que le terme pourrait aussi dériver de la machine à filer à plusieurs fuseaux, la **Spinning Jenny**, de l'Anglais James Hargreaves, qui vit le jour en 1785.

De toute façon, il est certain que les vêtements de travail précurseurs des blue-jeans, qui s'appelaient alors « **denims** », et qui étaient en **serge**, furent taillés à partir du XVIIe siècle dans ce tissu, importé de Nîmes. Le denim fut utilisé par Levi-Strauss à partir de 1860, antérieurement à l'« invention » des blue-jeans.

Brosse à dents électrique
Scott, 1885.

Cette variante électrique de l'accessoire ordinaire d'hygiène dentaire semble dater des années 60, époque à laquelle elle a connu un certain succès commercial. Mais, en fait, le premier brevet de brosse à dents vibrante grâce à un moteur électrique

remonte à 1885 et fut déposé par le dentiste américain Scott (prénom inconnu). L'appareil était malcommode, bruyant et coûteux, ce qui explique qu'il n'ait pas rencontré la faveur qu'en escomptait sans doute son inventeur.

Bustier
Jacob, 1915.

Le soutien-gorge baleiné, sans bretelles, monté sur un support souple ventral, fut inventé en 1915 par l'Américaine Mary Phelps Jacob. Il provoqua un grand effet de

surprise, puisqu'il permit, pour la première fois, de dénuder le dos sans laisser apparaître de bretelles.

Cadran téléphonique
An., mairie de Milwaukee, 1896.

Jusqu'en 1896, les communications téléphoniques s'obtenaient par l'entremise d'un central ; mais, cette année-là, un responsable inconnu de la mairie de la ville de Milwaukee imagina un système dans lequel il suffirait de composer des numéros pour obtenir le poste de son correspondant. Le numéro était composé à l'aide d'un cadran, dont le principe demeura à peu près inchangé pendant trois quarts de siècle. Le réseau desservi par le système le fut d'abord à titre strictement privé.

Carte de crédit
Scheider, 1950.

La première carte de crédit, inventée en 1950 par l'Américain Ralph Scheider, n'offrait qu'un usage très restreint du crédit ; elle permettait en effet à ses détenteurs, membres d'un club, le Diner's Club, de prendre leurs repas dans vingt-sept restaurants new-yorkais et d'en régler plus tard la facture. En 1958, alors que la Bank of America créait la première **carte bancaire,** Bancamericard, les services proposés par le Diner's Club connaissaient déjà un certain essor, de même que les réseaux d'établissements affiliés ; il devenait alors possible de régler avec une carte des notes d'hôtel et même des achats dans certains commerces.

Quatre décennies plus tard, la multiplication des systèmes de cartes et de leurs réseaux avait pris une extension telle qu'un nouvel indice économique, ressortissant à la masse monétaire de cette sorte de crédit, avait été créé.

Chaise électrique
Brown et Kenneally, 1888.

Ce mode d'exécution fut conçu par les Américains Harold P. Brown et E.A. Kenneally, ce dernier chef de l'équipe d'électriciens d'Edison. Il fut jugé concluant après plusieurs essais sur l'animal et mis en application pour la première fois le 6 août 1890 pour la mise à mort de l'assassin William Kemmler, à la prison d'État de New York. En 1915, vingt-cinq États l'avaient adopté.

Chewing-gum
Adams, 1870.

L'invention du chewing-gum ou **gomme à mâcher,** évidemment américaine, fut à l'origine destinée à offrir un produit de substitution aux chiqueurs de tabac de la fin du XIXᵉ siècle. Imaginée par Thomas Adams, de Staten Island, photographe de son état, elle fut réalisée à l'aide de **chiclé, latex du sapotillier.** Dès 1872, Adams avait fondé sa première fabrique et commercialisé son invention (due à la découverte fortuite d'un produit de substitution du latex de l'hévéa).

Cocotte-minute
Frères Lescure, 1954.

La marmite à pression, dite supercocotte ou cocotte-minute, fut inventée en 1954 par Frédéric, Jean et Henri Lescure pour le compte de la firme SEB.

Détergents
An., 1916.

Le premier détergent synthétique fut inventé sous la contrainte des pénuries de guerre ; c'était le Nekal, mis au point en Allemagne en 1916, dans le but d'économiser les graisses, qui étaient nécessaires à la fabrication du savon ordinaire et qui faisaient défaut. Il ne nous a pas été possible de retrouver le nom de son inventeur. Il était fabriqué à partir d'un **dérivé sulfoné alkyl-naphtalène**, à chaîne courte, produit en associant des **alcools propyl ou butyl** à des **naphtalènes**. En tant que détergent proprement dit, il était médiocre, puisqu'il exigeait le frottage, mais c'était un bon agent mouillant et, la guerre termi-

née, la formule fut reprise pour être perfectionnée. Les États-Unis réalisèrent des détergents synthétiques quelque peu plus efficaces, toutefois sans succès commercial notable.

Le premier détergent qui connut ce succès fut le Lux paillettes de la firme britannique Unilever, dont le double avantage sur le savon ordinaire était d'éviter la formation de dépôts résiduels sur le linge et dans les récipients où il avait été lavé, ainsi que le jaunissement du linge au repassage.

Les progrès dans les détergents ménagers ouvrirent la voie aux shampooings.

Distributeur automatique
Everitt, 1882.

Les appareils de distribution automatique de marchandises, fonctionnant sur le principe d'une pièce de monnaie dont le poids enclenche un mécanisme de libération, semblent appartenir aux circuits commerciaux du XXe siècle. En fait, le premier brevet pour une machine commerciale de ce genre fut déposé en 1883 par l'Anglais

Percival Everitt. C'est seulement l'instauration des **circuits commerciaux de masse** qui favorisèrent la diffusion des distributeurs, à partir des années 30 et aux États-Unis d'abord. La primauté jusqu'alors des détaillants ne les rendait guère indispensables.

Écologie
Haeckel, 1866...

Il est difficile de considérer l'écologie comme une invention, car certains auteurs la font remonter à Aristote. C'est toutefois l'Allemand Ernst Haeckel qui, en 1866, forge à la fois le mot et précise le concept d'une science qui étudie les **rapports des êtres vivants entre eux et des êtres vivants avec leur milieu**. En fait, comme

l'a montré le Français Pascal Acot, l'écologie est née de la rencontre de plusieurs disciplines telles que la géographie des plantes de Humboldt, l'économie naturelle de Linné, la paléobotanique, la physiologie végétale... L'écologie a, dans la seconde moitié du XXe siècle, inspiré des mouvements d'opinion qui, dans certains pays, ont amené la formation de partis politiques et, dans l'ensemble, elle a commandé de très nombreuses mesures destinées à préserver et à rétablir les équilibres de la nature, par la réintroduction d'espèces animales décimées, par la protection d'espèces animales et végétales menacées, par l'interdiction de certains produits, etc.

Épiceries self-service
Alpha Beta Food, Ward, 1912.

C'est en 1912 que, pour la première fois, deux épiceries décidèrent d'économiser sur le nombre des serveurs en permettant aux clients de se servir eux-mêmes des produits, payables à une caisse placée à la sortie. Ces épiceries étaient l'Alpha Beta Food Market et la Ward's Groceteria, en Californie.

Exécution en chambre à gaz
Turner, 1924.

L'une des plus sinistres inventions en matière de mise à mort judiciaire fut le fait du major américain D.A. Turner, de l'U.S. Army Medical Corps. Elle fut utilisée pour la première fois en 1924 pour l'exécution de l'assassin Gee Jon à la prison de l'État du Nevada, à Carson City. La mort du condamné dura dix minutes.

Extincteur
Carlier, 1866.

C'est un médecin français, François Carlier, qui, mélangeant en 1866 du **bicarbonate de soude** à de l'**acide sulfurique,** obtint un composé dont il s'avisa qu'il éteignait le feu. Carlier fabriqua donc le premier appareil à éteindre le feu avec un autre produit que l'eau. En 1905, le Russe Alexandre Laurent modifia la formule de Carlier en remplaçant l'acide sulfurique par du **sulfate d'aluminium,** qui aboutissait au même effet : la formation d'une couche qui empêchait le contact de la matière enflammée, par exemple de l'essence, avec l'air, étant donné que la mixture flottait. Depuis lors, on a encore enrichi les formules des produits extincteurs, c'est ainsi que, pour les feux gras, on utilise des **hydrocarbures halogénés,** des **mousses,** des **poudres**.

Fermeture Éclair
Judson, 1893.

Le principe d'une fermeture constituée de deux chaînes de crochets que joindrait un curseur a fait son apparition lors de l'Exposition de Chicago en 1893, présentée par l'Américain Whitcomb L. Judson. Elle fut modifiée en 1912, aux États-Unis par le Suédois Gideon Sundback et en Europe par la Danoise Catharina Kuhn-Moos. Le système fut utilisé à grande échelle dans l'industrie vestimentaire dès la fin des années 20. Le nom fermeture Éclair est déposé.

Filtre solaire dermique
Schueller, 1936.

Le filtre solaire dermique populaire est, en fait, une réinvention ; en effet, depuis la haute antiquité, on utilisait des extraits de plantes pour activer les processus naturels de pigmentation de la peau, ce qui réduisait — et réduit toujours — la nocivité des ultraviolets, la **mélanine** contenue dans les pigments naturels de la peau faisant office d'écran. Ces plantes étaient les agrumes, le céleri, l'angélique, le persil, l'ammi-majus, riches en psoralènes stimulateurs de la mélanogenèse. Ces produits furent progressivement oubliés, les canons de l'esthétique mettant l'accent sur les teints clairs dans les pays industriels. C'est, à la fin du XIXᵉ siècle, la découverte de substances solubles filtrantes, telles que les huiles végétales, qui mit la cosmétologie sur le chemin des filtres solaires commerciaux fabriqués en série. La **mode du bronzage,** lancée en 1925 par Coco Chanel, ayant provoqué des érythèmes de caractère médical, par suite d'exposition prolongée au soleil, le besoin se fit sentir de produits d'application facile. Le premier fut, en 1936, l'Ambre solaire créé par Eugène Schueller, fondateur de la maison française L'Oréal.

Flacon chauffant
Pozel, 1978.

Il suffit de dévisser la capsule du flacon, d'attendre une minute et la boisson est chauffée sous l'effet de la chaleur produite par réaction chimique dans un serpentin au fond du récipient. La réaction est déclenchée par rotation de la capsule, qui met feu à une tête d'allumette, laquelle enflamme à son tour le gaz dans le serpentin. L'invention est de la firme suisse Pozel, de Fribourg.

Four électrique
Hôtel Bernina, 1889.

Selon un auteur américain, le premier four électrique au monde aurait été construit en 1889 à l'hôtel Bernina, de Samaden, en Suisse. Cet hôtel disposait, en effet, d'un approvisionnement autonome en électricité, assuré par une dynamo qu'entraînait une chute d'eau à proximité ; il s'en servit pour construire un four à résistance qui lui permettait, entre autres, de cuire son pain et sa pâtisserie. C'est en tout cas l'année suivante que le premier four électrique offert sur le marché fut construit par la firme Carpenter Electric Heating Manufacturing Co., de Saint Paul, Minnesota, États-Unis.

Guitare électrique
Rickenbacker, Barth et Beauchamp, 1931.

Ce sont les Californiens Adolph Rickenbacker, Barth et Beauchamp qui, en 1931, eurent l'idée de « bricoler » une guitare ordinaire en plaçant un micro sous la table de l'instrument, accessoire qui était donc raccordé à un haut-parleur. L'instrument hybride qui en résulta fut l'ancêtre des guitares électriques. L'Electro String Instrument Corp., de Los Angeles, produisit peu après un **banjo** d'acier et d'aluminium, qu'on surnomma « la poêle à frire » et qui connut par la suite le succès.

Horloge pointeuse
Cooper, 1894.

Jusqu'en 1894, les directeurs d'entreprise n'avaient d'autre moyen, pour contrôler les heures d'arrivée et de départ de leurs employés, que de poster un préposé à l'entrée des bureaux. Mais, cette année-là, l'Américain Daniel M. Cooper imagina un système constitué d'une machine pointeuse synchronisée avec une horloge et imprimant l'heure sur une carte qu'on y insérait. La carte était divisée en autant de cases qu'il y avait de jours ouvrables (six à l'époque).

Incinération
Le Moyne, Pini, 1876.

La **crémation** est une pratique très ancienne destinée à disposer dignement des cadavres. On en trouve ainsi une description dans *L'Iliade.* Elle prit fin en l'an 100 — sauf dans des cas de péril exceptionnels, comme ceux des épidémies de peste — sous l'influence du christianisme et de la croyance en la résurrection des morts. Quand, en 1874, le chirurgien de la reine Victoria, sir Henry Thompson, proposa de la remettre en vigueur, arguant des dangers que les corps en décomposition dans les cimetières faisaient encourir à la santé des vivants, l'accueil de l'opinion fut d'abord réservé. Et, bien que Thompson eût créé une Société pour la crémation en Angleterre (à laquelle adhérèrent de grands écrivains tels que Trollope et des membres de l'aristocratie, tels que le duc de Westminster), les législateurs tardèrent à donner leur accord. Celui-ci ne prit enfin forme de loi qu'en 1884. Prévoyant toutefois que l'**incinération** poserait des problèmes techniques, car il n'était évidemment pas question d'incinérer les cadavres au grand air, selon la mode antique, plusieurs inventeurs travaillèrent à un système de crémation qui pût donner satisfaction.
■ Parallèlement et indépendamment, la même année 1876, l'Américain Julius Le Moyne et l'Italien Pini, de la Société de crémation d'Italie, inventèrent le **four crématoire,** chambre ardente dans laquelle un foyer intense réduit en une heure environ le cadavre en quelques kilos de cendres.

Jeu des fléchettes
Royal Flying Corps, 1914.

Ce passe-temps d'adresse est un dérivé inattendu d'une invention militaire, qui était celle de pointes d'acier lestées que le Royal Flying Corps britannique, devenu plus tard la Royal Air Force, avait inventées en 1914 pour bombarder par avion les lignes ennemies (et qui firent de nombreuses victimes). Avec le surplus, après la guerre, on en fit donc un jeu...

Jeux vidéo
Bushnell, 1972.

Le premier de tous les jeux vidéo fut le Pong, inventé et commercialisé en 1972 par l'Américain Norman Bushnell. Il s'agissait d'un appareil fonctionnant sur le principe de l'**écran à cristaux liquides** : une molette latérale permettait de diriger un point blanc vers une cible fluctuante. Bushnell, encouragé par le succès de son invention, fonda la firme Atari. Après un léger fléchissement au milieu de la décennie 80, dû à la surproduction des jeux de ce genre et notamment à celle des cassettes pour ordinateurs domestiques, les jeux vidéo ont amorcé un regain en 1988.

Laverie automatique
Cantrell, 1934.

L'idée d'un établissement où, moyennant paiement à l'heure, on pouvait laver son linge soi-même dans une machine à laver a été conçue par l'Américain J.F. Cantrell, de Fort Worth, Texas, en 1934. La première de toutes les laveries s'appela *Washeteria.*

Lave-vaisselle automatique
Cockran, 1889.

C'est en 1879 que l'Américaine Mrs. W.A. Cockran, de Shelbyville, Indiana, s'attaqua, non sans audace, au projet d'une machine automatique à laver la vaisselle, et ce n'est que dix ans plus tard, après avoir mis à l'essai un certain nombre de prototypes, qu'elle aboutit à un modèle commercialisable. Mû par un moteur à vapeur, son appareil était relativement encombrant. Il semble qu'il n'ait pas été très populaire, et même quand, en 1906, on fabriqua des **lave-vaisselle électriques,** toujours aux États-Unis, leur maniement de même que les fuites d'eau n'en faisaient apparemment pas des appareils fiables. La mise au point du détergent Calgon, en 1932, améliora certes les résultats, mais ce n'est qu'en 1940, avec la réalisation d'un modèle réellement automatique, que cet accessoire ménager connut un certain essor. Sa conquête des foyers internationaux date des années 60.

Il est impossible de savoir si Mrs. Cockran avait eu ou non connaissance d'une machine à laver antérieure, construite en 1884 par l'Anglais Thomas Bradford, qui était actionnée à la main, par manivelle. Il est en tout cas certain que son appareil ne comportait pas de système de **séchage automatique,** qui fut inventé en 1924 par la firme américaine Savage Arms Corp.

Machine Espresso
Gaggia, 1946.

Le succès croissant de la consommation de café amena en 1946 la firme italienne Gaggia, de Milan, à mettre au point une **machine à vapeur** capable de préparer rapidement des cafés concentrés par passage de la vapeur à travers un conteneur à filtre ; le procédé de confection du breuvage par la vapeur, dit **infusion,** et qui est différent de la **décoction,** était ancien, mais lent. La machine devait populariser le goût d'un café à saveur forte et, contrairement aux idées reçues, faible en **caféine.**

Magasins à prix uniques
Woolworth, 1879.

L'idée d'un magasin dont tous les articles seraient vendus à des prix uniformes revient à l'Américain Frank Winfield Woolworth, fondateur de la chaîne autrefois célèbre qui portait son nom. C'est en 1879 que Woolworth ouvrit le premier magasin où tous les articles étaient soit à 5, soit à 10 cents.

Meccano
Hornby, 1901.

Le premier **jeu de construction** en modules métalliques compatibles, destiné à stimuler l'esprit de synthèse et le goût de la mécanique chez les enfants, fut inventé en 1901 par le constructeur de jouets britannique Frank Hornby.

Mixeur
Universal, 1919.

L'électrification croissante des appareils ménagers incita la firme américaine Universal Co. à fabriquer, en 1919, un mixeur alimenté par le courant de ville. L'appareil connut un succès qui ne s'est pas démenti depuis.

Monopoly
Darrow, 1933.

Avocat légendaire, orateur, pamphlétaire et écrivain, Clarence Darrow inventa en 1933 le jeu appelé Monopoly, dont le succès fut international et durable, et qui semble dérivé du vieux jeu de l'oie.

Montre étanche
Rolex, 1927.

La première montre étanche au monde a été lancée en 1927 par la firme suisse d'horlogerie Rolex. Appelée « Oyster » (« huître »), elle devait se révéler précieuse pour tous ceux qui étaient appelés à travailler en milieu marin.

Mots croisés
Wynne, 1913.

Depuis la fin du XIXe siècle, il existait, mais exclusivement en Angleterre, un petit jeu de société qui consistait à organiser des carrés, comprenant un petit nombre de cases et des successions de cinq à six mots horizontaux, dont la disposition faisait que les lettres, dans leurs alignements verticaux, présentaient un sens. C'était là un dérivé lointain des **acrostiches,** pratiqués depuis le XVIe siècle, et dont l'inventeur est inconnu. Mais les premiers mots croisés tels que nous les connaissons aujourd'hui, constitués de grilles qu'il faut remplir à l'aide de définitions, sont l'invention de l'Anglais Arthur Wynne, originaire de Liverpool et installé à New York, et ils ont paru dans le supplément du dimanche du journal *New York World,* en 1913. Le succès en tant que passe-temps pour adultes devait en être foudroyant.

Mouchoirs jetables de cellulose
Kimberley-Clark Co., 1924.

Appelés Kleenex, et commercialisés pour la première fois par la firme américaine Kimberley-Clark, ils étaient censés éviter la propagation des germes et alléger le travail des ménagères, ainsi que rendre plus sain celui des blanchisseries.

Orgue électronique
Cahill ou Hope-Jones, 1895 ; Coupleux et Givelet, 1930 ; Hammond, 1935.

La commande électrique d'orgues a été inventée, indépendamment, en 1895 par l'Américain Thomas Cahill et par l'Anglais Robert Hope-Jones ; elle avait été mise à l'essai, expérimentalement, dès 1860 et, en 1888, l'Anglais Henry Willis, facteur d'orgues, en avait déjà construit un prototype qui donna satisfaction à la cathédrale de Canterbury. Mais ce sont Cahill et Hope-Jones qui, presque simultanément, inventèrent le principe suivant : la pression appliquée sur une touche fermait un circuit électrique, qui mettait en jeu un électro-aimant, lequel actionnait enfin une **pompe pneumatique** ; l'air entrait dans le **porte-vent** et le même moteur commandait l'accès de l'air au tuyau par le **registre coulissant**. Il faut observer que cette invention, qui exige des réglages tous les cinquante ans environ, à la différence des orgues traditionnelles, ne peut être directement apparentée aux orgues électroniques proprement dites, qui furent inventées par les Français Coupleux et Givelet, en 1930, mais elle marque néanmoins l'avènement de l'électricité dans la production de sons musicaux par l'un des plus vieux instruments du monde (voir ouvrage précédent). Cette invention offrait une grande souplesse dans la production des sons, grâce à l'abondance des **circuits oscillants,** qui permettaient de moduler l'**onde électrique.** Comme il s'agissait d'un **instrument harmonique,** capable de jouer des **accords,** les **interférences** qui se produisirent au début, et qui exigeaient des réglages, ne furent éliminées que progressivement et ce n'est qu'en 1943 que le Français Constant Martin les supprima tout à fait. L'orgue électronique devait aboutir à la mise au point de l'**orgue liturgique,** qui imitait l'orgue à tuyaux. En 1935, l'Américain John Hammond imagina de produire des oscillations du courant électrique à l'aide d'**alternateurs** et mit au point un appareil qui devait être connu sous le nom d'**orgue de scène** et qui aboutit également à la production d'un **orgue d'appartement** ; une différence existe entre ces deux types d'orgues, l'orgue de scène permettant une grande variété de combinaisons, alors que l'orgue d'appartement joue des accompagnements harmoniques et rythmiques programmés. En 1958, le Français J.A. Dereux acheva de mettre au point un type d'orgue aux sons préalablement enregistrés sur des orgues Féels à tuyaux. Les enregistrements comportaient donc 31 **jeux,** plus les **accouplements**. Il n'est plus fabriqué aujourd'hui.

Orgues lumineuses
Scriabine, 1908.

L'idée d'un orgue dont le clavier commanderait, non la production de sons, mais celle de flux lumineux de différentes couleurs a été conçue par le compositeur russe Alexandre Scriabine, en 1908, pour l'accompagnement de l'exécution de son poème orchestral *Prométhée*. Le poème fut joué pour la première fois en 1911 sans cet instrument inédit, qui semble n'être reparu qu'en 1922, sous le nom de « Clavilux », sous la signature du compositeur Thomas Wilfrid, d'origine danoise et dans un but similaire. Wilfrid, auquel l'invention est attribuée, de façon inexacte, fit, en effet, accompagner l'exécution de son *Étude triangulaire* par un jeu d'orgues lumineuses.

Ours en peluche
Mitchom, Steiff, 1902.

L'un des jouets les plus populaires du monde, l'ours en peluche, est bien une invention ; il est apparu simultanément aux États-Unis, où il fut fabriqué en série par le Russe naturalisé américain Morris Mitchom, et en Allemagne, où il fut produit par Richard Steiff, en 1902. Les origines de l'invention sont obscures. Aux États-Unis, elle dériverait du désir de fabriquer un fétiche à l'image du président Theodore Roosevelt, surnommé « Teddy », d'où l'appellation anglo-saxonne de **teddy bear**. En Allemagne, elle dériverait du fait que l'ours est le symbole de la ville de Berlin.

Palmes de nageur
Corlieu, 1927.

Les premières palmes natatoires, originellement destinées aux **hommes-grenouilles,** ont été inventées et réalisées en caoutchouc en 1927 par le Français Louis de Corlieu.

Papier hygiénique
Cayetty, 1857.

Un papier qui fût spécifiquement conçu à des fins hygiéniques n'apparut qu'en 1857 ; il est dû à l'Américain Joseph Cayetty. Il passa longtemps dans le reste du monde pour une commodité d'un raffinement décadent et son expansion ne date que des années postérieures à la Première Guerre mondiale.

Parapluie télescopique
Haupt, 1929.

L'idée d'un parapluie que l'on pût plier de façon à le glisser dans un sac de petites dimensions est due à l'Allemand Hans Haupt, de Berlin, et elle date de 1929.

Parcmètre
Magee, 1932.

Journaliste, rédacteur en chef de l'*Oklahoma City Newspaper*, mais également président du Comité du trafic des hommes d'affaires, qui commençaient (déjà !) à déplorer de ne pouvoir garer commodément leurs voitures, l'Américain Carlton C. Magee imagina en 1932 d'installer le long des trottoirs un appareil à cadran et système de ressorts enclenché à la main, commandant une aiguille dont le parcours sur un cadran correspondait au temps écoulé depuis l'insertion d'une pièce de monnaie. Trois ans plus tard, la Dual Parking Meter Co. commençait à fabriquer cet accessoire censé régler l'encombrement des voies urbaines...

Ping-pong
Gibb, 1890.

Le **tennis de table** avec ses équipements fut inventé en 1890 par l'ingénieur britannique James Gibb et produit industriellement neuf ans plus tard par la firme également britannique John Jaques & Son Ltd., avec la firme londonienne Hamley Brothers comme distributeur. Appelé d'abord « Gossima », le tennis de table trouva dès le début du siècle son nom international — et allitératif — de ping-pong.
La première association de joueurs de ping-pong fut formée en 1902, mais ce ne fut que dans les années 1920 que ce sport commença à connaître quelque succès international, et ce ne fut qu'en 1926 qu'eurent lieu les premiers championnats mondiaux. Jusqu'au début de la décennie 1960, où les titres revinrent de plus en plus fréquemment aux joueurs asiatiques, l'immense majorité des champions avait été originaire de Tchécoslovaquie et de Hongrie.

Planche à roulettes
Munoz et Edwards, 1968.

La planche à roulettes, ou **skateboard** en anglais, a été inventée en 1968 par les surfeurs californiens Mickey Munoz et Phil Edwards. Elle s'appela d'abord **roll-surf**... et connut peu de succès jusque vers 1973.

Porte tournante ou à tambour
Kannel, 1888.

L'invention des portes tournantes dérive d'un phénomène qui apparut avec la construction des premiers gratte-ciel : la différence entre la pression extérieure et la pression intérieure de l'air. Quand les ascenseurs montaient, ils exerçaient, en effet, une succion qui rendait les portes plus difficiles à ouvrir vers l'extérieur. En revanche, quand les ascenseurs descendaient, les portes tendaient à s'ouvrir toutes seules. En 1888, l'Américain Theophilus von Kannel conçut des portes tournantes qui, théoriquement, devaient résoudre le problème.

Poubelle
Poubelle, 1884.

Jusqu'au dernier quart du XIXᵉ siècle, les ordures ménagères étaient déversées au hasard des maisons d'habitation, dans la cour ou dans la rue ; elles aggravaient donc les **problèmes d'hygiène**, dont la population et les autorités commençaient à mesurer l'importance (voir p. 237), et cela d'autant plus que les monceaux d'ordures attiraient évidemment les rats ; or, on savait que ces animaux étaient vecteurs de maladies contagieuses et éventuellement épidémiques. C'est un arrêté du préfet de police Eugène Poubelle, en date du 7 mars 1884, qui mit fin à cette situation ; il ordonnait aux propriétaires d'immeubles de mettre à la disposition des locataires des « récipients communs pour recevoir les résidus de ménages ». Ces récipients prirent le nom du préfet, de façon quelque peu péjorative...

Rasoir de sûreté
Gillette, 1895.

Le premier rasoir à lames à deux tranchants, dit « de sûreté », fut inventé en 1895 par l'Américain King Camp Gillette. Mais l'invention ne fut commercialisée qu'en 1901.

Rasoir électrique
An., États-Unis, 1900 ; Schick, 1928.

Il existe plusieurs brevets de rasoirs électriques déposés aux États-Unis en 1900. Il s'agissait d'appareils conçus sur le principe d'une **tête tondeuse tournante,** coupant les poils à travers une **grille**. Ils ne donnèrent apparemment pas satisfaction, car le premier rasoir électrique qui connut une diffusion importante fut celui que fit breveter en 1928 Jacob Schick et dont la commercialisation commença en 1931.

Rubicube
Rubik, 1979.

C'est le Hongrois Ernö Rubik qui, en 1979, créa le Rubicube, version complexe du Diabolo des années 30 et consistant en un assemblage de neuf cubes dont chaque face était d'une couleur différente des autres et qu'il fallait arranger de façon à former un cube total dont toutes les faces étaient monochromatiques. La particularité du Rubicube réside dans un système de **rotules « universelles »,** autorisant des translations à 360°.

Stop-bruit
Boenke, 1988.

Il s'agit d'un **« réducteur de sons »** dont le principe serait antagoniste de celui des **micro-amplificateurs** ; de fréquence réglable, il atténue les bruits de la fréquence correspondante. Inventé par le Norvégien Knut Boenke en 1988, il mesure 1,3 cm.

Stylo à bille
Loud, 1888.

Le premier brevet de stylo à bille fut déposé en 1888 par l'Américain John E. Loud. L'instrument était destiné à écrire sur des surfaces dures. Il en existait des modèles commerciaux dès 1895.

Surgelés commerciaux
Birdseye, 1923.

L'inventeur des aliments surgelés commercialisés fut le négociant en peaux américain Clarence Birdseye, qui mit en route une installation industrielle destinée à produire des aliments crus surgelés en 1923, à Gloucester, dans le Massachusetts. En 1930, son entreprise commercialisait des petits pois surgelés (c'était le seul aliment qu'il traitait). Les **aliments surgelés précuits** n'apparurent qu'en 1939.

Synthétiseur musical
Moog ou Olsen, 1895.

La paternité du synthétiseur musical électronique, machine à fabriquer des sons à partir de **signaux électriques analogiques,** est incertaine. C'est, en effet, la même année 1954 que les Américains Robert Moog et Hary Olsen menaient à bien leurs recherches dans ce domaine. En collaboration avec les compositeurs Harry A. Deutsch et Walter Carlos, Moog imagina un instrument de musique électronique universel, qu'il appela, le premier, **synthétiseur.** Toutefois, la production de synthétiseurs par la Radio Corporation of America, où travaillait Olsen, précède d'une dizaine d'années celle du **synthétiseur modulaire** ou minimoog (1965). Le synthétiseur ne doit pas être confondu avec l'**orgue électronique** (voir p. 231).

Tennis
Wingfield, 1873.

Le tennis moderne est l'adaptation de l'ancien jeu de paume français, qui semble apparu vers le XIIᵉ siècle, et auquel il emprunte même l'expression du serveur : « Tenez ! », annonçant la balle. Il fut codifié en 1873 par l'Anglais Walter G. Wingfield.

Thé en sachets
Krieger, 1919.

Le conditionnement du thé en sachets de mousseline a été imaginé et réalisé par l'Américain Joseph Krieger, en 1919.

Toastière automatique
Strite, 1927.

Évidemment lassé de consommer du pain trop grillé, le mécanicien américain Charles Strite conçut en 1927 un système à ressorts commandé par **thermocontact**. Celui-ci éjectait la tranche de pain à un point donné de sa cuisson. Ce fut le système de la toastière automatique, **toastmaster**.

Toilettes
École Monge, 1883 ; Crapper, 1886.

L'un des aspects les plus déconcertants de l'histoire de l'humanité est la lenteur avec laquelle hygiénistes, ingénieurs et pouvoirs publics ont tenté de résoudre un problème quotidien autant que fondamental, l'élimination des excréments humains. À raison d'environ un litre et demi d'urine et de 150 g de déchets solides par jour, ce problème revêtait pourtant une importance édilitaire considérable.

■ C'est, pense-t-on, vers le IIIe ou IIe siècle avant notre ère que les Romains inventent à cet effet le **pot de chambre (matula)**, qui restera pendant vingt-deux siècles un ustensile domestique de base. L'installation de cabinets à chaises percées fixes, pratiquée pourtant par les Crétois dès le IIe millénaire avant notre ère, semble avoir posé, en effet, des problèmes d'infrastructure architecturale et édilitaire trop complexes pour que l'exemple pût en être suivi. Jusqu'au XVIIIe siècle, il constitue, en effet, le réceptacle essentiel des excréments, compte non tenu évidemment des encoignures et lieux publics où les gens se soulagent, en France comme dans les cinq continents. Ces récipients, qu'à partir du XIVe siècle on différencie en pots de chambre et **orinals** ou urinoirs, sont vidés dans la rue, le plus souvent par la fenêtre, plus tard et dans certains quartiers, dans le caniveau, pour ne pas souiller les façades. Aussi les rues et les palais empestent-ils. Certaines rues obscures des villes françaises sont favorites des gens pressés et portent des noms aussi évocateurs que « Orde », « Basse-Fesse », « des Aisances ».

■ Si des monarques tels que Louis XI sont assez pudiques pour vaquer à leurs besoins dans l'intimité d'une « **chaise de retrait** » protégée de rideaux, bien des manants et bourgeois ne se gênent guère pour satisfaire publiquement leurs besoins, ce qui offense à tout le moins la pudeur. Et, en 1375, sous Charles V, on tente de remédier à cet embarras en enjoignant à « tous les propriétaires en la ville et les faubourgs de Paris » de disposer dans leurs maisons des **latrines** et des « **privés** » suffisants. Ce n'est là qu'un premier pas timide vers les **cabinets de toilette** modernes ; il faudra encore six siècles pour franchir le second. Car, lorsqu'au XVIIe siècle des magistrats parisiens entendent interdire la pratique des rues-latrines, une délégation de bourgeois se rend à l'Hôtel de Ville pour protester. On n'a encore trouvé comme solution pour l'évacuation des déchets que la création de canaux spéciaux, ou « **merdereaux** ». Dans les châteaux, on vide les excréments dans les douves et parfois, comme à Coucy, un encorbellement sur le mur permet de satisfaire directement ses besoins à l'air libre, à destination du fossé. On peut encore voir à l'abbaye de Royaumont le couloir où l'on faisait couler le ruisseau de dérivation emportant les excréments.

■ La seule innovation en ce domaine, techniquement secondaire, est, au début du XVIIIe siècle, l'installation de **puits d'aisance** dans certaines maisons, débouchant sur des cuves ou **tinettes**, invention de P. Giraud en 1786 : on déplace les tinettes pour aller les vider aux environs des villes. Discutable innovation, car ces conduits souvent s'obstruent et entretiennent la pestilence dans les maisons. Aussi bien des gens — aisés — préfèrent-ils l'usage de la **chaise percée**, qu'ils peuvent placer n'importe où, et de préférence dans des pièces chauffées, et dont ils font sur-le-champ vider la cuvette par des laquais.

■ L'urbanisation progressive et l'accroissement démographique rendent la situation de plus en plus insupportable. Dans les années 1830, Balzac juge infect l'air des maisons où vivent la plupart des bourgeois et atroce celui des autres. Les immondices jonchent les rues et continuent de choir par les fenêtres. Les services sanitaires et les préfectures de police protestent contre les dangers que les sanies font courir à la population et les dégradations qu'elles infligent aux monuments publics et jusqu'aux lieux du culte. Mais la loi est impuissante, car il n'y a pas de solution technique. Déjà les quatorze entreprises qui, en 1837, vidangent les tinettes des immeubles bourgeois de Paris n'y suffisent plus. Les tinettes (cônes tronqués de 86 cm de haut, 40 cm à la base et 26 cm à l'ouverture) sont transportées par charrettes de trente-deux pour être vidées à Montfaucon, dans un vacarme et une puanteur indescriptibles.

■ Ce n'est que vers 1865 que l'on entreprend de ménager la pudeur publique par l'installation de « **chalets de nécessité** » et de « cabinets inodores à cinq centimes ». La Faculté s'en est aussi mêlée, car elle soupçonne le « **méphitisme** », c'est-à-dire les exhalaisons des matières, de jouer un rôle dans la propagation des **épidémies** (les démonstrations du **rôle des bactéries** ne seront que progressivement admises dans les vingt années suivantes). A vrai dire, l'installation de **latrines « hygiéniques »** en 1865, à Paris d'abord et dans quelques grandes villes de province ensuite, est le premier effort systématique d'amélioration de la salubrité publique, car, dès 1819 au moins, on avait mis en place quelques-uns de ces édicules, par exemple derrière le Palais-Royal et au jardin des Tuileries ; ils étaient inspirés de modèles anglais apparus à la fin du XVIIIe siècle, et dont l'inventeur est inconnu. On peut d'ailleurs se demander si l'on doit parler d'inventions, car il ne s'agissait en fait de rien d'autre que de commodités individuelles installées sur la voie publique et isolées par des murs. Techniquement, aucune solution n'était encore apparue à un problème grandissant.

En effet, dans les années 1865-1885, le déchargement dans la Seine, en ce qui concerne Paris et ses faubourgs, dans le Rhône, en ce qui concerne Lyon, et dans les rivières voisines en ce qui concerne les autres villes de France et d'Europe, crée un problème supplémentaire : les cours d'eau se changent en égouts à ciel ouvert. En 1885, le spectacle de la Seine, par exemple, est catastrophique. Le fleuve est en permanence noirâtre et, l'été, une fermentation continuelle le fait bouillonner, dégageant des vapeurs méphitiques.

■ On crut tenir la solution avec les **fosses septiques,** cuves de tôle galvanisée d'environ 4 m^3, que l'on installait à la place des tinettes et qui devaient donc stabiliser, sinon réduire, les quantités de matières déversées dans les cours d'eau. L'inventeur en était un certain Jean-Baptiste Mouras, de Vesoul, et c'est un jésuite, François Moigno, qui exploita commercialement cette invention. Mais celle-ci n'était pas au point, car il y manquait le **lit bactérien** qui pouvait, en effet, décomposer les matières organiques en **fermentation anaérobie** et les changer en un liquide inodore. La fosse septique efficace ne sera inventée qu'en 1896 par l'Anglais Donald Cameron.

■ Entre-temps, deux inventions seront faites coup sur coup entre 1883 et 1886, et deviendront rapidement complémentaires. La première est le fait d'inventeurs anonymes de ce qui s'appelle à l'époque l'École Monge, et qui deviendra plus tard le lycée Carnot de Paris ; c'est la **cuvette de cabinet** à peu près telle que nous la connaissons aujourd'hui, munie d'une lunette de bois que l'on rabat ; elle est alors en tôle. Invention modeste, puisqu'elle n'est en fait qu'une adaptation de la chaise percée, mais qui déclenchera pourtant des polémiques interminables, car la quasi-totalité des lieux d'aisance consistait jusqu'alors en **cabinets « à la turque »**. Des médecins discoururent abondamment sur les méfaits de cette invention, qui, selon certains, « contrariait les lois naturelles » et prêtait à la contagion par le relais des lunettes. Les trésors d'argumentation dépensés pour repousser cette innovation ne peuvent que laisser rêveur quand on les relit un siècle plus tard.

■ Mais ce cabinet moderne s'imposa lorsqu'il fut associé à l'invention de l'Anglais

Thomas Crapper, qui date, semble-t-il, de 1886 : la **chasse d'eau**. Crapper avait imaginé de disposer à une certaine hauteur au-dessus de la cuvette un réservoir de 10 l d'eau qui libérait son contenu sur une poussée de chaîne, par un système à **levier**. La chasse d'eau agissait donc en tant qu'**expulseur** et **nettoyeur**, mais aussi dilueur, ce qui représentait un avantage précieux pour les déversements dans les rivières, lesquelles devenaient du coup considérablement moins chargées.

Par ailleurs, Crapper avait modifié le dessin de la cuvette, qu'il avait dotée d'un **siphon** ; il y avait toujours un volume d'eau relativement propre qui obturait le conduit menant au conduit d'égout. Son « **water-closet** » mettait pour la première fois l'habitation à l'abri des exhalaisons dangereuses.

■ Mais son invention n'allait pouvoir définitivement triompher qu'après l'installation de systèmes de **tout-à-l'égout** (voir ouvrage précédent), puis de l'adduction généralisée d'**eau courante** dans toutes les habitations, qui ne furent faites qu'à une époque avancée du XXᵉ siècle.

La pittoresque, mais nauséabonde, histoire des toilettes constitue indéniablement l'un des chapitres les plus déplorables de l'histoire de l'hygiène en général. La déconcertante lenteur avec laquelle inventeurs et pouvoirs publics s'y attaquèrent peut être légitimement rattachée à l'avarice des propriétaires d'immeubles et à des considérations aberrantes sur les « lois naturelles ». Car de même que de nombreux propriétaires crièrent à la « tyrannie socialiste » en 1886, quand on les contraignit de raccorder leurs immeubles au tout-à-l'égout, allant jusqu'à y voir une menace pour les libertés civiques, de nombreux savants défendirent jusqu'au bout les cabinets à la turque, justement parce qu'ils étaient malcommodes et « bibliques », et accusèrent les toilettes assises avec chasse d'eau de favoriser la dissémination de la syphilis et la pratique de la masturbation ! Telle quelle, l'invention de Crapper eût pu être faite au Xᵉ siècle, voire au Iᵉʳ : cette innovation majeure ne requérait en effet que les connaissances courantes de plomberie, et guère de génie théorique de l'hydraulique, ou de la mécanique des fluides !

Tondeuse à gazon
Ransome, 1902.

La première tondeuse à gazon était mue par un **moteur à essence** et comportait un siège de conducteur ; cette sorte de mini-moissonneuse fut inventée en 1902 par le Britannique James Edward Ransome.

Traveller's cheques
American Express, 1891.

C'est l'agence de voyages American Express qui inventa, en 1891, le chèque de voyage, plus connu sous sa dénomination anglo-saxonne de traveller's cheque. Il s'agit d'une adaptation de l'antique **lettre de crédit,** qui permettait au voyageur d'emporter avec lui de l'argent encaissable dans une filiale étrangère, sans courir les risques de perte ou de vol.

Trombone
Vaaler, 1900.

L'un des articles de papeterie les plus banals et les plus utiles, le trombone à papier, fut inventé en 1900 par le Norvégien Johann Vaaler.

Tube au néon
Claude, 1910-1938.

A la fin du XIXe siècle, de nombreux physiciens firent des essais de production de radiations en provoquant des décharges électriques en arcs entre deux électrodes, dans des tubes où ils avaient fait le vide, mais admis, toutefois, certaines quantités de gaz divers. Le Français Georges Claude fit ce genre d'essais avec du néon et découvrit, en 1909, que ce gaz devenait fluorescent. Dès 1910, il attirait l'attention sur les possibilités d'éclairage public à l'aide de tubes au néon. Ce ne fut toutefois qu'en 1936 que Claude mit définitivement au point le tube au néon, qui connut dès 1940 un grand succès dans l'éclairage industriel et la fabrication d'enseignes lumineuses. La lumière dégagée par ces tubes était toutefois instable, et le tube au néon ne fit son premier progrès qu'en 1948, avec la découverte des **poudres fluorescentes** aux halophosphates de calcium et de strontium, qui stabilisaient sensiblement le flux lumineux. Nouveau progrès, en 1972, avec la découverte des poudres fluorescentes bleues et vertes aux aluminates de magnésium, qui, combinées à l'oxyde d'yttrium rouge, ont à la fois amélioré l'efficacité de l'éclairement et l'**indice de rendu de la couleur** (évitement des déformations des couleurs).

Bibliographie

F. Aftalion, *Histoire de la chimie,* Masson, 1988.

P.W. Atkins, *Chaleur et désordre - le deuxième principe de thermodynamique,* Pour la Science-Belin, 1987.

Ph. Banbury, *A la recherche des premiers marins,* France-Empire, 1975.

M. Boll, *Histoire des mathématiques,* PUF/Que Sais-je, 1963.

P. Boussel, *Histoire de la médecine et de la chirurgie, de la Grande Peste à nos jours,* La Porte Verte, 1979.

R. Clark, *The Science Breakthrough,* Putnam, New York, 1974.

R. Clark, *Edison, l'artisan de l'avenir,* Belin, 1986.

J.C. Debeir, J.P. Deléage, D. Hémery, *Les servitudes de la puissance - une histoire de l'énergie,* Flammarion, 1986.

J.C. Dousset, *Histoire des médicaments des origines à nos jours,* Payot, 1985.

J.P. Flad, *Les trois premières machines à calculer,* Université de Paris-Palais de la Découverte, 1963.

Fondation Singer-Polignac, *La médecine à Paris du XIIIᵉ au XXᵉ siècle,* Hervas, 1984.

B. Gille, *Les ingénieurs de la Renaissance,* Hermann, 1964.

B. Gille, *Les mécaniciens grecs,* Le Seuil, 1980.

D. Guedj, *La méridienne,* Ségur, 1987.

R.H. Guerrand, *Les Lieux,* La Découverte, 1985.

R.H. Guerrand, *Histoire de la médecine aux armées,* 3 vol., Lavauzelle, 1982-1987.

J. de Kerdeland, *L'antique histoire de quelques inventions modernes,* France-Empire, 1980.

J.G. Landels, *Engineering in the Ancient World,* University of California Press, 1978.

R. Ligonnière, *Préhistoire et histoire des ordinateurs,* Robert Laffont, 1987.

Ch. Lichtenthaeler, *Histoire de la médecine,* Fayard, 1975.

Drs. A.S. Lyons & J. Petrucelli, *Histoire illustrée de la médecine,* Presse de la Renaissance, 1978.

J. Makower et L. Bergheim, *The Map Catalog,* Vintage Books, New York, 1986.

Service historique de la Marine, avec la participation de Ph. Masson et M. Battesti, *La Révolution maritime au XIXᵉ siècle,* Lavauzelle, 1986.

Smithsonian Institution, *Aircraft of the National Air and Space Museum,* 1981.

J. et M. Taylor, D. Mondey, R. Giraud, H. Beaubois, M. Marrand, *Le Livre de l'aviation,* Denoël, 1978.

P. Thuillier, *Le Petit Savant Illustré,* Seuil-Science ouverte, 1980.

H. Weiss, *Le pétrole,* Éditions de Minuit, 1960.

E.T. Wooldridge, *Winged Wonders,* National Air and Space Museum, Washington, 1983.

Nous avons également puisé nombre d'informations dans l'inventaire chronologique *A Timetable of Inventions and Discoveries,* de K. Desmond, M. Evans & Co., Inc., New York, 1986, la *Van Nostrand's Scientific Encyclopaedia* et le *World Who's Who in Science.*

Nous remercions *Science & Vie* de nous avoir permis de consulter ses collections, ainsi que celles de *Scientific American, Nature, Science* et *Spectrum.*

Index des inventions

Classées par ordre alphabétique à l'intérieur des grandes rubriques correspondant aux différents domaines de l'activité humaine (voir le sommaire), les inventions qui font l'objet d'une étude distincte sont signalées en **caractères gras**. *Les autres références portent sur les principes qui les ont inspirées, sur les dérivées ultérieures et sur leurs répercusions dans l'histoire des techniques.*

Agriculture et alimentation

Acide ascorbique, 22.
Additifs alimentaires, 21.
Alimentation industrielle, 21.
Anti-oxydants, 22.
Bactéries, 26.
Bigaradier, 26.
Boîte de conserve à clef, 24.
Bouteille souple, 24.
Café en poudre instantané, 24.
Cafétéria, 25.
Chlorophylle cuivrique, 21.
Chocolat au lait, 26.
Clémentine, 26.
Colorants, 21.
Conservants, 21.
Cyclamates, 30.
Diaminozide, 23.
Diététique, 26.
Édulcorants de synthèse, 29.
Évaporation rapide de saumure, 28.
Fast-food, 26.
Fer, 23.
Fermentation dirigée et contrôlée, 28.
Froid, 28.
Glace artificielle, 29.

Glutamates, 23.
Gomme karaya, 22.
Greniers cylindriques hermétiques, 30.
Irradiation des aliments, 26.
Jaune de beurre, 21.
Lécithine, 22.
Lyophilisation, 27.
Mandarinier, 26.
Margarine, 27.
Métacrylate, 29.
Moisissures, 26.
Nitrites, 23.
Œuf à faible taux de cholestérol, 28.
Œuf dur en barre, 28.
Ouvre-boîtes, 24.
Pasteurisation, 28.
Polyphosphates, 22.
Réfrigération, 28, 29.
Saccharine, 29.
Self-services, 25.
Silo, 30.
Sulfate de cuivre, 21.
Tartrazine, 21.
Vache mécanique, 30.
Vide, 29.
Vitamines, 23.
Voitures de restauration, 25.

Art et technologies militaires

Accélérateur d'électrons, 39.
Astronautique, 43.
Atomes d'hydrogène, 39.
Avion à géométrie variable, 33.
Blindage des véhicules terrestres, 34.
Bolomètre, 41.
Bombardement
aérien, 34.
Bombe atomique, 35.
Bombe N, 38.
Bombre thermonucléaire, 38.
Canon à protons, 39.
Canon multiple, 41.
Capteur à infrarouges, 41.
Cartouches métalliques, 41.
Chargeur à ruban, 42.
Chargeur cylindrique à tambour, 41.
Chariots armés, 34.
Décollage court, 33.
Détonateur, 38.
Deutérium, 38.
Fusées V1 et V2, 44.
Fusil-mitrailleur, 42.
Hélice et mitrailleuse synchrones, 40.
Implosion, 37.
Infrarouge actif, 41.
Lanceur, 43.
Machine d'escalade armée, 34.
Manivelle, 41.
Masse critique, 36.
Mélange deutérium-tritium, 38.
Mise en orbite, 43.
Missile air-air, 40.
Missile téléguidé air-air, 41.

Mitrailleuse, 34, 41, 42.
Neptunium, 36.
Neutrons lents, 35.
Ordinateur, 38.
Plate-forme directionnelle, 41.
Plutonium 239, 36.
Point supercritique, 36.
Projectile-fusée autonome, 40.
Réaction des gaz d'explosion, 41.
Réaction en chaîne, 35, 38.
Relais de télécommunications, 44.
Satellite artificiel, 43.
Surveillance météo, 44.
Synchronisation du tir avec l'hélice des avions, 42.
Système d'armement stratégique, 39.
Tank, 34.
Tritium, 38.
Tubes lance-bombes, 34.
Uranium 235, 35.
Uranium 238, 35.
Véhicule automobile blindé, 34.
Véhicules couverts autotractés, 34.
Vitesse de libération optimale, 43.

Chimie et physique

Adhésifs, 47.
Acétylène (synthèse), 47.
Aérogels, 48.
Alcool (synthèse de l'), 47.
Alcools polyhydriques, 54.
Allumage électrique à distance, 55.
Ammoniac, 63.
Analyse spectrale, 48.
Antimatière, 48.

Communication et médias

Industrie et technologies industrielles

Instruments de mesure et d'observation

Transports

Vie quotidienne

Index des « inventeurs »

Le lecteur trouvera ci-après les précurseurs et tous les personnages ayant participé — de près ou de loin — à l'élaboration, la réalisation, l'amélioration, la promotion et la continuation d'une invention.

A

Abbe (Ernst), 157, 158.
Abel (John), 188.
Abelson (Philip), 36.
Abraham (J.), 102.
Acot (Pascal), 225.
Adams (Robert), 191.
Adams (Thomas), 224.
Ader (Clément), 200.
Adler (Alan), 197.
Adler (Alfred), 186.
Agency of Industrial Science and Technology, 141.
Agfa, 81.
Agricola (Georgius), 143.
Ahl (David), 102.
Aiken (Howard), 104.
Aircraft (Hughes), 41.
Akre (Robert), 55.
Allen, 177.
Allen (Bryan), 204.
Alvarez (Luis), 118.
Alza, 181.
Anderson (Carl David), 48, 150.
Anderson (Dana), 159.
Angström (Anders), 167.
Appert (Léon), 143.
Arago, 117.
Aristote, 225.
Arlincourt (d'), 85.
Armée américaine, 140.
Armstrong (Edwin), 108.
Armstrong (Louis), 75.
Arsonval (Arsène d'), 27.
Astra, 216.
Atari, 93, 229.
Auto-Ped Co., 215.

B

Babbage, 105, 154.
Bachelet (Émile), 210.
Backwell, 85.

Bacon (Francis), 125.
Bain (Alexander), 85.
Baird (John), 90.
Baldwin (Casey), 209.
Ballantyne Hannay (James), 52.
Balzac, 237.
Bardeen (John), 84, 109, 128.
Barnard (Christian), 175.
Barnes (Charles Emerson), 41.
Barsanti (Eugenio), 211.
Barth, 227.
Barthélemy (René), 84, 90.
Bauer (Georg), 143.
Bäyer (Adolf von), 50, 172.
Beacham (T.E.), 207.
Beauchamp, 227.
Beau de Rochas (A.), 122, 211.
Bechet (Sidney), 75.
Béclère (Antoine), 188.
Becquerel (Henri), 26.
Bednorz, 107.
Bednorz (Georg), 128.
Behring (Adolf von), 172, 190.
Bekesy (Georg von), 179.
Belin (Édouard), 85.
Bell (Alexander Graham), 86, 184, 209.
Bell (Chichester), 77.
Beltrami (Eugenio), 99.
Benesch (Alfred), 206.
Benz (Carl), 199, 212.
Berger (Gaston), 163.
Berliner (Emil et Henry), 208.
Berliner (Emil), 69, 79.
Berthelot (Marcelin), 48.
Berthenod (Joseph), 84.

Bertillon (Alphonse), 147.
Bessis (Marcel), 173.
Best (C.L.), 216.
Bickford (William), 55.
Bier (Norman), 179.
Binnig (G.), 155, 156.
Birdseye (Clarence), 235.
Bissell (Melville), 223.
Black (H.S.), 84.
Blackton (J. Stuart), 68.
Blanquart (Évrard), 77.
Blériot (Louis), 201.
Bloch (E.), 102.
Boeing, 60, 214.
Boenke (Knut), 234.
Bohr (Niels), 35, 62, 116.
Bohr et Wheeler, 35.
Boltzmann (Ludwig), 61.
Bolyai (János), 99.
Bonagente (C.), 216.
Boole (George), 154.
Booth (Hubert), 222.
Bordas (Georges), 27.
Borel (Léon), 109.
Born (Max), 63.
Bothezat (Georges de), 208.
Boydell, 216.
Boyer (Herbert), 178.
Boyle (Robert), 152.
Boys (Charles), 166.
Bradford, 229.
Branover (Herman), 122.
Brattain, 16, 84, 110.
Braun (Karl Ferdinand), 89, 160.
Braun (Wernher von), 44, 199.
Bray, 68.
Brayton (George), 211.
Brearley (Henry), 131.
Bréguet (Louis et

Jacques), 208.
Breit (Gregory), 165.
Breuer (Josef), 186.
Brewster (sir David), 152.
Bridgman (P.W.), 52.
Brindley (Giles), 183.
Brouardel, 22.
Brown (Harold P.), 224.
Brown (Janice), 203.
Brown (Samuel), 211.
Brown-Séquard (Charles), 143.
Browning (John), 42.
Bruning (Erwin), 149.
Bucciali (frères), 216.
Buehler (W.), 131.
Burke (John), 184.
Burks (A.W.), 104.
Burroughs (William), 148.
Burt (sir Cyril), 147.
Busch (Ernst), 157.
Bush (Vannevar), 104.
Bushnell (Norman), 228.

C

Cahill (Thomas), 231.
Callaghan (John), 191.
Caltech, 48.
Cameron (Donald), 237.
Campini (Secondo), 202.
Canon, 85.
Cantor (Georg), 108.
Cantrell (J.F.), 229.
Carboloy, 132.
Carey (George), 90.
Carlier (François), 226.
Carlos (Walter), 235.
Carlson, 68.
Carnot (Sadi), 122, 123.
Carpentier (Pierre), 141.
Carré (Ferdinand), 29.
Carson Rachel, 9.

251

Crédits photographiques